ÊXTASE

Livros da autora publicados pela Galera Record

Série Fallen
Volume 1 – Fallen
Volume 2 – Tormenta
Volume 3 – Paixão
Volume 4 – Êxtase

Apaixonados – histórias de amor de Fallen
Anjos na escuridão
O livro de Cam – Um romance da série Fallen

Série Teardrop
Volume 1 – Lágrima
Volume 2 – Dilúvio

A traição de Natalie Hargrove

ÊXTASE

UM ROMANCE DA SÉRIE
FALLEN

LAUREN KATE

Tradução
Ana Carolina Mesquita

29ª edição

— Galera —
RIO DE JANEIRO
2022

CIP-BRASIL. CATALOGAÇÃO NA FONTE
SINDICATO NACIONAL DOS EDITORES DE LIVROS, RJ

K31e
29ª ed.
 Kate, Lauren
  Êxtase / Lauren Kate; tradução Ana Carolina
Mesquita. – 29ª ed. – Rio de Janeiro: Galera Record, 2022.
(Fallen; 4)

  Tradução de: Rapture
  ISBN 978-85-01-08965-6

  1. Romance americano. I. Mesquita, Ana Carolina. II. Título.

12-5094
          CDD: 813
          CDU: 821.111(73)-3

Título original em inglês:
Rapture

Text copyright © 2012 by Lauren Kate e Tinderbox Books, LLC.

Publicado originalmente por Delacorte Press, um selo da Random House Children's Books, divisão da Random House, Inc.

Direitos de tradução negociados com Tinderbox Books, LLC e Sandra Bruna Agencia Literária, S. L.

TINDERBOX

Todos os direitos reservados. Proibida a reprodução, no todo ou em parte, através de quaisquer meios. Os direitos morais da autora foram assegurados.

Composição de miolo: Abreu's System

Texto revisado segundo o novo Acordo Ortográfico da Língua Portuguesa.

Direitos exclusivos de publicação em língua portuguesa
somente para o Brasil adquiridos pela
EDITORA RECORD LTDA.
Rua Argentina, 171 – Rio de Janeiro, RJ – 20921-380 – Tel.: (21) 2585-2000,
que se reserva a propriedade literária desta tradução.

Impresso no Brasil

ISBN 978-85-01-08965-6
Seja um leitor preferencial Record.
Cadastre-se e receba informações sobre nossos
lançamentos e nossas promoções.

Atendimento e venda direta ao leitor:
sac@record.com.br

Para Jason —
Sem seu amor,
nada é possível.

AGRADECIMENTOS

É uma coisa maravilhosa descobrir que a lista de agradecimentos está crescendo a cada livro. Sou grata a Michael Stearns e a Ted Malawer por acreditarem em mim, por me tolerarem, por me fazerem trabalhar tão arduamente. Para Wendy Loggia, Beverly Horowitz, Krista Vitola e à excelente equipe da Delacorte Press: vocês fizeram a série Fallen voar alto do início ao fim. Para Angela Carlino, Barbara Perris, Chip Gibson, Judith Haut, Noreen Herits (já sinto sua falta!), Roshan Nozari e Dominique Cimina pelo quão habilmente vocês transformaram minha história em um livro.

Para Sandra Van Mook e meus amigos na Holanda, para Gabriella Ambrosini e Beatrice Masini na Itália, para Shirley Ng e a equipe da MPH em Kuala Lumpur; para Rino Balatbat, Karla, Chad, a maravilhosa família Ramos, e meus magníficos fãs filipinos, para Dorothy Tonkin, Justin Ractliffe e a brilhante equipe da Random House Austrália; para Rebecca Simpson na Nova Zelândia, para Ana Lima e Cecilia Brandi e à Record pela estada maravilhosa no Brasil, para Lauren Kate Bennet e as garotas adoráveis na RHUK; para Amy Fisher e Iris Barazani pela inspiração em Jerusalém. Que ano maravilhoso passei com todos vocês — um viva a todos!

Para todos os meus leitores, que me mostram o lado brilhante da vida a cada dia. Obrigada.

A minha família, pela paciência e confiança e senso de humor. Para meus amigos, por me resgatarem da caverna da criação. E, sempre, para Jason, que se aventura na caverna quando me recuso a ser resgatada. Tenho sorte de contar com todos em minha vida.

Todas as demais coisas à ruína se arrastam,
Apenas o nosso amor não conhece declínio...

❋

— JOHN DONNE, *"O Aniversário"*

PRÓLOGO

A̲ntes havia o silêncio...

No espaço entre o Céu e a Queda, nas profundezas da distância insondável, houve um momento em que o trinado glorioso do Universo desapareceu e foi substituído por um silêncio tão profundo que a alma de Daniel se esforçou para distinguir algum ruído.

Então veio a sensação de queda — uma queda que nem as asas dele poderiam evitar, como se nelas o Trono tivesse prendido luas. Mal batiam e, quando batiam, isto não causava impacto na queda.

Para onde ele estava indo? Não havia nada diante de si e nada atrás. Nada acima e nada abaixo. Apenas uma escuridão espessa e a silhueta borrada do que restara da alma de Daniel.

Na ausência de som, a imaginação assumiu o comando. Encheu-lhe a cabeça com algo que ia além do som, algo inescapável: as palavras assombrosas da maldição de Lucinda.

Ela vai morrer... Jamais passará da adolescência — *morrerá de novo, e de novo, e de novo, exatamente no momento em que se lembrar da* escolha que você fez.

Vocês jamais ficarão verdadeiramente juntos.

Esta foi a praga maligna de Lúcifer, o adendo amargurado à sentença proferida pelo Trono no Prado Celestial. Agora a morte estava vindo para o seu amor. Poderia Daniel impedi-la? Será que sequer a reconheceria?

Pois o que um anjo sabia sobre a morte? Daniel havia testemunhado a morte chegar tranquilamente a alguns integrantes da nova raça mortal chamada seres humanos, mas esta não era uma preocupação dos anjos.

Morte e adolescência: absolutas na Maldição de Lúcifer. Nenhuma das duas significava alguma coisa para Daniel. Tudo o que sabia é que ser separado de Lucinda não era uma punição que conseguiria suportar. Eles precisavam ficar juntos.

— Lucinda! — gritou ele.

Deveria ter sentido a alma se aquecer somente por pensar nela, mas só havia a ausência, dolorosa, uma abundância do que não estava.

Ele deveria ter sido capaz de sentir os irmãos ao redor — todos aqueles que fizeram escolhas erradas ou tardias; os que não haviam feito escolha alguma e sido expulsos pela sua indecisão. Ele sabia que não estava *verdadeiramente* sozinho; muitos tinham mergulhado em queda quando o solo de nuvens sob eles se abriu para o vazio.

Porém, ele não era capaz de ver ou sentir a presença de mais ninguém.

Antes desse momento, jamais estivera só. Agora ele se sentia o último dos anjos em todos os mundos.

Não pense assim. Você irá se perder.

Ele tentou se agarrar a pensamentos... Lucinda, a lista de chamada, Lucinda, a *escolha*... mas, à medida que caía, ficava cada vez mais difícil se lembrar. Quais, por exemplo, tinham sido as últimas palavras que ouvira do Trono...

Os Portões do Céu...

Os Portões do Céu estão...

Ele não conseguia se lembrar do que veio em seguida, conseguia apenas se recordar vagamente do tremeluzir da grande luz e do frio rigoroso tomando conta do Prado, e das árvores do Pomar caindo umas sobre as outras, provocando ondas de distúrbio furioso que foram sentidas por todo o cosmo, tsunamis de nuvens que cegaram os anjos e esmagaram a sua glória. Houve também algo mais, algo logo antes da obliteração do Prado, algo que parecia uma...

Duplicação.

Um anjo luminosíssimo havia pairado durante a lista de chamada — disse que era o Daniel do futuro. Havia uma tristeza em seus olhos que parecia tão... *antiga.* Teria esse anjo — essa versão da alma de Daniel — sofrido profundamente?

Teria Lucinda?

Uma ira vasta fervilhou dentro de Daniel. Ele encontraria Lúcifer, o anjo que morava no beco sem saída de todas as ideias. Daniel não tinha medo do traidor que certa vez fora a Estrela da Manhã. Onde quer e quando quer que eles chegassem ao fim desse oblívio, Daniel teria sua vingança. Mas primeiro encontraria Lucinda, pois sem ela nada tinha importância. Sem o amor dela, nada era possível.

O amor dos dois era um amor que tornava inconcebível escolher entre Lúcifer ou o Trono. O único lado que Daniel podia escolher era o de Lucinda. Portanto, agora ele pagaria por essa escolha, porém ainda não compreendia o formato que tal punição assumiria, somente que, agora, Lucinda fora tirada do lugar que era seu por direito: ao lado dele.

A dor da separação de sua alma gêmea atravessou Daniel de repente, rígida e brutal. Ele gemeu sem palavras, a mente se anuviou, e de repente, pavorosamente, não conseguia mais se lembrar do *porquê.*

Ele caía sem parar, descendo por escuridões cada vez mais densas.

Já não podia ver, sentir ou se lembrar de como havia ido parar ali, em lugar nenhum, descendo em direção ao nada — em direção a onde? Por quanto tempo?

Suas recordações falhavam e se esvaneciam. Era cada vez mais difícil se lembrar das palavras proferidas pelo anjo no campo branco que se parecia tanto com...

Com quem o anjo se parecia? E o que ele havia dito que era tão importante?

Daniel não sabia, não sabia de mais nada.

Somente que estava descendo através de um vazio interminável.

Ele foi tomado pela necessidade de encontrar algo... alguém.

Uma necessidade de se sentir inteiro novamente...

Mas havia apenas escuridão dentro de escuridão...

Silêncio afogando seus pensamentos...

Um nada que era tudo.

Daniel caiu.

UM

O LIVRO DOS GUARDIÕES

— Bom dia.

A mão cálida afagou o rosto de Luce e colocou uma mecha de seu cabelo atrás da orelha.

Ela rolou para o lado, bocejou e abriu os olhos. Estivera dormindo profundamente, sonhando com Daniel.

— Oh — disse ela com um arquejo de espanto, sentindo o toque em seu rosto. Ali estava ele.

Daniel estava sentado ao lado dela. Usava um suéter preto e o mesmo cachecol vermelho amarrado em volta do pescoço, como na primeira vez em que o vira na Sword & Cross. Parecia mais lindo do que um sonho.

O peso de Daniel fez a beirada da cama de armar balançar um pouco, e Luce encolheu as pernas para se aconchegar mais perto dele

— Você não é um sonho — disse ela.

Os olhos de Daniel estavam mais turvos do que estava acostumada, mas ainda cintilavam com o mais luminoso tom de violeta ao mirarem o rosto de Luce, analisando suas feições como se a visse pela primeira vez. Ele se inclinou para baixo e pressionou seus lábios nos dela.

Luce enlaçou o corpo ao dele, abraçando-lhe a nuca, feliz por retribuir o beijo. Não dava a mínima para o fato de não ter escovado os dentes, para os cabelos despenteados. Não dava a mínima para nada mais senão aquele beijo. Estavam juntos agora, e nenhum dos dois conseguia parar de sorrir.

Então tudo lhe veio novamente à lembrança.

Garras afiadas como lâminas e olhos vermelhos embaçados. O fedor sufocante de morte e podridão. Escuridão em toda parte, tão completa em sua perdição que fazia a luz, o amor e tudo o que havia de bom no mundo parecer cansado, destruído e morto.

Que Lúcifer tivesse significado algo para ela — Bill, a geniosa gárgula de pedra que acreditara ser seu amigo, na verdade era o próprio Lúcifer — parecia impossível. Ela o deixou se aproximar demais e agora, por não ter feito o que ele desejava — matar a própria alma no Antigo Egito —, ele decidiu começar do zero.

Envergar o tempo e apagar tudo o que aconteceu desde a Queda.

Todas as vidas, todos os amores, todos os momentos que qualquer alma mortal ou angelical já tinham vivido seriam destruídos e descartados conforme o capricho indiferente de Lúcifer, como se o Universo fosse um jogo de tabuleiro e ele, uma criança birrenta que desiste de brincar quando começa a perder. Luce não fazia a menor ideia, porém, do que ele desejava ganhar.

Sentiu a pele esquentar ao se lembrar da fúria de Lúcifer. Ele *quis* que ela visse aquilo, que tremesse nas mãos dele quando a levava de volta ao momento da Queda. Desejou lhe mostrar que, para ele, aquilo era um assunto pessoal.

Depois a atirou para o lado e lançou um Anunciador semelhante a uma rede para capturar todos os anjos que haviam caído do Céu.

Justamente quando Daniel a apanhou naquele vazio estrelado, Lúcifer saiu da existência e incitou a Queda a recomeçar. Ele estava lá agora com os anjos caídos, incluindo a versão passada de si. Como o restante deles, Lúcifer cairia em isolamento impotente — com seus irmãos, porém separado; junto, mas sozinho. Milênios atrás, os anjos levaram nove dias mortais para despencar do Céu para a Terra. Uma vez que a segunda Queda de Lúcifer seguiria a mesma trajetória, Luce, Daniel e os outros tinham exatamente nove dias para impedi-lo.

Se não o fizessem, quando Lúcifer e seu Anunciador repleto de Anjos chegassem à Terra, haveria um soluço no tempo que reverberaria em reverso até o momento da Queda original, e então tudo recomeçaria. Como se os sete mil anos entre aquele dia e hoje jamais tivessem existido.

Como se Luce não tivesse finalmente começado a entender a maldição, a entender onde ela se encaixava naquilo tudo, a aprender quem era e o que poderia ser.

A história e o futuro do mundo estavam em risco... a menos que Luce, sete anjos e dois Nefilim pudessem impedir Lúcifer. Eles tinham nove dias e não faziam a menor ideia de por onde começar.

Luce estava tão cansada na noite anterior que não se lembrava de ter deitado naquela cama de armar, de envolver o fino cobertor azul ao redor dos ombros. Havia teias de aranha nas vigas do pequeno chalé. Uma mesa portátil estava repleta de canecas de chocolate quente pela metade que Gabbe preparara para todo mundo na noite passada. Tudo aquilo, entretanto, parecia um sonho para Luce. Sua fuga do Anunciador até essa ilhazinha na costa de Tybee, essa zona segura para anjos, fora obscurecida por uma fadiga cegante.

Ela havia caído no sono enquanto os outros ainda conversavam, deixando a voz de Daniel niná-la ao reino dos sonhos. Agora o chalé estava em silêncio, e na janela atrás da silhueta de Daniel, o céu exibia um tom cinzento de quase amanhecer.

Esticou a mão e tocou-lhe o rosto. Ele virou a cabeça e beijou a palma da mão dela. Luce apertou os olhos para parar de chorar. Por que, depois de tudo o que haviam passado, Luce e Daniel ainda precisavam derrotar o diabo para ficarem livres para amar?

— Daniel. — A voz de Roland veio da porta do chalé. As mãos estavam enfiadas nos bolsos de seu sobretudo, e um gorro de lã cinzenta coroava os *dreadlocks*. Ele ofereceu a Luce um sorriso cansado. — Está na hora.

— Está na hora de quê? — Luce se apoiou sobre os cotovelos. — Estamos indo embora? Já? Eu queria me despedir dos meus pais. Eles provavelmente estão em pânico.

— Pensei em levar você para a casa deles agora — explicou Daniel —, para se despedir.

— Mas como vou explicar meu desaparecimento depois do jantar de Ação de Graças?

Ela se lembrou das palavras de Daniel na noite anterior: embora parecesse que tinham estado dentro dos Anunciadores durante uma eternidade, na verdade somente algumas poucas horas haviam se passado.

Ainda assim, para Harry e Doreen Price, algumas poucas horas de desaparecimento da filha *eram* uma eternidade.

Daniel e Roland trocaram um olhar.

— Nós já cuidamos disso — disse Roland, estendendo a Daniel um molho de chaves de carro.

— Cuidaram disso como? — perguntou Luce. — Certa vez meu pai chamou a polícia quando cheguei da escola com meia hora de atraso...

— Não esquenta, menina — disse Roland. — Nós limpamos sua barra. Você só precisa fazer uma pequena troca de figurino. — Ele apontou para uma mochila na cadeira de balanço perto da porta. — Gabbe trouxe suas coisas para cá.

— Hã, valeu — disse ela, confusa.

Onde estava Gabbe? Onde estava o restante deles? O chalé parecia lotado na noite anterior, bastante reconfortante com o brilho das asas e do cheiro de chocolate quente e canela. A lembrança daquele aconchego, mais a promessa de se despedir dos pais sem saber para onde estava indo, faziam com que a manhã parecesse vazia.

O piso de madeira era áspero de encontro aos pés de Luce. Olhou para baixo e percebeu que ainda usava o leve vestido branco que colocara no Egito, na última vida que havia visitado através dos Anunciadores. Bill a fizera vestir aquilo.

Não. Bill, não. *Lúcifer*. Ele olhou de soslaio com aprovação quando ela enfiou a seta estelar no cós, refletindo sobre o conselho que lhe dera: matar a própria alma.

Nunca, nunca, nunca. Luce tinha tanto para viver!

Dentro da velha mochila verde que ela costumava levar aos acampamentos de verão, encontrou seus pijamas preferidos — de flanela, listrados de vermelho e branco — bem dobrados, e debaixo deles estavam as pantufas brancas combinando.

— Mas é de manhã — protestou Luce. — Por que vou precisar de pijamas?

Novamente Daniel e Roland trocaram um olhar e dessa vez tentaram não rir.

— Confie em nós, só isso — pediu Roland.

Depois de se trocar, Luce seguiu Daniel para fora do chalé, deixando que os ombros largos dele cortassem o vento enquanto os dois caminhavam pela praia pedregosa em direção à água.

A minúscula ilha na costa de Tybee ficava a mais ou menos um quilômetro e meio do litoral de Savannah. Roland prometeu que um carro estaria à espera deles do outro lado do mar.

As asas de Daniel estavam escondidas, mas ele deve ter sentido o olhar de Luce sobre o local de onde se abriam em seus ombros.

— Quando tudo estiver acertado, voaremos até o ponto onde precisamos ir, seja lá qual for, para impedir Lúcifer. Até lá, melhor ficar com os pés plantados no chão.

— Tudo bem — concordou Luce.

— Que tal uma corrida até o outro lado?

A respiração dela condensou no ar.

— Sabe que eu ganho de você.

— Verdade. — Ele passou um braço em volta da cintura de Luce, para aquecê-la. — Melhor irmos de barco, então. E proteger meu famoso orgulho.

Ela o observou desatracar do cais um pequeno barco metálico a remo. A luz suave sobre as águas fez com que se lembrasse do dia em que disputaram uma corrida no lago secreto na Sword & Cross. A pele dele brilhou quando subiram na rocha plana que ficava no meio para tomar fôlego e depois se deitaram na pedra aquecida pelo sol, deixando que o calor do dia secasse seus corpos. Mal conhecia Daniel naquela época — nem sabia que era um anjo —, mas já estava perigosamente apaixonada por ele.

— A gente costumava nadar juntos na minha existência no Taiti, não é? — perguntou ela, surpresa por se lembrar de outra época em que vira o cabelo de Daniel cintilar com água.

Daniel a encarou, e ela entendeu o quanto significava para ele poder finalmente compartilhar algumas de suas recordações do passado dos dois. Ele pareceu tão emocionado que Luce pensou que talvez fosse chorar.

Em vez disso, ele lhe beijou a testa com ternura e disse:

— Você me derrotou em todas aquelas vezes também, Lulu.

Não conversaram muito enquanto Daniel remava. Para Luce, era suficiente olhar o modo como os músculos dele se retesavam e flexionavam sempre que levava os braços para trás, ouvir os remos mergulhando e saindo da água gelada, respirar a brisa do oceano. O sol estava nascendo atrás dos ombros dela, aquecendo-lhe a nuca, mas conforme se aproximavam do continente, ela viu algo que arrepiou sua espinha.

Ela reconheceu o Taurus 1993 imediatamente.

— O que foi? — perguntou Daniel, notando a postura de Luce se enrijecer quando o barco tocou a praia. — Ah. Isso.

Ele pareceu despreocupado ao saltar do barco e estender a mão para ajudar Luce. O chão estava viscoso e com cheiro forte. Aquilo

❧ 20 ❧

fez Luce se lembrar de sua infância, correndo pelas florestas da Geórgia no outono, deliciando-se com as perspectivas de travessuras e aventura.

— Não é o que você está pensando — disse Daniel. — Quando Sophia fugiu da Sword & Cross, depois que... — Luce aguardou, estremecendo, torcendo para Daniel não dizer "depois que ela assassinou Penn". — Depois que descobrimos quem ela realmente era, os anjos confiscaram o carro. — O rosto dele endureceu. — Ela nos deve isso e muito mais.

Luce pensou no rosto branco de Penn, na vida que se esvaía dele.

— Onde Sophia está agora?

Daniel balançou a cabeça.

— Não sei. Infelizmente, talvez logo descobriremos. Tenho a sensação de que ela vai dar um jeito de se infiltrar em nossos planos. — Ele tirou as chaves do bolso, inseriu uma na porta do passageiro. — Mas não é com isso que você deve se preocupar agora.

Luce olhou para ele enquanto afundava no assento de tecido cinza.

— Então com o que devo me preocupar agora?

Daniel virou a chave, e o carro estremeceu lentamente de volta à vida. Da última vez em que se sentara ali, ficara preocupada por estar sozinha com ele. Foi a primeira noite em que se beijaram — pelo menos de acordo com o que ela sabia na época. Luce estava prendendo o cinto de segurança quando sentiu os dedos de Daniel sobre os dela.

— Lembre-se — disse Daniel em voz baixa, estendendo o braço para prender o cinto para ela, deixando suas mãos se demorarem sobre as de Luce. — Há um truque.

Ele a beijou na bochecha, depois deu ré e saiu da mata úmida, entrando em uma estrada de asfalto estreita com duas pistas. Eles eram os únicos ali.

— Daniel? — indagou Luce mais uma vez. — Com o que mais eu deveria me preocupar agora?

Ele olhou para o pijama de Luce.

— Você é boa em se fingir de doente?

O Taurus branco estava escondido na alameda atrás da casa dos pais de Luce quando ela passou de fininho pelas árvores de azaleias que ficavam ao lado do seu quarto. No verão, haveria vinhas de tomate subindo da terra negra, mas no inverno o jardim lateral parecia morto e assustador, nada parecido com um lar. Ela não conseguiu se recordar da última vez que ficara ali. Já havia saído escondida de três internatos antes, mas nunca da casa dos pais. Agora estava *entrando* escondida, e não tinha ideia de como a janela do seu quarto funcionava. Luce olhou para o bairro adormecido ao redor, para o jornal matutino envolto na embalagem de plástico molhada de orvalho num canto do gramado dos pais, para o velho aro de basquete sem rede na entrada da casa dos Johnson, do outro lado da rua. Nada mudara desde que ela fora embora. Nada mudara, a não ser Luce. Se Bill conseguisse seu intento, será que esse bairro também desapareceria?

Ela deu um último aceno para Daniel, que observava do carro parado, inspirou profundamente e usou os polegares para soltar o painel inferior da janela do peitoril pintado de azul e com a tinta já lascada.

Ele deslizou para cima. Alguém lá dentro já tinha aberto as persianas. Luce parou, espantada, quando as cortinas de musselina branca se abriram e a cabeça meio loira, meio negra de sua ex-inimiga Molly Zane preencheu a abertura.

— E aí, Bolo de Carne?

Luce se arrepiou ao ouvir o apelido que ganhara no primeiro dia na Sword & Cross. Seria *disso* que Daniel e Roland estavam falando quando disseram que haviam cuidado das coisas em casa?

— O que você está fazendo aqui, Molly?

— Ora, ora. Eu não mordo, não. — Molly estendeu a mão. As unhas eram verde-esmeralda, descascadas.

Luce afundou a mão na de Molly, inclinou o corpo para o lado e passou, uma perna de cada vez, pela janela.

Seu quarto parecia pequeno e datado, como uma cápsula do tempo de uma Luce muito antiga. Lá estava o pôster emoldurado da Torre Eiffel, atrás da porta. O quadro com as medalhas de natação da escola primária de Thunderbolt. E ali, embaixo do edredom verde e amarelo com estampa havaiana, sua melhor amiga, Callie.

Callie saiu de baixo das cobertas, correu ao redor da cama e se atirou nos braços de Luce.

— Eles não paravam de me dizer que você ficaria bem, mas daquele jeito mentiroso de "também-estamos-completamente-aterrorizados-mas-não-vamos-explicar-nada-para-você". Tem noção de como aquilo foi completamente medonho? Foi como se você tivesse despencado para fora da face da Terra...

Luce a abraçou com força. Pelo que Callie sabia, Luce só estivera ausente desde a noite anterior.

— Certo, vocês duas — resmungou Molly, afastando Luce de Callie. — Podem dar o showzinho dos "ai meu Deus!" mais tarde. Eu não fiquei deitada nessa cama com aquela peruca barata de poliéster a noite inteira encenando Luce-gripada para que vocês duas destruam nosso disfarce agora. — Ela revirou os olhos. — Amadoras!

— Espere aí. Você o quê? — perguntou Luce.

— Depois que você... desapareceu — disse Callie, sem ar —, nós sabíamos que jamais poderíamos explicar isso aos seus pais. Quero dizer, nem *eu* conseguia acreditar no que havia visto com os próprios olhos. Então Gabbe deu um jeito no quintal, e eu disse a eles que você estava se sentindo mal e tinha ido se deitar, e Molly fingiu ser você e...

— Por sorte encontrei isto no seu armário. — Molly girou uma peruca de cabelos negros curtos em um dos dedos. — Recordação de Halloween?

— Mulher Maravilha. — Luce estremeceu, arrependida da sua fantasia da escola secundária, e não pela primeira vez.

— Bem, funcionou.

Era estranho ver Molly (que outrora estivera ao lado de Lúcifer) ajudando-a. Mas até mesmo Molly, assim como Cam e Roland, não desejava cair novamente. Então ali estavam eles, uma equipe, estranhos aliados.

— Você segurou as pontas por mim? Não sei nem o que dizer. Obrigada.

— Tranquilo. — Molly inclinou a cabeça para Callie, qualquer coisa para se esquivar da gratidão de Luce. — Ela é que foi a verdadeira diabinha persuasiva. Agradeça a ela. — Molly enfiou uma perna pela janela aberta e se virou para dizer: — Vocês duas acham que podem assumir as coisas a partir daqui? Tenho um compromisso na Waffle House.

Luce mostrou o polegar para cima e desabou na cama.

— Oh, Luce — sussurrou Callie. — Quando você foi embora, todo o quintal da sua casa ficou coberto de *poeira* cinzenta. Mas aquela garota loira, Gabbe, simplesmente fez um gesto e aquilo tudo *desapareceu*! Aí dissemos que você estava passando mal, que todo mundo tinha voltado para casa, e começamos a lavar a louça com seus pais, como se nada tivesse acontecido. E no começo eu achei que essa tal de Molly fosse meio terrível, mas na verdade é legal. — Os olhos dela se estreitaram. — Mas *aonde* você foi? O que aconteceu com você? Você me assustou mesmo, Luce.

— Não sei nem por onde começar — disse Luce.

Uma batida foi seguida do rangido familiar de porta se abrindo.

A mãe de Luce estava no corredor, com os cabelos despenteados presos por um grampo amarelo-banana, o rosto bonito sem maquiagem. Ela segurava uma bandeja de vime com dois copos de suco de laranja, dois pratos com torradas amanteigadas e um envelope de antiácido.

— Parece que alguém está se sentindo melhor.

Luce esperou até a mãe colocar a bandeja na mesinha de cabeceira e depois a abraçou pela cintura, enterrando o rosto em seu robe cor-de-rosa atoalhado. Lágrimas fizeram seus olhos arderem. Ela fungou.

— Oh, minha filhinha — disse a mãe, colocando a mão sobre a testa e rosto de Luce para ver se estava com febre. Embora não falasse daquele jeito doce com Luce há séculos, era tão bom ouvi-lo.

— Eu amo você, mãe.

— Não me diga que ela está doente demais para as liquidações da Black Friday. — O pai de Luce apareceu à porta, segurando um regador verde de plástico. Estava sorrindo, no entanto os olhos do Sr. Price pareciam preocupados por trás dos óculos sem armação.

— Estou melhor — começou Luce. — Mas...

— Oh, Harry — disse a mãe de Luce. — Você sabe que ela só podia ficar aqui por um dia. Precisa voltar para a escola. — Ela se virou para Luce. — Daniel ligou agora há pouco, querida. Disse que pode apanhá-la e levá-la de volta à Sword & Cross. Falei que é claro que eu e seu pai ficaríamos contentes em levá-la, mas...

— Não — interrompeu Luce rapidamente, lembrando-se do plano que Daniel havia detalhado no carro. — Mesmo que eu não possa ir, vocês dois têm de aproveitar o feriado. É uma tradição da família Price.

Todos resolveram que Luce pegaria uma carona com Daniel enquanto seus pais levariam Callie ao aeroporto. Enquanto as meninas comiam, os pais de Luce ficaram sentados na beirada da cama conversando sobre o Dia de Ação de Graças ("Gabbe poliu toda a porcelana — um anjo!"). Quando a conversa enveredou para os itens baratíssimos que estavam querendo comprar na Black Friday ("O seu pai sempre quer ferramentas"), Luce se deu conta de que não havia dito nada, a não ser partículas preenchedoras inocentes, como "Hã-hã" e "É mesmo?".

Quando os pais finalmente se levantavam para levar a louça até a cozinha e Callie começou a arrumar as malas, Luce foi ao banheiro e fechou a porta.

Estava sozinha pela primeira vez no que parecia um milhão de anos. Sentou-se no banquinho e olhou seu reflexo no espelho.

Era ela mesma, mas diferente. Sim, com certeza era Lucinda Price quem a fitava de volta, mas também...

Havia Layla nos lábios fartos, Lulu nas ondas espessas do cabelo, Lu Xin na intensidade dos olhos cor de avelã, Lucia no brilho do olhar. Ela não estava sozinha. Talvez jamais voltasse a estar. Ali, no espelho, todas as encarnações de Lucinda a olhavam, perguntando-se: "O que será de nós? E nossa história, e nosso amor?"

Tomou uma chuveirada e colocou um par de jeans limpos, suas botas pretas de montaria e um suéter branco comprido. Sentou-se sobre a mala de Callie enquanto a amiga lutava para fechá-la. O silêncio entre elas era brutal.

— Você é minha melhor amiga, Callie — disse Luce por fim. — Estou passando por algo que não compreendo. Mas esse algo não tem a ver com você. Desculpe por não saber como ser mais específica, mas senti sua falta. Muito.

Os ombros de Callie se tensionaram.

— Você costumava me contar tudo.

O olhar que passou entre as duas sugeriu, porém, que ambas sabiam que já não era mais possível fazer isto.

A porta de um carro bateu lá fora.

Pelas persianas abertas, Luce viu Daniel andando pela trilha da frente da casa de seus pais. E, embora ele a tivesse deixado ali há menos de uma hora, Luce sentiu o coração se acelerar e as faces corarem ao vê-lo. Ele caminhava devagar, como se flutuasse, o mesmo cachecol vermelho voando atrás dele ao vento. Até mesmo Callie o encarou.

Os pais de Luce se reuniram no saguão com eles. Ela abraçou cada um por um longo tempo — primeiro o pai, depois a mãe, depois Callie, que a apertou com força e sussurrou depressa:

— O que eu vi na noite passada... você entrando naquela... naquela *sombra*... foi lindo. Só quero que saiba disso.

Luce sentiu os olhos arderem de novo. Retribuiu o abraço apertado e sussurrou:

— Obrigada.

Depois caminhou pela trilha, para os braços de Daniel e para o que quer que viesse com eles.

— Aí estão vocês, seus pombinhos, fazendo o que os pombinhos fazem — cantarolou Ariane, inclinando a cabeça para fora de uma longa estante.

Estava sentada de pernas cruzadas em uma cadeira de madeira da biblioteca, fazendo malabarismos com algumas bolinhas de lã colorida. Usava macacão e coturnos, e seus cabelos escuros estavam presos em trancinhas.

Luce não se sentia muito empolgada por estar de volta à biblioteca da Sword & Cross. O lugar havia sido reformado depois do incêndio que o destruiu, mas ainda cheirava como se algo grande e feio tivesse queimado ali. O corpo docente justificou o incêndio como um acidente infeliz, mas alguém havia morrido — Todd, um aluno quieto que Luce mal conhecera até a noite de sua morte —, e Luce sabia que tinha algo mais sombrio por trás daquela história. Ela culpava a si mesma. Aquilo para ela era muito parecido com o que acontecera com Trevor, um garoto por quem certa vez fora apaixonada e que morreu em outro incêndio inexplicável.

Agora, enquanto ela e Daniel davam a volta na estante para entrar na área de estudos da biblioteca, Luce via que Ariane não estava sozinha. Todos estavam ali: Gabbe, Roland, Cam, Molly, Annabelle (o anjo de cabelo rosa-shocking com pernas compridas), até mesmo Miles e Shelby, que acenaram empolgados e pareciam decididamente diferentes dos outros anjos, mas também diferentes dos adolescentes mortais.

Miles e Shelby estavam... estavam de *mãos dadas*? Quando Luce olhou de novo, entretanto, as mãos dos dois tinham sumido embaixo da mesa onde todos estavam sentados. Miles puxou a aba do boné de beisebol mais para a frente do rosto. Shelby pigarreou e se inclinou sobre um livro.

— Seu livro — disse Luce a Daniel ao ver a lombada grossa com cola marrom quebradiça na parte inferior. Na capa desbotada, lia-se: *Os Guardiões: Mito na Europa Medieval, por Daniel Grigori*.

A mão dela esticou-se automaticamente na direção da capa cinza-claro. Fechou os olhos, porque aquilo também a fez recordar Penn, que encontrou o livro na última noite de Luce como aluna da Sword &

Cross, e porque a fotografia colada no verso foi a primeira coisa que a convenceu de que a história que Daniel lhe contou poderia ser possível.

Era uma foto tirada em outra vida, em Helston, Inglaterra. E, embora isso parecesse não ser possível, não havia dúvidas: a jovem na fotografia era ela.

— Onde você o encontrou? — perguntou Luce.

Sua voz devia ter revelado alguma coisa, porque Shelby respondeu:

— O que há de tão importante nessa coisa velha empoeirada, afinal?

— É precioso. Nossa única chave agora — disse Gabbe. — Sophia certa vez tentou queimá-lo.

— Sophia? — A mão de Luce foi direto ao coração. — A Srta. Sophia tentou... O incêndio na biblioteca? Foi ela? — Os outros fizeram que sim. — Ela matou Todd — disse Luce, anestesiada.

Então *não tinha* sido culpa de Luce. Mais uma vida caíra aos pés de Sophia. Aquilo não fez Luce se sentir nem um pouco melhor.

— E quase morreu de susto na noite em que você o mostrou para ela — disse Roland. — Todos nós ficamos impressionados, especialmente porque você sobreviveu para contar a história.

— Falamos sobre Daniel ter me beijado — lembrou Luce, corando. — E sobre eu ter sobrevivido a isso. Foi o que surpreendeu Sophia?

— Em parte — disse Roland. — Mas há muito mais coisas nesse livro que Sophia não queria que você soubesse.

— Ela não era uma grande educadora, não é? — comentou Cam, dando a Luce um sorrisinho que dizia: "Faz muito tempo, sabe".

— O que ela não queria que eu soubesse?

Todos os anjos se voltaram para Daniel.

— Na noite passada contamos a você que nenhum dos anjos se lembra de onde aterrissou depois da Queda — disse Daniel.

— Sim, falando nisso... Como é possível? — perguntou Shelby. — É de se pensar que esse tipo de coisa deixe uma impressão e tanto na boa e velha memória.

O rosto de Cam ficou vermelho.

— Experimente cair durante nove dias através de múltiplas dimensões e trilhões de quilômetros, aterrissar de cara, quebrar suas asas, rolar pelo chão em choque por sabe-se lá quanto tempo, vagar no deserto durante décadas procurando por alguma pista de quem ou o quê ou onde você está... e depois venha me falar sobre a boa e velha memória.

— Certo, então você tem problemas de reconhecimento — disse Shelby, fazendo seu tom de psiquiatra. — Se *eu* fosse diagnosticar você...

— Bem, pelo menos você se lembra de que havia um deserto na história — comentou Miles diplomaticamente, o que fez Shelby rir.

Daniel se virou para Luce.

— Eu escrevi este livro depois que perdi você no Tibete... mas antes de encontrá-la na Prússia. Sei que visitou aquela vida no Tibete porque eu segui você até lá, então talvez perceba como perdê-la do jeito que eu perdi fez com que eu me voltasse para anos de pesquisa e estudos, a fim de descobrir um modo de quebrar essa maldição.

Luce olhou para o outro lado. Sua morte no Tibete fez com que Daniel se atirasse de um penhasco. Ela temia que isso acontecesse de novo.

— Cam tem razão — disse Daniel. — Nenhum de nós se lembra de onde aterrissou. Vagamos no deserto até que ele não mais fosse um deserto; vagamos por planícies, vales e mares até que virassem deserto novamente. Foi apenas quando aos poucos encontramos uns aos outros e começamos a juntar as partes da história que nos lembramos de que um dia havíamos sido anjos. Porém, algumas relíquias foram criadas após a Queda, registros materiais de nossa história, que a humanidade encontrou e guardou como tesouros, dádivas, assim ela considera, de um deus que ela não compreende. Durante um longo tempo, três dessas relíquias ficaram enterradas num templo em Jerusalém, mas nas Cruzadas elas foram roubadas e separadas, indo parar em diferentes lugares. Nenhum de nós sabia onde.

"Quando fiz minhas pesquisas há centenas de anos — continuou Daniel —, eu me concentrei na era medieval e me voltei para o máximo de fontes possíveis, em uma espécie de caça ao tesouro em busca dessas relíquias. O fundamental da história toda é que esses três artefatos podem ser reunidos no monte Sinai...

— Por que o monte Sinai? — perguntou Shelby.

— Os canais entre o Trono e a Terra são mais próximos ali — explicou Gabbe, atirando o cabelo para trás. — Foi onde Moisés recebeu os Dez Mandamentos; é por onde os anjos entram quando vêm entregar mensagens do Trono.

— Pense que é uma espécie de imersão local de Deus — acrescentou Ariane, atirando uma das bolinhas alto demais e fazendo com que ela atingisse uma lâmpada.

— Mas, antes que você pergunte — interrompeu Cam, fazendo questão de olhar para Shelby de um jeito diferente —, o monte Sinai não foi o local original da Queda.

— Isso seria fácil demais — disse Annabelle.

— Se as relíquias forem reunidas no monte Sinai — prosseguiu Daniel —, então, teoricamente, seremos capazes de decifrar a localização da Queda.

— Teoricamente — zombou Cam. — Devo ser eu a dizer que existem ressalvas quanto à validade das pesquisas de Daniel...?

Daniel tensionou a mandíbula.

— Tem alguma ideia melhor?

— Você não acha — Cam aumentou o tom de voz — que a sua teoria põe peso demais na ideia de que essas relíquias são algo mais do que apenas um boato? Quem sabe se elas podem mesmo fazer o que supostamente podem fazer?

Luce observou o grupo de anjos e demônios — seus únicos aliados na busca para salvar Daniel e ela... e o mundo.

— Então essa localização desconhecida é onde temos de estar daqui a nove dias

— Daqui a *menos* de nove dias — corrigiu Daniel. — Daqui a nove dias será tarde demais. Lúcifer e os anjos expulsos do Céu já terão chegado.

— Mas se pudermos chegar antes de Lúcifer no local da Queda — disse Luce —, o que vai acontecer?

Daniel balançou a cabeça.

— Não sabemos de fato. Jamais contei a alguém sobre esse livro porque, e nisso Cam tem razão, não sabia no que ia dar. Só fui descobrir há alguns anos que Gabbe o publicara, e àquela altura eu já havia perdido o interesse na pesquisa. Você tinha morrido de novo, e sem você para representar seu papel...

— *Meu* papel? — indagou Luce.

— O qual não entendemos muito bem...

Gabbe deu uma cotovelada em Daniel, interrompendo-o.

— O que ele quer dizer é que tudo será revelado com o tempo.

Molly deu um tapa na testa.

— Sério? "Tudo será revelado"? É só isso que vocês sabem? É sobre isso que estão falando?

— Sobre isso e sobre a *sua* importância — disse Cam, virando-se para Luce. — Você é a peça de xadrez pela qual as forças do bem, do mal e de tudo o que existe entre elas estão lutando.

— O quê? — sussurrou Luce.

— Cale a boca — disse Daniel a Cam. Depois, fixou a atenção em Luce. — Não escute o que ele diz.

Cam fez um som de desdém, mas ninguém o desmentiu. Aquelas palavras pairaram na biblioteca como um convidado indesejado. Os anjos e demônios ficaram em silêncio. Ninguém diria mais nada sobre o papel de Luce em impedir a Queda.

— Então toda essa informação, a caça ao tesouro... — disse ela. — Isso está no livro?

— Mais ou menos — respondeu Daniel. — Só preciso passar algum tempo com o texto para refrescar a memória. Aí então espero saber por onde precisaremos começar.

Os outros se afastaram, abrindo espaço à mesa para Daniel. Luce sentiu a mão de Miles afagar o seu braço. Os dois mal haviam se falado desde que ela voltara através do Anunciador.

— Posso falar com você? — perguntou Miles em voz baixa. — Luce?

O olhar no rosto dele — estava preocupado com alguma coisa — fez Luce pensar naqueles últimos momentos no quintal da casa dos pais, quando Miles criara o reflexo dela.

Nunca haviam conversado sobre o beijo que trocaram no teto, do lado de fora do quarto dela em Shoreline. Com certeza Miles sabia que aquilo tinha sido um erro... mas por que toda vez que Luce era gentil com ele, sentia que o estava enganando?

— Luce. — Era Gabbe, aparecendo ao lado de Miles. — Achei melhor mencionar — ela olhou para Miles — que, se você quiser visitar Penn por um instante, esta é a hora.

— Boa ideia — concordou Luce. — Obrigada. — Olhou em tom de desculpas para Miles, mas ele apenas enterrou o boné de beisebol ainda mais na cabeça e se virou para sussurrar algo para Shelby.

— A-ham. — Shelby tossiu, indignada. Estava de pé atrás de Daniel, tentando ler o livro por cima do ombro dele. — E quanto a mim e Miles?

— Vocês vão voltar para Shoreline — declarou Gabbe, parecendo mais do que nunca os professores de Luce em Shoreline. — Precisamos que alertem Steven e Francesca. Talvez precisemos da ajuda deles... e da ajuda de vocês também. Contem... — Ela inspirou profundamente. — Contem o que está acontecendo. Que um estágio final está se iniciando, embora não como esperávamos. Contem tudo. Eles vão saber o que fazer.

— Certo — disse Shelby, de cara feia. — Você é que manda.

— *Iodelaiiii-huuu.* — Ariane colocou as mãos em concha ao redor da sua boca. — Se, hã, Luce quer dar uma saída, alguém vai ter de ajudá-la a descer pela janela. — Ela tamborilou os dedos na mesa, parecendo encabulada. — Fiz uma barricada com livros perto da entrada para impedir o pessoal da Sword & Cross de entrar, caso quisessem nos interromper.

— Deixa comigo. — Cam já havia enlaçado o braço ao de Luce. Ela começou a protestar, mas nenhum dos outros anjos pareceu achar aquilo má ideia. Daniel nem sequer percebeu.

Perto da saída dos fundos, Shelby e Miles articularam um insonoro "cuidado", em variados graus de ênfase.

Cam caminhou com ela até a janela, irradiando simpatia no sorriso. Abriu a vidraça e juntos olharam para o campus onde haviam se conhecido, onde haviam ficado próximos, onde ele a enganara para que ela o beijasse. Não eram todas más lembranças...

Ele saltou pela janela primeiro, aterrissando suavemente no parapeito, e estendeu a mão para ela.

— Milady.

O toque dele era forte e a fez se sentir pequenina e leve enquanto Cam descia do parapeito ao chão, dois andares em dois segundos. Suas asas estavam escondidas, mas ainda assim ele se movimentava com graça, como se estivesse voando. Aterrissaram suavemente na grama orvalhada.

— Suponho que você não queira companhia — disse ele. — No cemitério, quero dizer; não em geral.

— Certo. Não, obrigada.

Ele olhou para o outro lado e enfiou a mão no bolso, sacando de lá um sininho prateado. Parecia antigo, com inscrições em hebraico. Estendeu-o para ela.

— Toque quando quiser uma carona de volta lá para cima.

— Cam — disse Luce. — Qual é o meu papel nisto tudo?

Cam estendeu a mão para tocar o rosto dela, depois pareceu pensar melhor. A mão pairou no ar.

— Daniel tem razão. Não cabe a nós contar a você.

Não aguardou uma resposta: apenas dobrou os joelhos e saltou do chão. Nem mesmo olhou para trás.

Luce observou o campus por um instante, deixando a umidade familiar da Sword & Cross grudar na pele. Não saberia dizer se aquela escola monumental, com seus edifícios enormes e formais em estilo neogótico e sua paisagem triste e derrotada, parecia diferente ou igual.

Caminhou pelo campus, pelo gramado plano e imóvel das áreas comuns, pelo dormitório deprimente, pelo portão de ferro forjado do cemitério. Ali ela parou, sentindo os pelos dos braços se eriçarem.

O cemitério ainda parecia e cheirava como um esgoto no meio do campus. A poeira da batalha dos anjos havia se dissipado. Ainda estava cedo o bastante para que a maioria dos alunos estivesse dormindo e, de toda forma, era improvável que algum deles fosse passear pelo cemitério, a menos que estivesse sob detenção. Ela passou pelo portão e andou devagar até as lápides inclinadas e as covas enlameadas.

Na extremidade leste jazia o lugar de descanso final de Penn. Luce sentou-se ao pé da sepultura da amiga. Não trouxera flores e não conhecia nenhuma oração, portanto pousou as mãos na grama fria e úmida, fechou os olhos e enviou seu próprio tipo de mensagem para Penn, receando que aquilo jamais a alcançasse.

⊰⊱

Luce voltou para a janela da biblioteca sentindo-se irritada. Não precisava de Cam nem de seu sino exótico. Podia subir até o parapeito sozinha.

Seria fácil escalar o trecho mais baixo do teto inclinado, e dali poderia galgar mais alguns níveis até ficar perto da base estreita embaixo das janelas da biblioteca, que tinha mais ou menos setenta centímetros de largura. Enquanto se arrastava por ali, as vozes nervosas de Cam e Daniel flutuaram até Lucinda.

— E se um de nós for interceptado? — A voz de Cam era alta e suplicante. — Você sabe que somos mais fortes unidos, Daniel.

— Se não chegarmos lá a tempo, nossa força não vai importar. Seremos *apagados*.

Ela podia ver a cena do outro lado da parede. Cam com os punhos cerrados e os olhos verdes cintilando; Daniel sólido e resoluto, os braços cruzados.

— Não confio que você não vá agir em causa própria. — O tom de Cam era duro. — Sua fraqueza por ela é mais forte que a sua palavra.

— Não há o que discutir. — Daniel não alterou a voz. — Dividir-nos é nossa única opção.

Os outros estavam em silêncio, provavelmente pensando o mesmo que Luce. Cam e Daniel se comportavam demais como irmãos para qualquer um ousar se interpor entre eles.

Ela alcançou a janela e viu os dois anjos se encarando. Segurou o parapeito. Sentiu uma pequena onda de orgulho — que jamais confessaria — por ter conseguido chegar à biblioteca sem precisar de ajuda. Provavelmente nenhum dos anjos perceberia. Suspirou e deslizou uma das pernas para dentro. Foi quando a janela começou a tremer.

A vidraça chacoalhou, e o parapeito vibrou em suas mãos com tanta força que Luce quase foi atirada para longe. Segurou com mais força, sentindo vibrações dentro de si, como se o coração e a alma também estivessem tremendo.

— Terremoto — sussurrou ela. Seu pé deslizou pela parte de trás da base da janela justamente quando as mãos não conseguiram mais segurar o parapeito.

— Lucinda!

Daniel correu até a janela. As mãos dele encontraram as dela. Cam também estava lá e pôs uma das mãos na base dos ombros de Luce e a outra na parte de trás da cabeça. As estantes de livros se agitaram e as luzes na biblioteca tremeluziram enquanto os dois anjos puxavam Luce para dentro, através da janela chacoalhante, exatamente antes de a vidraça escapar da moldura e se estilhaçar em mil cacos.

Ela olhou para Daniel, em busca de alguma pista. Ele ainda segurava os pulsos de Luce, mas seus olhos se desviaram para além, para fora, observando o céu, que se tornara raivoso e cinzento.

35

O pior de tudo era a vibração remanescente *dentro* de Luce, que a fazia sentir como se tivesse sido eletrocutada. O tremor pareceu durar uma eternidade, mas deve ter durado cinco, quem sabe dez segundos — tempo o bastante para Luce, Cam e Daniel desabarem com um estrondo no piso empoeirado de madeira da biblioteca.

Então o tremor parou e o mundo caiu em um silêncio mortal.

— Que diabos...? — Ariane se levantou do chão. — Atravessamos de Anunciador até a Califórnia sem meu conhecimento, por acaso? Ninguém me disse que havia falhas geológicas na Geórgia!

Cam tirou um longo caco de vidro do antebraço. Luce soltou um murmúrio de espanto quando viu o sangue vermelho-vivo descendo pelo cotovelo dele, porém o rosto de Cam não demonstrou nenhum sinal de dor.

— Isto não foi um terremoto. Foi um deslocamento sísmico temporal.

— Um *o quê*? — perguntou Luce.

— O primeiro de muitos. — Daniel olhou pela janela estilhaçada, observando uma nuvem cúmulus branca flutuar pelo céu, agora azul. — Quanto mais perto Lúcifer chegar, mais fortes serão os deslocamentos. — Ele olhou para Cam, que assentiu.

— Tique-taque, gente — disse Cam. — O tempo está correndo. Precisamos voar.

DOIS

CAMINHOS DIFERENTES

Gabbe deu um passo à frente.

— Cam tem razão. Já ouvi a Balança falar desses deslocamentos. — Ela puxava as mangas do cardigã de cashmere amarelo-claro como se jamais fosse se aquecer. — São chamados de *tempomotos*. São abalos na nossa realidade.

— E quanto mais perto Lúcifer chegar — acrescentou Roland, sempre discretamente sábio —, quanto mais perto estivermos do término de sua Queda, mais frequentes e mais intensos serão os tempomotos. O tempo está titubeando, preparando-se para se reescrever.

— Do mesmo modo que o nosso computador trava com frequência maior antes de o *hard drive* entrar em pane e apagar nosso trabalho de vinte páginas de conclusão de curso? — perguntou Miles. Todos o olharam sem entender nada. — Que foi? — disse ele. — Anjos e demônios não fazem dever de casa?

Luce afundou em uma das cadeiras de madeira em frente à mesa vazia. Sentia-se oca, como se o tempomoto tivesse soltado algo importante dentro dela e ela o tivesse perdido de vez. As vozes irritadas dos anjos cruzavam sua mente, mas não diziam nada útil. Eles precisavam impedir Lúcifer, mas dava para ver que não sabiam exatamente como fazê-lo.

— Veneza. Viena. E Avalon. — A voz clara de Daniel interrompeu a balbúrdia.

Ele se sentou ao lado de Luce e passou um dos braços pelo encosto da cadeira dela. A ponta de seus dedos roçou-lhe o ombro. Quando ergueu *O Livro dos Guardiões* para todos verem, eles se calaram. Todos se concentraram.

Daniel apontou para um denso parágrafo de texto. Luce não tinha percebido até então que o livro estava escrito em latim. Ela reconheceu algumas palavras graças aos anos de aulas em Dover. Daniel havia sublinhado e circulado diversas palavras, e feito algumas anotações nas margens, mas o tempo e o desgaste tornaram as páginas quase ilegíveis.

Ariane ficou atrás dele e olhou aquilo.

— Nossa, que letra mais horrorosa.

Daniel não pareceu constrangido. Nas anotações que fazia, sua caligrafia era escura e elegante. Aquilo dava a Luce uma sensação cálida e familiar, quando percebeu que já havia visto a letra antes. Apreciava cada uma das coisas que a lembravam do quanto o amor entre ela e Daniel era duradouro e profundo, mesmo que o lembrete fosse algo pequeno, como a letra cursiva que fluía ao longo de séculos, proclamando que Daniel era dela.

— Foi criado um registro daqueles primeiros tempos após a Queda pela legião do Céu, pelos anjos que não escolheram lados e que foram expulsos do Céu — disse ele, devagar. — Mas é uma história completamente difusa.

— Uma história? — repetiu Miles. — Então é só a gente encontrar uns livros, lê-los, e aí eles, tipo, vão nos dizer aonde devemos ir?

— Não é assim tão simples — disse Daniel. — Não havia livros que fariam sentido para você agora; estamos falando dos primeiros tempos. Portanto, nossa história conjunta e nossas histórias pessoais foram registradas por outros meios.

Ariane sorriu.

— É agora que a coisa vai ficar espinhosa, não é?

— Essa história está associada de modo profundo às relíquias, muitas relíquias, ao longo dos milênios. Porém, três delas particularmente parecem relevantes à nossa busca, três que podem conter a resposta sobre o local onde os anjos caíram na Terra. Não sabemos o que *são*, mas sabemos onde elas foram mencionadas pela última vez: Veneza, Viena e Avalon. Elas estavam nessas três localidades na época da pesquisa e redação deste livro. Mas isso já faz algum tempo e, mesmo assim, não se tinha certeza se esses itens, sejam quais forem, continuavam lá.

— Então isso pode terminar dando em nada — disse Cam com um suspiro. — Excelente. Vamos desperdiçar nosso tempo procurando artigos misteriosos que podem ou não nos contar o que precisamos saber, em lugares onde eles podem ou não estar há séculos.

Daniel deu de ombros.

— Em resumo, é isso mesmo.

— Três relíquias. Nove dias. — Os olhos de Annabelle piscaram intensamente, olhando para cima. — Não é muito tempo.

— Daniel estava certo. — O olhar de Gabbe ia de um anjo a outro. — Precisamos nos separar.

Era sobre isso que Daniel e Cam discutiam antes de a biblioteca começar a tremer. Se eles teriam melhores chances de encontrar todas as relíquias a tempo, caso se dividissem.

Gabbe aguardou a concordância relutante de Cam antes de prosseguir:

— Então está resolvido. Daniel e Luce, vocês vão para a primeira cidade. — Ela olhou para as anotações de Daniel, depois deu um sorriso corajoso a Luce. — Veneza. Vocês vão para Veneza encontrar a primeira relíquia.

— Mas o que é a primeira relíquia? Ao menos sabemos isso? — Luce se inclinou sobre o livro e viu um desenho rabiscado a bico de pena na margem. Assemelhava-se quase a uma bandeja, do tipo que a mãe de Luce sempre procurava em lojas de antiguidades.

Daniel o analisava agora também, balançando a cabeça sutilmente diante da imagem que ele mesmo havia desenhado há centenas de anos.

— Foi isso o que eu consegui juntar aos poucos com meu estudo dos pseudepígrafos, os escritos extracanônicos do início da Igreja.

O desenho tinha forma oval e fundo de vidro, que Daniel havia espertamente indicado desenhando o chão do outro lado da base transparente. A bandeja, ou seja lá o que a relíquia fosse, possuía nas laterais o que pareciam pequenas alças lascadas. Daniel havia inclusive desenhado uma escala embaixo e, segundo seu desenho, o artefato era grande — tinha aproximadamente oitenta por cem centímetros.

— Eu mal me lembro de ter desenhado isso. — Daniel parecia desapontado consigo. — Sei o que é tanto quanto vocês.

— Tenho certeza de que, quando chegar a Veneza, você conseguirá descobrir — disse Gabbe, esforçando-se para ser positiva.

— Conseguiremos — afirmou Luce. — Tenho certeza de que sim.

Gabbe piscou, sorriu e continuou.

— Roland, Annabelle e Ariane: vocês três vão a Viena. Isso deixa... — Ela apertou os lábios ao perceber o que estava prestes a dizer, mas mesmo assim assumiu uma expressão corajosa. — Molly, Cam e eu vamos a Avalon.

Cam girou os ombros para trás e de repente soltou suas impressionantes asas douradas. A ponta da direita atingiu o rosto de Molly e a atirou a um metro e meio de distância.

— Faça isto de novo e eu acabo com você! — ameaçou Molly, olhando carrancuda para o machucado em seu cotovelo. — Pensando melhor...

Ela começou a andar na direção de Cam com o punho em riste, mas Gabbe interveio e afastou Cam e Molly com um suspiro enfastiado.

— Falando em acabar, eu realmente preferiria não ter de acabar com o próximo de vocês que provocar o outro — disse Gabbe, sorrindo para os dois companheiros demônios —, mas se precisar, farei isso. Esses nove dias serão longos.

— Vamos esperar que sejam mesmo longos — murmurou Daniel.

Luce virou-se para ele. A Veneza que tinha na cabeça era a dos guias de viagem: cartões-postais de barcos cruzando canais, poentes sobre altos pináculos de catedrais e garotas morenas tomando sorvete. Não era essa a viagem que estavam prestes a fazer. Não com o fim do mundo se aproximando com garras afiadas como lâminas.

— E depois que encontrarmos as três relíquias? — indagou Luce.

— Vamos nos encontrar no monte Sinai — disse Daniel —, unir as relíquias...

— E fazer uma pequena oração para que elas lancem alguma luz sobre o local onde caímos — murmurou Cam de modo sombrio, esfregando a testa. — A essa altura, meio que só vai nos restar persuadir o cão dos infernos psicopata que detém toda a nossa existência em suas mandíbulas de que ele simplesmente deve abandonar seu plano tolo de dominação do Universo. O que poderia ser mais simples? Acho que temos todos os motivos para nos sentirmos otimistas.

Daniel olhou pela janela aberta. O sol estava passando por cima do dormitório agora; Luce precisou piscar para enxergar lá fora.

— Temos de partir o quanto antes — disse ele.

— Certo — disse Luce. — Preciso ir para casa, arrumar as malas, pegar meu passaporte... — A cabeça dela rodou em cem direções quando começou a elaborar uma lista mental de coisas a fazer. Os pais estariam no shopping durante pelo menos as próximas duas horas, tempo suficiente para que ela entrasse e apanhasse rapidamente o que precisava...

— Ah, que fofo — riu Annabelle, flutuando até eles, com os pés a centímetros do chão. Suas asas eram musculosas e de um tom prateado-escuro, como uma nuvem de chuva, irrompendo pelas aberturas invisíveis da camiseta rosa-shocking. — Desculpe meter a colher, mas... você nunca viajou com um anjo antes, não é?

Claro que já havia viajado. A sensação das asas de Daniel erguendo o corpo dela no ar era mais natural que qualquer outra coisa. Talvez seus voos tivessem sido breves, mas foram inesquecíveis. Era quando Luce se sentia mais próxima dele: quando os braços de Daniel enlaçavam sua cintura, o coração dele batia perto do dela, as asas brancas os protegiam, fazendo Luce se sentir incondicionalmente e impossivelmente amada.

Ela havia voado com Daniel dúzias de vezes em sonhos, mas apenas três vezes acordada: uma sobre o lago escondido atrás da Sword & Cross, outra ao longo da costa de Shoreline e outra descendo das nuvens para o chalé, justo na noite anterior.

— Acho que nunca voamos juntos para tão longe — disse ela, por fim.

— Um simples amasso já parece ser um problema e tanto para vocês dois — disse Cam, sem conseguir resistir.

Daniel o ignorou.

— Sob circunstâncias normais, acho que você gostaria da viagem. — A expressão dele ficou tempestuosa. — Mas não temos espaço para o trivial durante os próximos nove dias.

Luce sentiu as mãos dele na parte de trás dos ombros, reunindo seus cabelos e afastando-os da nuca. Ele beijou a linha da gola do suéter enquanto a enlaçava pela cintura. Luce fechou os olhos. Sabia o que vinha a seguir. O som mais lindo que existia: o elegante abrir das asas brancas como a neve do amor de sua vida.

O mundo do outro lado das pálpebras de Luce se escureceu levemente sob a sombra das asas dele, e o calor encheu seu coração. Quando abriu os olhos, lá estavam elas, tão magníficas como sempre. Se inclinou um pouco para trás, aninhando-se na muralha do peito de Daniel enquanto ele se dirigia à janela.

— Esta separação é apenas temporária — declarou Daniel aos outros. — Boa sorte e asas velozes.

A cada longa batida das asas de Daniel, eles subiam 300 metros. O ar, antes fresco e espesso com a umidade da Geórgia, tornava-se gelado e quebradiço nos pulmões de Luce conforme ascendiam. O vento rasgava seus ouvidos. Os olhos começaram a lacrimejar. O chão abaixo ficou cada vez mais distante, e o mundo que continha encolheu e misturou-se em uma confusa tela verde. A Sword & Cross ficou do tamanho de uma impressão digital; depois, sumiu.

A primeira visão que Luce teve do oceano deixou-a tonta, deliciada ao se afastarem do sol, em direção à escuridão do horizonte.

Voar com Daniel era algo mais empolgante e mais intenso do que suas lembranças poderiam fazer justiça. Entretanto, algo havia mudado: agora Luce pegara o jeito daquilo. Ela se sentia à vontade, em sincronia com Daniel, relaxada dentro do formato dos braços dele. As pernas dela estavam ligeiramente cruzadas na altura dos tornozelos, a ponta das botas tocavam a ponta das botas dele. Os corpos oscilavam em uníssono, reagindo ao movimento das asas de Daniel, que arqueavam por cima de suas cabeças e bloqueavam a luz do sol, depois se alavancavam para trás para completar outra batida poderosa.

Eles atravessaram a linha de nuvens e sumiram na névoa. Não havia nada ao redor, a não ser tufos brancos e a carícia nebulosa da umidade. Outra batida de asas. Outro mergulho no céu. Luce não parou para imaginar como respiraria ali nos limites da atmosfera. Ela estava com Daniel. Estava tudo bem. Iam salvar o mundo.

Logo Daniel nivelou-se, voando menos como um foguete e mais como um pássaro insondavelmente poderoso. Eles não desaceleraram — na verdade, aumentaram a velocidade —, mas, com os corpos paralelos ao chão, o rugido do vento suavizou e o mundo parecia de um branco brilhante e espantosamente silencioso. Tão tranquilo como se tivesse acabado de ser criado, e ninguém ainda houvesse experimentado o som.

— Está tudo bem com você? — A voz dele a envolveu, fazendo-a sentir como se tudo no mundo que não estivesse bem, assim ficaria apenas pela preocupação do seu amor.

Luce inclinou a cabeça para a esquerda para olhar para ele. O rosto de Daniel estava calmo, os lábios sorriam suavemente. De seus olhos fluía uma luz violeta tão intensa que poderia ter mantido Luce no ar por si só.

— Você está congelando — murmurou em seu ouvido, afagando os dedos dela para aquecê-los, enviando labaredas de calor pelo corpo de Luce.

— Melhor agora — disse ela.

Eles atravessaram um cobertor de nuvens: era como aquele momento no avião em que a visão da janela embaçada passa do cinza monocromático para uma infinita paleta de cores. A diferença era que a janela e o avião haviam sumido, não deixando nada entre a pele e os tons róseos de conchas do mar das nuvens do entardecer ao leste, e o índigo extravagante do céu das grandes altitudes.

A paisagem de nuvens apresentou-se adiante, estranha e cativante. Como sempre, Luce foi pega desprevenida. Era outro mundo, um que apenas ela e Daniel habitavam, um mundo elevado, os picos dos mais altos minaretes do amor.

Que mortal não sonhara com isso? Quantas vezes Luce não sentiu vontade de estar do outro lado de uma janela de avião? De vagar pelo estranho e pálido dourado de uma nuvem de chuva tocada pelo sol a seus pés? Agora ela estava ali, tomada pela beleza de um mundo distante que podia sentir na pele.

Porém, Luce e Daniel não podiam parar. Não podiam parar nem por um segundo nos nove dias seguintes... senão todo o restante iria parar.

— Quanto tempo falta para chegarmos a Veneza? — perguntou ela.

— Não vai demorar muito mais — quase sussurrou Daniel ao ouvido dela.

— Você parece um piloto repetindo a mesma coisa há uma hora, dizendo aos passageiros "só mais dez minutos" pela quinta vez — brincou Luce.

Quando Daniel não respondeu, ela o olhou. A testa estava franzida em confusão. Aquela metáfora não fazia sentido para ele.

— Você nunca esteve num avião — disse ela. — Por que deveria, já que é capaz de fazer isto? — Fez um gesto para as gloriosas asas em movimento. — Toda aquela espera e taxiamento provavelmente deixariam você louco.

— Gostaria de viajar de avião com você. Talvez possamos fazer uma viagem para as Bahamas. As pessoas viajam para lá de avião, certo?

— Sim. — Luce engoliu em seco. — Vamos.

Ela não conseguiu deixar de pensar em quantas coisas impossíveis precisavam acontecer de maneira exata para que os dois pudessem viajar como um casal normal. Era difícil pensar no futuro naquele momento, quando havia tanta coisa em risco. O amanhã era tão enevoado e distante quanto o chão lá embaixo... e Luce esperava que fosse tão lindo quanto.

— Quanto tempo vai demorar de verdade?

— Quatro, talvez cinco horas, a esta velocidade.

— Mas você não precisa descansar? Reabastecer? — Luce se encolheu, ainda constrangedoramente incerta de como o corpo de Daniel funcionava. — Seus braços não se cansam?

Ele riu.

— O que foi?

— Acabei de voar do Céu para cá, e caramba, como meus braços estão cansados. — Daniel apertou a cintura dela, brincando. — A ideia de meus braços se cansarem de segurar você é absurda.

Como se para provar isso, Daniel arqueou as costas, elevando as asas bem acima dos ombros e batendo-as uma única vez, de leve. Enquanto seus corpos subiam com elegância e margeavam uma nuvem, ele soltou um dos braços da cintura de Luce, ilustrando como era capaz de segurá-la com destreza com uma única mão. O braço livre se curvou para a frente e Daniel roçou os dedos nos lábios dela, aguardando um beijo. Quando ela os beijou, ele voltou a enlaçar-lhe a cintura e soltou a outra mão, inclinando-a dramaticamente para a esquerda. Ela beijou aquela mão, também. Então os ombros de Daniel se flexionaram ao redor dos de Luce, envolvendo-os em um abraço apertado o suficiente para que ele pudesse soltar os dois braços da cintura dela mas, de alguma forma, continuasse voando com ele. A sensação era tão deliciosa, tão alegre e incontida, que Luce começou a rir. Ele fez uma grande acrobacia no ar. O cabelo dela se espalhou pelo rosto. Luce não tinha medo. Estava voando.

Ela segurou as mãos de Daniel quando elas voltaram a enlaçar sua cintura.

— É quase como se tivéssemos sido feitos para isto — disse ela.

— É. Quase.

Ele continuou voando, sem nunca esmorecer. Atravessaram nuvens e céu aberto, tempestades breves e belas, secando-se com o vento um instante depois. Passaram por aviões transatlânticos em velocidades tão extraordinárias que Luce imaginou os passageiros ali dentro alheios a tudo, exceto a um clarão prateado brilhante e inesperado e talvez a um pouco de turbulência suave agitando as bebidas.

As nuvens rarearam quando planaram acima do mar. Luce pôde sentir o cheiro do sal pesado de suas profundezas, e o cheiro era de um oceano de outro planeta, não parecia calcário como o de Shoreline, nem salobro como o de sua cidade. A sombra gloriosa das asas de Daniel sobre a superfície entalhada abaixo era, de certa maneira, tranquilizadora, embora fosse difícil acreditar que ela, Luce, fizesse parte da imagem que via no mar ondulante.

— Luce? — perguntou Daniel.

— Sim?

— Como foi estar com seus pais hoje de manhã?

Os olhos dela traçaram a silhueta de um par solitário de ilhas na planície escura e molhada lá embaixo. Ela se perguntou de modo distante onde eles estariam, o quão longe de casa.

— Difícil — admitiu ela. — Acho que me senti do mesmo modo que você deve ter se sentido um milhão de vezes. Separada de pessoas que amo porque não posso ser honesta com elas.

— Era o que eu temia.

— De certa maneira, é mais fácil estar com você e os outros anjos do que com meus próprios pais e minha melhor amiga.

Daniel pensou naquilo por um instante.

— Não quero isso para você. Não devia ser assim. A única coisa que sempre quis foi amá-la.

— Eu também. É só o que eu quero.

Mas, mesmo pronunciando as palavras, olhando o céu desbotado do leste, Luce não pôde deixar de reviver aqueles últimos minutos em casa, desejando ter agido de modo diferente. Deveria ter abraçado o pai um pouco mais forte. Deveria ter ouvido, de fato ouvido, o conselho da mãe ao sair pela porta. Deveria ter gastado mais tempo perguntando à melhor amiga como andava a vida lá em Dover. Não deveria ter sido tão egoísta nem tão apressada. Agora cada segundo a afastava ainda mais de Thunderbolt, de seus pais e de Callie, e a cada segundo Luce lutava contra a sensação crescente de que talvez nunca mais os visse novamente.

De todo coração, Luce acreditava no que ela, Daniel e os outros anjos estavam fazendo. Mas essa não era a primeira vez que abandonava pessoas de quem gostava por causa de Daniel. Pensou no funeral que presenciara na Prússia, nos casacos de lã escura e nos olhos vermelhos cheios de lágrimas dos seus familiares, turvos de tristeza pela sua morte súbita e precoce. Pensou em sua linda mãe na Inglaterra medieval, onde ela passara o Dia dos Namorados; em sua irmã, Helen; e nas boas amigas Laura e Eleanor. Essa foi a única vida que ela visitara sem vivenciar a própria morte, mas já havia visto o bastante para saber que pessoas boas ficariam arrasadas com o falecimento inevitável de Lucinda. Pensar naquilo fez seu estômago se revirar. E então Luce se lembrou de Lucia, a garota que ela fora na Itália, que perdera a família na guerra, que não tinha ninguém *exceto* Daniel, cuja vida — por mais curta que fosse — valera a pena por causa do amor dele.

Quando se apertou mais de encontro ao peito de Daniel, ele deslizou as mãos por cima das mangas do suéter dela e correu os dedos em círculos ao redor dos braços de Luce, como se estivesse desenhando pequenos halos em sua pele.

— Conte para mim a melhor parte de todas as suas vidas.

Ela teve vontade de dizer "quando encontrei você, todas as vezes". Mas não era tão simples assim. Parecia difícil até mesmo pensar nessas vidas como coisas distintas. Suas vidas passadas começavam a girar juntas e a se contrair como os painéis de um caleidoscópio. Houve aquele lindo momento no Taiti em que Lulu tatuou o peito de Daniel. E o modo como abandonaram uma batalha na China antiga porque o amor deles era mais importante que qualquer guerra. Poderia ter listado uma dúzia de sensuais momentos roubados, uma dúzia de beijos belíssimos e agridoces. Mas Luce sabia que aquela não era a melhor parte.

A melhor parte era agora. Era isso o que levaria consigo das jornadas através das eras: que ele valia tudo para ela e que ela valia tudo para ele. A única maneira de vivenciar tal nível profundo do amor dos dois era entrando juntos em cada novo momento, como se o tempo fosse feito de nuvens. E, se no fim das contas tudo se resumisse a isso naqueles nove dias seguintes, Luce sabia que ela e Daniel arriscariam qualquer coisa pelo seu amor.

— Foi um aprendizado — disse ela por fim. — A primeira vez em que atravessei por um Anunciador sozinha, já estava determinada a romper a maldição. Porém, estava magoada e confusa, até que comecei a perceber que, a cada vida que eu visitava, aprendia algo importante a meu respeito.

— Tipo o quê? — Eles estavam tão alto que dava para ver a curvatura da Terra se insinuar na orla do céu que anoitecia.

— Aprendi que o que me matava não era simplesmente beijar você, que tinha mais a ver com o que eu sabia no momento, com o quanto a meu respeito e a respeito da minha história eu era capaz de absorver.

Luce sentiu Daniel assentir atrás dela.

48

— Esse sempre foi o maior enigma para mim.

— Aprendi que meus eus do passado nem sempre foram pessoas legais, mas que você amou a alma dentro deles mesmo assim. E, com seu exemplo, aprendi como reconhecer a sua. Você tem... um brilho específico, um fulgor, e mesmo quando assumia uma forma diferente, eu era capaz de entrar em uma nova vida e reconhecê-lo. Via a sua alma quase sobrepujando o rosto que você usava em cada uma. Você era capaz de ser seu eu egípcio estrangeiro *e ao mesmo tempo* o Daniel por quem eu ansiava e amava.

Daniel virou a cabeça para beijar a têmpora dela.

— Você provavelmente não sabe, mas o poder de reconhecer minha alma sempre esteve dentro de você.

— Não, eu não era capaz de fazer isso... antes eu não...

— Era sim, só que não sabia. Você achava que estava maluca. Via os Anunciadores e os chamava de sombras. Achava que eles estavam assombrando você a vida inteira. E quando me viu pela primeira vez na Sword & Cross, ou talvez quando se deu conta pela primeira vez de que gostava de mim, provavelmente percebeu algo mais que não conseguiu explicar, algo que tentou negar. Não foi?

Luce fechou os olhos com força, recordando-se.

— Você costumava deixar uma névoa violeta no ar depois que passava, mas era só eu piscar os olhos que aquilo sumia.

Daniel sorriu.

— Eu não sabia disso.

— Como assim? Você não acabou de dizer que...?

— Eu imaginava que via *alguma coisa*, mas não sabia o quê. Qualquer que fosse a atração que você reconhecesse em mim, na minha alma, se manifestaria de modo diferente, dependendo de como precisasse vê-la. — Ele sorriu para ela. — É assim que sua alma coopera com a minha. Uma névoa violeta é legal. Fico feliz que tenha sido assim.

— Como é a aparência da minha alma para você?

— Eu não poderia reduzi-la a palavras se tentasse, mas sua beleza é insuperável.

Era uma boa maneira de descrever aquele voo com Daniel pelo mundo. As estrelas cintilavam em vastas galáxias ao redor. A lua estava imensa e densa de crateras, meio encoberta por uma nuvem cinza-claro. Luce estava aquecida e segura nos braços do anjo que amava, um deleite do qual sentira tantas saudades durante a busca através dos Anunciadores. Ela suspirou e fechou os olhos...

E viu *Bill.*

A visão foi agressiva e invadiu a mente, embora não fosse o monstro vil e enfurecido que Bill se tornara na última vez em que o vira. Era apenas Bill, sua gárgula de pedra, segurando a mão de Luce para fazê-la descer do mastro onde havia ido parar ao atravessar por um Anunciador e cair no Taiti. Por que aquela lembrança a encontrou nos braços de Daniel, ela não sabia. Mas ainda conseguia sentir o formato da mãozinha de pedra na própria mão. Lembrou-se de como a força e graciosidade dele a espantaram. Lembrou-se de ter se sentido segura ao seu lado.

Agora a pele se arrepiava e ela se encolhia contra Daniel, incomodada.

— O que foi?

— Bill. — A palavra tinha gosto azedo.

— Lúcifer.

— Eu sei que ele é Lúcifer. *Sei* disso. Mas, durante algum tempo, ele foi algo mais para mim. De algum modo eu pensava que era meu amigo. Fico assombrada por tê-lo deixado se aproximar tanto. E envergonhada.

— Não fique. — Daniel abraçou-a com mais força. — Existe um motivo para ele ter sido chamado de Estrela da Manhã. Lúcifer era *lindo*. Há quem diga que era o mais lindo de todos. — Luce achou ter identificado uma nota de ciúme na voz de Daniel. — Era o mais amado também, não apenas pelo Trono, mas por muitos dos outros anjos. Pense no apelo que ele exerce nos mortais. Esse poder flui dessa mesma fonte. — A voz dele falhou, depois o tom ficou bastante sério. — Você não devia sentir vergonha por ter se enganado com ele,

Luce... — Daniel interrompeu-se de repente, embora desse a impressão de que tinha mais coisas a dizer.

— As coisas estavam ficando tensas entre nós — admitiu ela —, mas nunca imaginei que ele poderia se transformar num monstro daqueles.

— Não existe escuridão mais negra que a de uma grande luz corrompida. Veja. — Daniel mudou o ângulo das asas e eles fizeram um arco amplo, girando ao redor de uma imensa nuvem. Um dos lados era de um tom róseo dourado, iluminado pelo último raio de sol da tarde. O outro, Luce percebeu quando eles a rodearam, era escuro e grávido de chuva. — Luz e sombras mesclados, ambos necessários para que isso seja o que é. É assim com Lúcifer.

— E com Cam, também? — perguntou Luce quando Daniel completou o círculo para continuar o voo sobre o mar.

— Eu sei que você não confia nele, mas pode confiar. Eu confio. A escuridão de Cam é lendária, mas é apenas um dos traços de sua personalidade.

— Mas então por que ele se aliaria a Lúcifer? Por que qualquer um dos anjos o faria?

— Cam não se aliou — disse Daniel. — Não no início, pelo menos. Foi uma época bastante instável. Sem precedentes. Inimaginável. Na época da Queda, alguns anjos se aliaram a Lúcifer imediatamente, mas houve outros, como Cam, que foram expulsos pelo Trono por não terem escolhido depressa. O restante da história se desenrolou com uma lenta escolha de lados, com anjos escolhendo voltar ao seio do Céu ou às legiões do Inferno, até que só restassem uns poucos que não escolheram lados.

— É aí que você se encaixa? — perguntou Luce, muito embora soubesse que Daniel não gostava de mencionar como não escolhera um lado.

— Você antes gostava muito de Cam — observou Daniel, desviando o assunto. — Durante um punhado de vidas na Terra, nós três fomos bastante próximos. Só muito tempo mais tarde, depois que Cam teve o coração partido, é que passou para o lado de Lúcifer.

— O quê? Quem era ela?

— Nenhum de nós gosta de falar nela. Você não pode jamais dar a entender que sabe disso — disse Daniel. — Ressenti a escolha dele, mas não posso dizer que não entendo. Se um dia eu perdesse você de verdade, não sei o que faria. Todo o meu mundo perderia a luz.

— Isso não vai acontecer — disse Luce depressa demais. Sabia que esta vida era sua última chance. Se morresse agora, não voltaria mais.

Luce tinha mil perguntas, sobre a mulher que Cam perdera, sobre o estranho tremor na voz de Daniel quando falou sobre o apelo de Lúcifer, sobre onde ela estava quando ele caiu. Mas suas pálpebras pareciam pesadas, o corpo frouxo de cansaço.

— Descanse — disse Daniel com carinho ao ouvido dela. — Eu acordo você quando chegarmos a Veneza.

Era toda a permissão de que ela precisava para se deixar levar pelo sono. Fechou os olhos para as ondas fosforescentes que quebravam a milhares de pés abaixo e voou para um mundo de sonhos onde "nove dias" não tinham significado, onde podia mergulhar e subir nas nuvens, desfrutar da glória delas, onde podia voar livremente, ao infinito, sem a menor chance de cair.

TRÊS

O SANTUÁRIO SUBMERSO

Luce tinha a impressão de que Daniel estava batendo à porta de madeira envelhecida, no meio da noite, havia meia hora. A casa de típico estilo veneziano com três andares pertencia a um colega, um professor, e Daniel tinha certeza de que ele permitiria que passassem a noite ali, porque os dois foram grandes amigos "há alguns anos", o que, para os padrões de Daniel, poderia significar um período e tanto de tempo.

— Ele deve ter sono pesado.

Luce bocejou, ela mesma quase caindo no sono ao som das pancadas constantes de Daniel. Ou então, pensou com os olhos se fechando, o professor estava em algum café boêmio que fica aberto a noite toda, bebendo vinho e lendo um livro repleto de termos incompreensíveis.

Eram três da manhã — o pouso deles entre os canais prateados de Veneza tinha sido acompanhado pelo soar do relógio de uma torre em algum lugar ao longe, na distância escurecida da cidade — e Luce estava tomada pelo cansaço. Exausta, ela se encostou em uma fria caixa de correio de latão, fazendo com que esta balançasse um dos pregos que sustentava o objeto e que estava frouxo. Isso inclinou a caixa inteira; Luce cambaleou para trás e quase caiu no sombrio canal verde-escuro, cujas águas lambiam os degraus da entrada da casa como uma língua suja de tinta.

Toda a fachada parecia apodrecer em camadas: das madeiras pintadas de azul dos peitoris das janelas que se descascavam em finas lâminas, passando pelos tijolos vermelhos cobertos de um lodo verde escuro, até o concreto úmido da escada que se despedaçava sob os pés de Daniel e Luce. Por um instante, pensou realmente ter sentido a cidade afundando.

— Ele tem de estar aqui — murmurou Daniel, ainda batendo à porta.

Quando aterrissaram no calçamento que margeava o canal acessível geralmente apenas por gôndolas, Daniel prometera a Luce uma cama na casa, uma bebida quente, um descanso do vento úmido e estimulante pelo qual voaram durante horas.

Finalmente, um lento arrastar de pés pelas escadas lá dentro chamou a atenção de Luce, que tremia. Daniel expirou e fechou os olhos, aliviado, quando a maçaneta de latão girou. As dobradiças rangeram e a porta abriu.

— Quem diabos... — Os tufos de cabelo grisalho e crespo do senhor italiano se eriçavam para todos os lados. Tinha sobrancelhas brancas extraordinariamente densas e bigode também, além de pelos brancos grossos saindo pela gola em V do robe cinza-escuro.

Luce observou Daniel piscar, surpreso, como se estivesse em dúvida sobre o endereço. Então os olhos castanho-claros do velho cintilaram. Ele se inclinou para a frente e puxou Daniel em um forte abraço.

— Estava começando a me perguntar se você viria me visitar antes de eu bater as inevitáveis botas — sussurrou o homem, rouco. Seus olhos se voltaram para Luce, e ele sorriu como se o sono não tivesse sido interrompido pelos dois, como se estivesse esperando aquela visita havia meses. — Depois de tantos anos, finalmente trouxe Lucinda. Que prazer!

‌※‌

Seu nome era Professor Mazotta. Ele e Daniel estudaram história juntos na Universidade de Bolonha nos anos 1930. O professor não estava espantado ou perplexo pelo fato de Daniel não ter envelhecido: Mazotta sabia o que Daniel era. Parecia simplesmente feliz em se reunir com o velho colega, uma alegria que só aumentou ao ser apresentado ao amor da vida do amigo.

Ele os levou até o escritório, que também mostrava diferentes graus de decadência. O centro das estantes estava afundado, havia pilhas de papéis amarelados na mesa, o tapete se resumia a fiapos e estava coberto por manchas de café. Mazotta logo se prontificou a fazer uma xícara de um chocolate quente encorpado para cada um deles — era um antigo mau hábito de velho, explicou ele a Luce, dando uma cotovelada de leve nela. Porém, Daniel mal bebeu um gole antes de atirar seu livro nas mãos de Mazotta e abrir na página que descrevia a primeira relíquia.

Mazotta colocou um par de óculos de armação fina e olhou com cuidado para a página, murmurando para si em italiano. Levantou-se, foi até a prateleira, coçou a cabeça, voltou à mesa, caminhou pelo escritório, bebeu chocolate, depois voltou à prateleira e puxou um livro grosso com capa de couro. Luce segurou um bocejo. Parecia que suas pálpebras faziam força para levantar algo pesado. Estava tentando não cochilar, beliscando a palma da mão para manter-se acordada, mas as vozes de Daniel e do Prŏfessor Mazotta se juntavam como uma distante nuvem de neblina enquanto discutiam sobre a impossibilidade de tudo o que o outro dizia.

— Não se trata em absoluto de uma vidraça da igreja de Santo Inácio. — Mazotta entrelaçou as mãos. — Elas são ligeiramente hexagonais, e essa ilustração é sem dúvida retangular.

— O que estamos fazendo aqui? — gritou Daniel de repente, fazendo estremecer uma amadora pintura de um veleiro azul na parede. — Precisamos ir à biblioteca em Bolonha. Ainda tem as chaves para entrar? No seu escritório deve haver...

— Eu me tornei emérito treze anos atrás, Daniel. E não vamos viajar duzentos quilômetros no meio da noite para olhar... — Ele fez uma pausa. — Veja Lucinda. Ela está dormindo em pé, como um cavalo!

Luce fez uma careta meio grogue. Tinha medo de entrar em um sonho e encontrar Bill. Nos últimos tempos ele estava sempre aparecendo quando fechava os olhos. Queria ficar acordada, ficar longe dele, participar da conversa sobre a relíquia que ela e Daniel deveriam encontrar no dia seguinte. No entanto, o sono era persistente e não aceitava ser rechaçado.

Segundos ou horas depois, os braços de Daniel a levantaram do chão e a carregaram por um lance de escada escuro e estreito.

— Desculpe, Luce — pensou ter ouvido Daniel dizer. Estava muito adormecida para responder. — Devia tê-la deixado descansar mais cedo. É que estou com tanto medo — sussurrou ele. — Com medo de que o tempo se esgote.

⚜

Luce piscou e ficou de bruços, surpresa por se encontrar em uma cama, e ainda mais surpresa em ver um pequeno vaso de vidro com uma peônia sobre o travesseiro ao seu lado.

Ela pegou a flor do vaso e a girou na mão, fazendo respingar gotas de água sobre o cobertor de brocado rosa. A cama rangeu quando apoiou o travesseiro contra a cabeceira de latão para olhar ao redor.

Por um instante, sentiu-se desorientada por estar em um ambiente desconhecido, com as lembranças do sonho em que viajava pelos Anunciadores sumindo aos poucos à medida que acordava por completo. Bill não estava mais lá para dar dicas de onde ela se encontrava.

Ficou apenas nos sonhos, e na noite passada era Lúcifer, um monstro, rindo da ideia de que ela e Daniel pudessem mudar ou impedir alguma coisa.

Um envelope branco estava apoiado no vaso sobre a mesa de cabeceira.

Daniel.

Ela se lembrou apenas de um único doce beijo, dos braços de Daniel se afastando ao deixá-la na cama na noite anterior e da porta se fechando.

Para onde ele foi depois daquilo?

Rasgou o envelope e puxou o cartão grosso de papel branco que estava ali dentro. Havia quatro palavras:

Vá até a sacada.

Sorrindo, Luce saiu de baixo das cobertas e levou as pernas para o outro lado da cama. Caminhou sobre o enorme tapete de tear manual com a peônia branca entre os dedos. As janelas do quarto eram altas e estreitas, quase alcançando os seis metros de pé-direito. Atrás de uma das cortinas marrom-vivo ficava uma porta de vidro que dava para um terraço. Ela abriu o trinco de metal e saiu, esperando ver Daniel e afundar nos braços dele.

Mas o terraço em formato de lua crescente estava vazio. Havia apenas uma mureta de pedra um andar acima das águas verdes do canal lá embaixo, além de uma mesa de tampo de vidro com uma cadeira dobrável de lona vermelha ao lado. A manhã estava bela. O ar tinha um cheiro sombrio, mas revigorante. No rio, gôndolas estreitas e brilhantes ultrapassavam umas às outras, deslizando, elegantes como cisnes. Um casal de melros gorjeava empoleirado em um varal no andar de cima e, no outro lado do canal, havia apartamentos apertados, um ao lado do outro, pintados em tons pastel. Era encantadora, sem dúvida, a Veneza dos sonhos da maioria das pessoas, mas Luce não estava lá a passeio. Ela e Daniel estavam ali para salvar sua história — e a do mundo. O tempo corria. E Daniel não estava por perto.

⚜ 57 ⚜

Então viu outro envelope branco na mesa da sacada, apoiado em um copinho branco descartável e um pequeno saco de papel. Mais uma vez, Luce rasgou o cartão e encontrou apenas quatro palavras:

Por favor, espere aqui.

— Chato, porém romântico — disse ela em voz alta.

Sentou-se na cadeira dobrável e espiou o conteúdo do saco de papel. Um punhado de rosquinhas recheadas com geleia e polvilhadas com canela e açúcar emanava um aroma intoxicante. O saco estava quente, com manchinhas de óleo infiltrando no papel. Luce colocou uma das guloseimas na boca e bebeu um gole do copinho branco, que continha o *espresso* mais saboroso que já provara.

— Gostou dos *bombolini*? — gritou Daniel lá de baixo.

Luce se levantou de repente e se recostou na mureta para vê-lo em pé na parte de trás de uma gôndola pintada com imagens de anjos. Usava um chapéu de palha achatado com uma fita vermelha grossa e, com um remo largo de madeira, conduzia o barco lentamente até ela.

O coração de Luce disparou do mesmo jeito que fazia a cada primeira vez que via Daniel em outras vidas. Mas ele estava ali. Pertencia a ela. Aquilo estava acontecendo naquele momento.

— Mergulhe-os no *espresso* e depois me diga como é estar no céu — disse Daniel, sorrindo para ela.

— Como faço para descer até aí? — gritou ela.

Daniel apontou para a escada espiral mais estreita que Luce já havia visto, logo à direita da mureta. Ela pegou o café e o saco de rosquinhas, colocou a peônia atrás da orelha e foi em direção à escada.

Podia sentir o olhar de Daniel ao passar sobre a mureta e esgueirar-se nos degraus. Cada vez que dava uma volta completa na escada, via de relance os sedutores olhos cor de violeta do anjo. Quando chegou lá embaixo, Daniel estendeu a mão para ajudá-la a entrar no barco.

Lá estava a eletricidade pela qual ansiava desde que acordou. A faísca que passava de um para o outro a cada vez que se tocavam. Daniel colocou os braços ao redor da cintura de Luce e a apertou de forma que não sobrasse nenhum espaço entre seus corpos. Deu-lhe um beijo demorado e profundo até ela se sentir tonta.

— É assim que se começa uma manhã — disse ele, passando os dedos pelas pétalas da peônia atrás da orelha de Luce.

Ela sentiu de repente um leve peso no pescoço e, quando pôs a mão, encontrou uma correntinha fina. Passando os dedos, tocou um medalhão de prata. Ela olhou para a rosa vermelha gravada nele.

O camafeu! Era o que Daniel havia lhe dado na última noite dela na Sword & Cross. Luce o havia guardado na capa do exemplar de *O Livro dos Guardiões* durante o curto período de tempo que passou sozinha na cabana, mas nenhuma recordação daqueles dias era nítida. A única coisa de que se lembrava era do Sr. Cole apressando-a até o aeroporto para pegar o voo para a Califórnia. Não se lembrara do camafeu nem do livro até chegar a Shoreline, e naquele momento tinha certeza de que os havia perdido.

Daniel deve ter colocado a corrente no pescoço de Luce enquanto ela dormia. Seus olhos se encheram de lágrimas, mas dessa vez eram de alegria.

— Onde conseguiu...?

— Abra. — Daniel sorriu.

A última vez em que segurou o camafeu, a imagem de uma Luce e um Daniel de épocas passadas a deixou perplexa. Daniel disse que contaria quando a foto foi tirada na próxima vez que a visse. Isso não aconteceu. O tempo roubado que tiveram juntos na Califórnia foi em sua maioria estressante e muito curto, repleto de discussões bobas que ela não conseguia imaginar ter com Daniel nunca mais.

Luce estava feliz por ter esperado, porque quando abriu o camafeu desta vez e viu a minúscula fotografia atrás do vidro — Daniel com uma gravata-borboleta e Luce com o cabelo curto bem penteado — reconheceu imediatamente do que se tratava.

— Lucia — sussurrou ela.

Era a jovem enfermeira que Luce encontrou quando chegou a Milão durante a Primeira Guerra Mundial. A garota era bem mais jovem quando as duas se conheceram, doce e um tanto atrevida, mas tão autêntica que Luce logo a admirou.

Ela sorria agora, se lembrando da maneira como Lucia olhava para o corte de cabelo mais curto e moderno, e de como brincava, dizendo que todos os soldados tinham uma queda por Luce. Fez Luce recordar principalmente que, se tivesse ficado no hospital italiano um pouco mais e se as circunstâncias tivessem sido... bem, totalmente diferentes, as duas poderiam ter sido grandes amigas.

Luce olhou para Daniel, radiante, mas uma sombra logo desceu sobre seu rosto. Ele a observava como se tivesse levado um soco.

— O que foi? — Ela soltou o medalhão e se aproximou dele, passando os braços ao redor de seu pescoço.

O anjo balançou a cabeça, abalado.

— Só não estou acostumado a poder compartilhar isto com você. Seu olhar ao reconhecer a foto? É a coisa mais linda que eu já vi.

Luce ficou ruborizada, sorriu, sentiu-se sem palavras e queria chorar, tudo de uma vez. Ela compreendia Daniel totalmente.

— Sinto muito por tê-la deixado sozinha daquela forma — disse ele. — Tive que sair e verificar uma coisa em um dos livros de Mazotta em Bolonha. Imaginei que você precisasse descansar o máximo possível, e estava tão bonita dormindo que não consegui acordá-la.

— Encontrou o que procurava?

— Talvez. Mazotta me deu uma pista sobre uma das *piazzas* desta cidade. Ele é historiador de arte principalmente, mas conhece a divindade melhor que qualquer mortal que já encontrei.

Luce sentou-se no banco de veludo vermelho da gôndola, que era quase um assento de dois lugares, com uma almofada de couro preta e um encosto alto e esculpido.

Daniel afundou o remo na água e o barco deslizou para a frente. A água tinha uma coloração verde-pastel vivo e, à medida que avançavam, Luce via toda a cidade refletida nas tremulações espelhadas da superfície.

— A boa notícia — disse Daniel, olhando para ela sob a aba do chapéu —, é que Mazotta acha que sabe onde o artefato está. Fiquei discutindo com ele até o amanhecer, mas finalmente encontramos uma fotografia antiga interessante que se parece com meu desenho.

— E?

— E acontece — Daniel moveu o pulso e a gôndola fez uma curva suave em uma esquina apertada, então passou sob uma passarela baixa — que a bandeja de servir é um halo.

— Um *halo*? Pensei que apenas os anjos dos cartões comemorativos tivessem halos. — Ela levantou a cabeça, olhando para Daniel. — *Você* tem um halo?

Daniel sorriu, como se encantado pela pergunta.

— Não daqueles parecidos com anéis de ouro. Até onde sabemos, os halos são representações de nossa luz, de uma forma que os mortais não conseguem compreender. A luz violeta que você viu ao meu redor na Sword & Cross, por exemplo. Acho que Gabbe nunca lhe contou histórias de quando posou para Da Vinci...?

— Ela fez o *quê*? — Luce quase engasgou com um dos bombolini.

— Ele não sabia que ela era um anjo, é claro, mas segundo Gabbe, Leonardo falou sobre uma luz que parecia irradiar de dentro dela. Por isso ele a pintou com um halo ao redor da cabeça.

— Nossa! — Luce balançou a cabeça, espantada, enquanto passavam por um casal apaixonado com chapéus de feltro combinando que se beijava no canto de uma sacada.

— Não foi só ele. Os artistas vêm pintando anjos dessa maneira desde que caímos na Terra.

— E quanto ao halo que temos de encontrar hoje?

— É obra de outro artista. — O rosto de Daniel ficou sombrio. Os metais de uma canção de jazz estridente fluíram de uma janela aberta e pareceram tomar o espaço ao redor da gôndola, acompanhando a narração de Daniel. — Desta vez, trata-se da escultura de um anjo, e é muito mais antiga, da era pré-clássica. Tão antiga que a identidade do artista é desconhecida. É da Anatólia e, assim como o restante dos artefatos, foi roubada durante a Segunda Cruzada.

— Então vamos encontrar a escultura em uma igreja, museu, seja onde for, tirar o halo da cabeça do anjo e correr para o monte Sinai? — perguntou Luce.

Os olhos de Daniel ficaram obscuros por uma fração de segundos.

— Por enquanto, sim, o plano é este.

— Parece fácil demais — disse Luce enquanto reparava nos detalhes dos prédios ao redor; em um deles, havia janelas altas sobre domos em formato de cebola, outro possuía um herbário verdejante saindo pela janela. Tudo parecia afundar nas águas verdes com uma espécie de redenção serena.

Daniel tinha o olhar fixo, a água iluminada pelo sol refletia-se em seus olhos.

— Veremos se é mesmo fácil.

Ele se esforçou para enxergar uma placa de madeira ao longe, no fim do quarteirão e, em seguida, conduziu o barco para fora do centro do canal. A gôndola chacoalhou ao parar perto de um muro de concreto coberto de videiras. Daniel segurou firme em um dos postes de ancoragem e amarrou a corda da gôndola. A embarcação que rangeu e esticou a corda.

— Este é o endereço que Mazotta me deu. — Daniel apontou para uma antiga ponte curva de pedra que era algo entre romântica e decrépita. — Vamos subir esta escada e nos dirigir ao *palazzo*. Não deve ser longe.

Saltou da gôndola para a calçada com a mão estendida para Luce. Ela o seguiu, e juntos atravessaram a ponte de mãos dadas. Ao passarem por uma série de barraquinhas de pães e vendedores oferecendo camisetas de Veneza, Luce não conseguiu evitar olhar para os casais felizes ao redor. Todos pareciam estar se beijando e rindo. Ela tirou a peônia de trás da orelha e colocou-a na bolsa. Estava em uma missão com Daniel, não em lua de mel, e não haveria outros encontros românticos se os dois fracassassem.

Eles aceleraram o passo ao virarem à esquerda em uma rua estreita e depois à direita, chegando a uma ampla *piazza*.

Daniel parou abruptamente.

— Deveria estar aqui. Na praça. — Ele olhou para o endereço, balançando a cabeça com descrença exausta.

— O que há de errado?

— O endereço que Mazotta me deu corresponde *àquela* igreja, mas ele não me disse isso. — Daniel apontou para a construção alta, franciscana e cheia de espirais, com janelas rosáceas de vitrais triangulares. Uma igreja enorme e imponente, com o exterior de um alaranjado pálido e esquadrias brancas nas janelas e no grande domo. — A escultura, o halo, deve estar lá dentro.

— Tudo bem. — Luce deu um passo em direção à igreja, dando de ombros, sem entender o problema. — Vamos entrar para ver.

Daniel deslocou o peso do corpo. O rosto ficou pálido de repente.

— Não posso, Luce.

— Por que não?

Ele enrijeceu com um nervosismo evidente. Os braços pareciam pregados nas laterais do corpo e a mandíbula estava tão cerrada que parecia grudada. Ela não estava acostumada a vê-lo sem confiança. Era um comportamento estranho.

— Então você não sabe? — perguntou ele.

Luce fez que não, e Daniel suspirou.

— Pensei que em Shoreline eles tivessem ensinado a você... É o seguinte: na verdade, se um anjo caído entra em um santuário de Deus, a estrutura e todos que estão dentro explodem em chamas.

Terminou a frase rapidamente, logo quando um grupo de alunas alemãs em excursão vestindo saias de pregas passou por eles na *piazza*, andando em fila em direção à entrada da igreja. Luce observou algumas delas se virarem para olhar Daniel, sussurrando e rindo uma para a outra, alisando as tranças caso ele voltasse o olhar para elas.

Daniel fitou Luce. Ainda parecia nervoso.

— Esse é um dos muitos detalhes menos conhecidos da nossa punição. Se um anjo caído deseja reentrar na jurisdição da graça de Deus, deve ir ao Trono diretamente. Não há atalhos.

— Está dizendo que nunca pôs os pés em uma igreja? Nenhuma vez, nos milhares de anos que já passou aqui?

Daniel fez que não.

— Nem em templos, sinagogas ou mesquitas. Nunca. O mais perto que cheguei foi a piscina coberta da Sword & Cross. Quando o lugar foi dessantificado e transformado em parque aquático, o tabu foi removido. — Ele fechou os olhos. — Ariane entrou uma vez, bem no começo, antes de voltar a se aliar ao Céu. Ela não sabia. A forma como descreveu...

— Por isso ela tem as cicatrizes no pescoço? — Luce tocou o próprio pescoço instintivamente, recordando-se da primeira hora que passou na Sword & Cross: Ariane entregando a Luce um canivete suíço roubado, ordenando-lhe que cortasse seu cabelo. Ela não conseguiu tirar os olhos das estranhas cicatrizes parecidas com mármore que o anjo tinha.

— Não. — Daniel desviou o olhar, desconfortável. — Aquilo foi outra coisa.

Um grupo de turistas estava posando com o guia na frente da entrada. Enquanto os dois conversavam, dez pessoas entraram e saíram da igreja sem parecerem impressionadas pela beleza ou importância do local — ainda assim, Daniel, Ariane e uma legião de anjos nunca poderiam entrar nele.

Mas Luce podia.

— Eu vou. Vi o desenho e sei como é o halo. Se estiver aqui, vou encontrá-lo e...

— Você pode entrar, é verdade. — Daniel fez que sim em um gesto breve. — Não há outra saída.

— Sem problemas. — Luce tentou mostrar indiferença.

— Vou ficar esperando bem aqui. — Daniel parecia relutante e aliviado ao mesmo tempo. Apertou a mão dela, sentou-se na borda de uma fonte no centro da praça e explicou como o halo deveria ser e como removê-lo. — Mas seja cuidadosa! Tem mais de mil anos e é delicado! — Atrás dele, um querubim cuspia uma corrente de água interminável. — Se tiver problemas, Luce, se algo parecer ligeiramente suspeito, corra para cá e me encontre.

A igreja estava escura e fria. Tinha uma estrutura em formato de cruz e vigas baixas. Um odor pesado de incenso envolvia o ar. Luce pegou um panfleto em inglês na entrada e se deu conta de que não sabia o nome da escultura. Irritada consigo por não ter perguntado — Daniel devia saber —, andou pela nave estreita, passou por fileiras e fileiras de bancos vazios, observando os vitrais da Via Crúcis nas janelas altas.

Apesar da enorme quantidade de pessoas na *piazza* lá fora, a igreja estava relativamente quieta. Luce percebeu que suas botas faziam barulho sobre o piso de mármore ao passar pela estátua de Nossa Senhora em uma das pequenas capelas fechadas que ficavam nas laterais. Os olhos planos da estátua pareciam impossivelmente grandes, os dedos impossivelmente compridos e finos, unidos em oração.

Luce não viu o halo em lugar algum.

No final da nave, ficou no centro da igreja, sob um enorme domo, que deixava a luz branda do sol da manhã penetrar pelas janelas elevadas. Um homem com uma túnica cinza comprida se ajoelhou perante o altar. Seu rosto pálido e mãos brancas — unidas em forma de concha sobre o coração — eram as únicas partes do corpo à mostra. Ele estava cantarolando alguma coisa em latim aos sussurros. *Dies irae, dies illa.* Luce reconheceu as palavras das aulas de latim em Dover, mas não conseguiu se lembrar do significado.

Quando ela se aproximou, o homem parou de cantar e levantou a cabeça, como se a presença dela tivesse interrompido a oração. A pele dele era a mais pálida que Luce já vira, os lábios quase descorados ao se enrugarem para ela, que, na tentativa de dar mais privacidade ao homem, desviou o olhar e virou à esquerda no transepto, que dava o formato de cruz à igreja...

E ela se viu diante de um anjo formidável.

Era uma estátua, esculpida em mármore rosa perfeitamente liso e diferente dos anjos que Luce viera a conhecer tão bem. Não havia a vitalidade ardente de Cam, nem as infinitas complexidades que adorava em Daniel. Era uma estátua criada pela fé indiferente e para a fé indiferente. A Luce, o anjo parecia vazio. Ele olhava para cima, para o Paraíso, e seu corpo esculpido brilhava através das suaves ondas de tecido que envolviam-lhe a cintura e o peito. O rosto, voltado em direção ao céu, a três metros acima da cabeça de Luce, fora esculpido com delicadeza, por alguém com mãos treinadas, da ponta do nariz até os tufinhos de cabelo cacheados sobre as orelhas. As mãos faziam um gesto para o céu, como se pedindo perdão para alguém lá em cima por um pecado cometido há muito tempo.

— *Buon giorno*. — A voz fez Luce dar um pulo. Ela não viu o padre chegar com a túnica preta e pesada que ia até o chão, não viu a sacristia no final do transepto, por cuja porta de mogno o padre surgira.

O nariz dele parecia feito de cera, os lóbulos de suas orelhas eram grandes e era muito mais alto que Luce, o que a deixou incomodada. Ela forçou um sorriso e se afastou. Como iria roubar uma relíquia de um local público como aquele? Por que não havia pensado nisso antes, na *piazza*? Ela nem mesmo conseguia falar...

Então Luce se lembrou: ela *falava italiano, sim*. Aprendera — mais ou menos — instantaneamente quando entrou no Anunciador nas linhas de combate da guerra próximo ao rio Piave.

— Esta escultura é linda — disse ela ao padre.

Seu italiano não era perfeito — ela falava como quem tinha sido fluente anos atrás, mas que perdera a confiança. Ainda assim, o sotaque era satisfatório, e o padre pareceu compreender.

— É mesmo.

— O trabalho do artista com o... com o cinzel — disse ela, abrindo os braços como se estivesse fazendo uma crítica sobre a obra —, é como se tivesse libertado o anjo da pedra.

Voltando os olhos para a escultura, tentando parecer o mais inocente possível, Luce deu a volta no anjo. É claro que havia um halo de ouro e vidro sobre a cabeça dele. Porém, ele não estava lascado nos lugares em que o desenho de Daniel mostrava. Talvez tivesse sido restaurado.

O padre fez que sim com um ar sábio e disse:

— Nenhum anjo jamais ficou livre após o pecado da Queda. O olho experiente é capaz de enxergar isso, também.

Daniel havia lhe dito qual era o truque para tirar o halo da cabeça do anjo: segurar a relíquia como um volante e girá-la duas vezes com firmeza, mas também delicadeza, em sentido horário. "Porque é feito de vidro e ouro, e teve de ser posto na escultura depois de pronta. Então uma base foi esculpida na pedra, e um buraco correspondente foi feito no halo. Dê apenas dois giros fortes, mas com cuidado!" Assim, ele se soltaria da base.

Luce olhou para a enorme estátua que assomava sobre a cabeça dela e do padre.

Certo.

O sacerdote moveu-se para o lado dela.

— Este é Rafael, o Curador.

Luce não conhecia nenhum anjo chamado Rafael. Ela se perguntou se era real ou uma invenção da Igreja.

— Eu, hã, li em um guia de viagem que a estátua é anterior à era clássica. — Olhou a pontinha de mármore que conectava o halo à cabeça do anjo. — Essa escultura não foi trazida à igreja durante as Cruzadas?

O padre cruzou os braços e as longas mangas da túnica se amontoaram nos cotovelos.

— Você se refere à original. Ela ficava ao sul de Dorsoduro na Chiesa dei Piccoli Miracoli na ilha das Focas, mas desapareceu com a igreja e a ilha quando ambas, como sabemos, afundaram no mar séculos atrás.

— Não. — Luce engoliu em seco. — Não sabia disso

Seus olhos redondos castanhos se fixaram nos dela.

— Você deve ser nova em Veneza — disse ele. — Por aqui, tudo acaba afundando no mar. Não é tão ruim. Como aprenderíamos a fazer reproduções tão perfeitas? — Olhou para o anjo, passou os dedos compridos e escuros pelo pedestal de mármore. — Esta aqui foi encomendada por apenas cinco mil liras. Não é incrível?

Não era incrível; era um horror. O halo verdadeiro afundou no mar? Nunca o encontrariam agora, nunca saberiam a real localização da Queda, nunca impediriam Lúcifer de destruí-los. Tinham acabado de começar a jornada e tudo já parecia estar perdido.

Luce cambaleou para trás, mal conseguindo recuperar o fôlego para agradecer ao padre. Sentindo-se pesada e desequilibrada, quase tropeçou em um pálido fiel ajoelhado, que fez cara feia enquanto ela saía rapidamente da igreja.

Assim que passou pela porta, começou a correr. Daniel segurou-a pelo cotovelo na fonte.

— O que aconteceu?

O rosto de Luce deve ter dito tudo. Ela relatou a história, ficando mais desanimada a cada palavra. Quando chegou na parte em que o padre se gabou pela reprodução barata, uma lágrima correu por sua bochecha.

— Tem certeza de que ele disse Chiesa dei Miracoli Piccoli? — perguntou Daniel, dando uma volta para olhar a *piazza*. — Na ilha das Focas?

— Tenho certeza, Daniel, a estátua já era. Está no fundo do oceano...

— E nós vamos encontrá-la.

— O quê? Como?

Ele segurou a mão de Luce rapidamente e, dando uma olhada para as portas da igreja, começou a correr pela praça.

— Daniel...

— Você sabe nadar.

— Não tem graça nenhuma.

— Não tem mesmo. — Ele parou de correr, virou-se e segurou o queixo de Luce na palma da mão. O coração dela estava disparado, mas os olhos de Daniel sobre os seus desaceleraram tudo. — Não é a situação ideal, mas se é a única forma de conseguirmos o artefato, é como vamos pegá-lo. Nada pode nos deter. Você sabe disso. Não podemos deixar nada nos impedir.

⚜

Logo depois, estavam de volta à gôndola, e Daniel remava rumo ao mar — levando-os adiante como um motor a cada remada. Ultrapassaram todas as outras embarcações no canal, passando apertadinhos em pontes baixas e nas esquinas fechadas de prédios, espirrando água nos rostos assustados que seguiam nos barcos vizinhos.

— Conheço a ilha — disse Daniel, sem demonstrar um pingo de cansaço. — Ficava na metade do caminho entre a ilha de São Marcos e a La Giudecca. Mas não há onde parar o barco por perto. Teremos de deixar a gôndola. Vamos ter que pular e nadar.

Luce olhou para a água verde e turva movendo-se rapidamente na lateral do barco. Sem roupa de banho. Hipotermia. Monstros marinhos italiano em buracos lamacentos ocultos. O banco da gôndola estava congelante e a água cheirava a barro com gotas de esgoto. Tudo isso passou pela mente dela, mas quando encontrou os olhos de Daniel, o medo se aquietou.

Ele precisava dela. Luce estava ao lado dele, e ponto final.

— Tudo bem.

Quando chegaram ao canal aberto, onde os demais canais desembocavam nos espaços entre as ilhas, havia um caos turístico instalado: a água estava cheia de *vaporetti* levando e trazendo turistas com suas mochilas para os hotéis, barcos motorizados alugados por viajantes ricos e chiques, e caiaques aerodinâmicos de cores vivas carregando mochileiros americanos com óculos escuros modelo esquiador. Gôndolas, lanchas e barcos de polícia cruzavam a água de um lado para o outro em alta velocidade, mal evitando bater uns nos outros.

Daniel manobrou com facilidade, apontando para longe.

— Está vendo aquelas torres?

Luce olhou por cima dos barcos multicoloridos. O horizonte era uma linha apagada onde o azul-acinzentado do céu se encontrava com o azul-acinzentado mais escuro da água.

— Não.

— Concentre-se, Luce.

Alguns segundos depois, duas pequenas torres esverdeadas — mais longe do que se imaginaria capaz de enxergar sem um telescópio — surgiram à vista.

— Ah, ali.

— É tudo o que sobrou da igreja. — O remar de Daniel se acelerou à medida que o número de barcos ao redor diminuiu. A água parecia menos agitada, o tom de verde mais escuro agora, e começava a ficar com o cheiro mais característico de mar em vez da imundície estranhamente atraente de Veneza. O cabelo de Luce chicoteava ao vento, que ficava mais gelado conforme se afastavam da terra. — Vamos torcer para que nosso halo não tenha sido roubado por mergulhadores das equipes de escavação.

Mais cedo, depois de Luce ter subido de novo na gôndola, Daniel pedira que o esperasse um momento. Ele sumiu por uma ruela estreita e ressurgiu no que pareceram poucos segundos com uma sacola de plástico rosa. Agora ele entregava a mesma sacola a Luce, que tirava de dentro um par de óculos de natação. Ridiculamente caros e pouco funcionais, eram em tom preto e roxo e tinham modernas asas de anjos nas pontas das lentes. Ela não se lembrava da última vez que usara óculos de natação, mas ao olhar para a água escura, ficou feliz em tê-los para proteger os olhos.

— Óculos sim, mas roupa de banho não? — perguntou.

Daniel ficou vermelho.

— Acho que fui burro, mas estava com pressa, só pensei no que seria realmente *necessário* para pegar o halo. — Ele colocou o remo de volta na água, propulsando-os com mais velocidade que uma lancha. — Você pode nadar usando sua *lingerie*, certo?

Agora Luce foi quem ficou vermelha. Sob circunstâncias normais, a pergunta poderia ter sido engraçada, algo sobre o qual os dois ririam. Mas não naqueles nove dias. Ela fez que sim. Oito dias, na verdade. Daniel estava seriíssimo. Luce apenas engoliu em seco e disse:

— Mas é claro.

Os dois pináculos cinza-esverdeados ficaram maiores, com mais detalhes, e logo se erguiam sobre Daniel e Luce. Eram altos e cônicos, feitos de lâminas de cobre enferrujadas. Parecia que, no passado, o topo fora decorado por bandeirolas de cobre em formato de gota, esculpidas para dar a impressão de que tremulavam ao vento, mas uma delas estava salpicada de buracos causados pelo desgaste natural e a outra havia se soltado completamente do mastro. No mar aberto, a visão das torres salientes era bizarra, sugeria a presença de uma catedral cavernosa das profundezas. Luce ficou imaginando há quanto tempo a igreja afundara e qual era a profundidade em que estava.

Ela tremia só de pensar em mergulhar até lá embaixo com óculos de natação ridículos e *lingerie* comprada pela mãe.

— Esta igreja deve ser enorme. — Mas queria dizer, na verdade: "Acho que não consigo fazer isso. Não consigo respirar embaixo d'água. Como vamos encontrar um pequeno halo no meio do oceano?"

— Posso levar você apenas até os limites da catedral, só isso. Basta segurar minha mão. — Daniel estendeu a mão carinhosa para ajudar Luce a se levantar na gôndola. — Respirar não vai ser problema, mas a igreja ainda é santificada, o que significa que você terá de encontrar o halo e trazê-lo até mim.

Daniel tirou a camisa pela cabeça e jogou-a no banco. Tirou as calças rapidamente, com um equilíbrio perfeito sobre o barco, e então arrancou os tênis. Luce observou, sentiu algo se agitar dentro de si até perceber que deveria tirar a roupa também. Arrancou as botas, as meias e a calça jeans da forma mais discreta possível. Daniel segurou a mão dela para ajudar no equilíbrio. Ele ficou observando-a, mas não como Luce esperava. Estava preocupado com ela, que estava arrepiada. O anjo esfregou os braços de Luce quando ela tirou o suéter, congelando com as recatadas roupas íntimas dentro da gôndola no meio da laguna veneziana.

Mais uma vez, Luce se arrepiou, com frio, medo e uma agitação indecifrável. Porém, sua voz soou corajosa quando ela colocou os óculos, incômodos, sobre os olhos e disse:

— Vamos lá, vamos nadar.

Eles deram as mãos, como fizeram na última vez em que nadaram juntos na Sword & Cross. Quando os pés se ergueram no chão envernizado da gôndola, a mão de Daniel puxou-a para cima, mais alto do que ela jamais imaginaria conseguir pular sozinha — e em seguida, eles mergulharam.

O corpo de Luce quebrou a superfície do mar, que não estava tão frio quanto ela pensara. Na verdade, quanto mais perto de Daniel nadava, mas quente a água ao redor ficava.

Ele estava brilhando.

É claro que estava. Ela não havia desejado verbalizar o medo da catedral, escura e impiedosa embaixo d'água, mas percebeu naquele momento que, como sempre, Daniel estava tomando conta dela. O anjo iluminaria o caminho até o halo com a mesma incandescência luminosa que Luce vira em várias vidas passadas que visitara. O brilho neutralizou a água turva e envolveu Luce, lindo e surpreendente como um arco-íris no céu da noite.

Nadaram para baixo, de mãos dadas, banhados pela luz violeta. A água estava sedosa, quieta como uma sepultura vazia. Na profundidade de quase quatro metros, o mar se escureceu, mas a luz de Daniel ainda iluminava alguns metros ao redor. Mais quatro metros para baixo, a fachada da igreja apareceu.

Era maravilhosa. O oceano a preservara, e o brilho da glória de Daniel derramava um fulgor violeta sobre as rochas antigas e silenciosas. As torres acima da superfície pontuavam o telhado plano adornado com pedras e esculturas de santos. Havia painéis de mosaicos meio desintegrados com a imagem de Jesus e alguns dos apóstolos. Tudo tinha uma camada grossa de musgo e estava coberto por vida marinha peixinhos prateados minúsculos entravam e saíam de alcovas, anêmonas projetavam-se em representações de milagres, enguias deslizavam por fendas onde venezianos haviam caminhado. Daniel ficou ao lado de Luce, seguindo o rastro dela, iluminando o caminho.

Ela nadou pelo lado direito da igreja, espreitando vitrais destruídos, com o olhar sempre se voltando para a superfície lá em cima, para o ar.

Mais ou menos no ponto em que Luce imaginava, seus pulmões começaram a perder força, mas ela ainda não estava pronta para subir. Os dois haviam acabado de descer até onde dava para ver o altar. Então, cerrou os dentes e aguentou firme por mais um tempo.

Segurando a mão dele, olhou por uma das janelas próximas ao transepto da igreja. Colocou a cabeça e os ombros para dentro, e Daniel se espremeu contra a parede para iluminar a área interna.

Luce não viu nada além de bancos apodrecendo e um altar de pedra dividido ao meio. O restante estava coberto por sombras e Daniel não conseguia se aproximar mais para oferecer maior luminosidade. Ela sentiu uma tensão nos pulmões e entrou em pânico — mas então, de alguma forma, a sensação desapareceu, e foi como se o tempo pudesse se expandir até a tensão e o pânico voltarem, como se existissem reservas de fôlego que Luce pudesse usar antes de a situação ficar realmente difícil. Daniel a observava, assentindo, como se soubesse que ela era capaz de continuar por mais um tempinho.

Luce passou por mais uma janela e viu algo dourado cintilar em um dos cantos submersos da igreja. Daniel também viu e nadou até o lado da amada com cuidado para não entrar na catedral. Pegou a mão dela e indicou o ponto brilhante. Apenas a pontinha do halo era visível. A estátua parecia ter afundado para dentro de uma parte destruída do piso. Luce se aproximou, soltando o ar em bolhas, incerta de como deveria liberá-lo. Não podia esperar mais. Seus pulmões estavam em chamas, então fez para Daniel o sinal para subir.

Ele balançou a cabeça.

Quando ela recuou, surpresa, ele a puxou para fora da igreja, pegou-a nos braços e beijou-a profundamente. A sensação foi ótima, mas...

Mas, não, não foi só um beijo. Ele estava soprando ar para dentro dos pulmões de Luce. Ela respirou profundamente ao beijá-lo, sentiu o ar puro fluir para dentro, enchendo os pulmões no exato momento em que eles pareciam estar prestes a explodir. Era como se o anjo tivesse um estoque interminável de oxigênio, e Luce estava sôfrega para pegar o máximo possível. As mãos buscavam os corpos quase nus um do outro, cheias de paixão, como se os dois estivessem se beijando apenas por prazer. Luce não queria parar. Porém, só restavam oito dias. Quando, por fim, ela se mostrou satisfeita, Daniel sorriu e a afastou.

Eles voltaram para a pequena passagem onde antes ficava a janela. Daniel nadou até o local, posicionando o corpo em frente à abertura de forma a iluminar o caminho de Luce. Ela se espremeu devagar pela janela, sentindo um frio instantâneo e uma claustrofobia insensata dentro da igreja. Aquilo era estranho, porque a catedral era enorme: o teto estava a quarenta metros de altura, e não havia mais ninguém ali.

Talvez o problema fosse esse. Do outro lado da janela, Daniel parecia distante demais. Ao menos agora ela conseguia ver o anjo — e o brilho dele lá fora. Então, nadou em direção ao halo dourado e pegou-o nas mãos. Lembrou-se das instruções de Daniel e girou a relíquia como se fosse o volante de um ônibus.

O objeto não se moveu.

Luce pegou o halo escorregadio com mais força. Girou para a frente e para trás, investindo toda a força que tinha.

Bem devagar, ele soltou um ruído e moveu-se um centímetro para a esquerda. Ela fez força novamente para movê-lo mais, soltando bolhas de irritação. Bem quando começou a sentir-se cansada, o halo soltou-se e girou. O rosto de Daniel se encheu de orgulho ao olhar para Luce e ela o observou, os olhares entrelaçados. Luce mal pensava no fôlego enquanto tentava desrosquear o halo.

O objeto desprendeu-se nas mãos dela, que vibrou de alegria e ficou admirada com o peso impressionante. Mas quando olhou para Daniel, ele não estava mais fitando-a. Olhava para cima, para longe.

Um segundo depois, ele sumiu.

QUATRO

UM ACORDO ÀS CEGAS

Sozinha na escuridão, Luce ficou perdida na água.

Onde ele estava?

Ela se aproximou da cratera no assoalho onde o anjo afundara — onde, há poucos segundos, o brilho de Daniel iluminava o caminho.

Subir. Era a única opção.

A pressão nas pernas aumentou rapidamente e se espalhou pelo restante do corpo, latejando na cabeça. A superfície estava distante e o ar que Daniel lhe dera já chegava ao fim. Não conseguia ver a própria mão à frente do rosto. Não conseguia pensar. Não *podia* entrar em pânico.

Luce deu um impulso no assoalho podre, saltando na água para dar de cara com o que ela pensava ser a janela do porão por onde havia entrado na catedral. As mãos trêmulas tateavam as paredes do porão cobertas por crustáceos, em busca da passagem estreita que deveria atravessar.

Pronto.

Os dedos alcançaram o exterior da igreja em ruínas e sentiram a água mais morna lá fora. Na escuridão, a passagem parecia ainda menor e mais impossível de ser atravessada do que quando Daniel estava ali, iluminando o caminho. Mas era a única saída.

Com o halo preso de uma forma estranha sob o queixo, Luce se impulsionou para a frente, forçando os cotovelos contra a parede pelo lado de fora da catedral para puxar o corpo. Primeiro os ombros, depois a cintura e depois...

A dor rasgou seu quadril.

O pé esquerdo ficou preso, enroscado em algo fora do alcance e da vista. Lágrimas queimaram os olhos, e ela chorou de frustração. Observou as bolhas flutuarem saindo da boca — e indo lá para cima, onde ela deveria estar —, carregando mais energia e oxigênio do que restavam em seu corpo.

Com metade de si para fora da janela e a outra metade presa no interior, Luce lutava, mas os movimentos eram rígidos de pavor. Se ao menos Daniel estivesse ali...

Mas ele não estava.

Segurando o halo com uma das mãos, ela serpenteou para dentro da janela estreita, deslizando-a contra o corpo na tentativa de alcançar o pé. Os dedos tocaram algo frio, borrachento e completamente estranho. Um pedaço da coisa se soltou na mão dela e se desfez. Luce se contorcia de nojo enquanto puxava o pé para livrar-se daquilo, seja lá o que fosse. A vista começou a ficar embaçada, as unhas esbarraram em algo e se quebraram e o tornozelo se esfolou com o esforço para se libertar — e, de repente, ela se soltou.

A perna moveu-se para a frente com força e o joelho bateu na parede desgastada de uma forma tão brusca que ela sabia que havia se cortado, mas não importava: apenas içou o restante do corpo pela janela com fúria.

O halo estava em suas mãos. Ela estava livre.

Porém, de maneira alguma havia ar o suficiente nos pulmões para chegar à superfície. O corpo tremia muito, as pernas mal respondiam aos comandos para *nadar* e uma neblina de manchas vermelho-escuras surgia perante seus olhos. Sentiu-se paralisada, como se estivesse nadando em cimento fresco.

Então algo apareceu: as águas escuras ao redor ficaram iluminadas com um brilho intenso; Luce foi envolvida em calor e luz, como ao nascer do sol de verão.

A mão surgiu e estendeu-se para ela.

Daniel. Luce colocou os dedos na palma grande e forte dele, segurando o halo próximo ao peito com a outra mão.

Fechou os olhos enquanto voava com Daniel naquele céu submerso.

Após o que pareceu um segundo, eles irromperam na superfície banhada pela luz do sol ofuscante. Instintivamente, Luce sorveu o máximo de ar que pôde, assustando-se com o barulho seco que a garganta fez, pegando o pescoço com a mão para guiar o ar para baixo e, com a outra, arrancando os óculos.

Mas... que estranho. O corpo não parecia precisar de tanto ar quanto a mente disse que precisava. Estava tonta, anestesiada pela luz do sol repentina, porém por mais estranho que fosse, não se sentia prestes a desmaiar. Será que não passara tanto tempo lá embaixo? Será que de repente ficou tão boa em prender a respiração? Luce deixou uma explosão de orgulho por sua boa forma atlética acompanhar o alívio por ter sobrevivido.

As mãos de Daniel encontraram as dela embaixo d'água.

— Está tudo bem?

— O que aconteceu com você? — gritou ela. — Quase...

— Luce — advertiu ele —, psssiu.

Os dedos dele alisaram os dela e, sem o anjo dizer nada, pegaram o halo. Ela não percebeu o quanto o objeto era pesado até soltá-lo. Mas por que Daniel estava tão estranho, pegando o halo de uma forma tão furtiva, como se estivesse escondendo algo?

Tudo o que ela fez foi seguir o brilho violeta-escuro.

78

Quando Daniel a conduziu rapidamente até a superfície, eles saíram em um lugar diferente do que entraram. Antes, Luce reparou, pareciam estar na frente da catedral — havia apenas os dois pináculos cinza-esverdeados saindo das torres submersas —, agora estavam quase que exatamente no centro da igreja, onde um dia tinha sido a nave.

Ao lado deles havia duas fileiras de contrafortes flutuantes, que um dia ficaram presos nas paredes de pedra da longa nave da igreja, e hoje estavam em ruínas. Os contrafortes em forma de arco pareciam pretos de musgo e não eram tão altos quanto os pináculos da fachada. Os topos rochosos inclinados rompiam a superfície da água — servindo perfeitamente como bancos para o grupo de cerca de vinte Párias que cercavam Luce e Daniel naquele momento.

Quando Luce os reconheceu — com casacos marrons, pele pálida e olhos frios mortos — ela conteve uma arfada de espanto.

— Olá — disse um deles.

Não era Phil, o Pária bajulador que fingiu ser namorado de Shelby e depois liderou uma batalha contra os anjos no quintal da casa dos pais de Luce. Ela não viu o rosto dele entre os outros Párias, mas apenas um bando de criaturas que não conhecia nem queria conhecer.

Anjos caídos que não se decidiam, os Párias eram em determinados aspectos o oposto de Daniel, que se recusava a ficar ao lado de alguém que não fosse Luce. Afastados do Céu por serem indecisos, cegados pelo Inferno a ponto de nada poderem ver exceto o mais ínfimo brilho das almas, os Párias tinham uma aparência repugnante. Eles a encaravam como da última vez, por meio de olhos vazios e horripilantes que não conseguiam ver o corpo de Luce, mas sentiam algo na alma dela que dizia que ela era "o preço".

Luce sentiu-se exposta, presa. Os olhares lascivos dos Párias tornaram a água mais fria. Daniel nadou mais para perto, e ela sentiu algo macio encostar nas suas costas. Ele havia aberto as asas na água.

— Não aconselho a tentar fugir — disse um deles atrás de Luce, como se sentisse o movimento das asas de Daniel embaixo d'água. —

Olhe para trás e se convencerá de que estamos em maior número, e só vou precisar de uma destas aqui. — Ele abriu o casaco e mostrou a bainha com setas estelares prateadas.

Os Párias os cercavam de todos os lados, empoleirados nos destroços de rochas de uma ilha veneziana submersa. Tinham um ar arrogante, debilitado, os casacos amarrados na cintura, ocultando as asas sujas e finas como papel higiênico. Luce lembrou-se de que, na batalha no quintal dos pais, as mulheres Párias foram tão insensíveis e cruéis quanto os homens. Aquilo ocorrera havia apenas alguns dias, mas parecia que anos tinham se passado.

— Mas, se preferir nos testar... — Indolentemente, o Pária colocou uma seta no arco e Daniel não conseguiu mascarar muito bem o calafrio que sentiu.

— Silêncio.

Um dos Párias se levantou nas pedras. Não estava de casaco, mas sim com uma túnica cinza, e Luce tomou um susto quando ele puxou o capuz e mostrou o rosto pálido. Era o homem que cantarolava na catedral. Ele a estava observando o tempo todo, ouvindo tudo o que dizia ao padre. Provavelmente a seguira até ali. Os lábios descorados se enrugaram em um sorriso.

— Então — murmurou ele —, ela encontrou o halo que procurava.

— Isso não é da sua conta! — gritou Daniel, mas Luce ouviu desespero na voz dele.

Ainda não sabia o porquê, mas os Párias tinham a intenção de tornar Luce algo da conta deles. Eles acreditavam que possuía alguma influência sobre a redenção deles, sobre o retorno deles ao Céu, mas tal lógica escapava a ela agora tanto quanto havia escapado no quintal da casa dos pais.

— Não nos insulte com suas mentiras — bradou o Pária de túnica. — Sabemos o que procura, e você sabe que nossa missão é impedi-lo.

— Vocês não estão pensando com clareza — disse Daniel. — Não estão vendo as coisas como são. Nem *vocês* podem querer que...

— Que Lúcifer reescreva a história? — Os olhos brancos do Pária fitavam o espaço entre Daniel e Luce. — Ah, sim, na verdade gostaríamos muito que isso acontecesse.

— Como pode dizer isso? Tudo, o mundo como conhecemos — nós mesmos — será aniquilado. O universo inteiro, toda a consciência, tudo desaparecerá.

— Acha mesmo que as nossas vidas nesses últimos sete mil anos merecem ser preservadas? — Os olhos do líder se estreitaram. — Melhor desaparecermos. Melhor apagar essa existência cega antes de começarmos a nos esvair. Na próxima vez... — De novo, ele virou os olhos apagados na direção de Luce. Ela observou aqueles olhos girarem nos globos oculares, focando-se na alma dela. E aquilo ardia. — Na próxima vez, não vamos provocar a ira do Céu de uma forma tão insensata. Vamos ser admitidos de volta ao Trono. Daremos cartadas mais sábias. — O olhar cego continuava fixado sobre a alma de Luce. Ele sorriu. — Na próxima vez, teremos... uma ajuda.

— Não terão nada, assim como não têm agora. Fique longe, Pária. Esta guerra é maior que vocês.

O Pária de túnica pegou uma seta estelar e sorriu.

— Seria tão fácil matá-los agora...

— Uma multidão de anjos já está lutando por Lucinda. Vamos impedir Lúcifer, e, quando fizermos isso, se sobrar tempo para lidar com coisinhas insignificantes como vocês, os Párias vão se arrepender deste momento para sempre, e de tudo o que fizeram desde a Queda.

— No próximo encontro, os Párias vão se concentrar na garota desde o começo. Vamos enfeitiçá-la, como você fez. Vamos fazê-la acreditar em cada palavra que dissermos. Já estudamos os seus métodos. Sabemos o que fazer.

— Tolos! — gritou Daniel. — Acham que serão mais espertos ou mais corajosos na próxima vez? Acham que vão se lembrar deste momento, desta conversa ou mesmo deste plano brilhante? Da próxima vez, não farão nada além de cometer os mesmos erros. Todos nós iremos. Apenas Lúcifer se lembrará dos erros passados. O que ele busca satisfaz somente a seus desejos mais primitivos. Vocês devem se lembrar de como é a alma dele. — disse Daniel, incisivo —, mesmo que não vejam mais nada.

Os Párias se ergueram nos poleiros apodrecidos.

— Eu me lembro — Luce ouviu um Pária dizer atrás dela, com voz fraca.

— Lúcifer era o anjo mais iluminado de todos — completou outro deles, cheio de nostalgia. — Tão lindo que nos cegou.

Eles se ressentiam, Luce percebeu, da própria deformidade.

— Parem com isso, estão equivocados! — Uma voz mais alta falou acima deles. Era o Pária de túnica, o líder do grupo. — Os Párias voltarão a ver na próxima chance. A visão levará à sabedoria, e a sabedoria levará de volta aos Portões do Céu. Atrairemos o Preço. Ela nos guiará.

Luce tremeu, encostada em Daniel.

— Talvez *todos* nós possamos ter uma segunda oportunidade de redenção. — Daniel apelou para eles. — Se conseguirmos parar Lúcifer... não há motivo para que os seus pares também não consigam...

— Não! — gritou para Daniel o Pária de túnica, encarapitado em seu posto, abrindo as asas desgastadas com um estalo como o quebrar de um graveto.

As asas de Daniel se soltaram da cintura de Luce e o halo foi colocado de volta nas mãos dela antes que ele saísse da água para se defender. O líder de túnica não era páreo para o anjo, que deu um impulso para cima e um cruzado de direita.

O Pária voou uns seis metros para trás, quicando sobre a água como uma pedra. Ele se endireitou e voltou para as rochas. Com um aceno da mão pálida, indicou para o restante do grupo se erguer em um círculo no ar.

— Sabem quem ela é! — gritou Daniel. — Vocês sabem o que isto significa para todos nós! Pelo menos uma vez em sua existência, ajam com coragem em vez de covardia.

— De que maneira? — desafiou o Pária. A água escorria da bainha da sua túnica.

Daniel estava ofegante, olhando para Luce e para o halo de ouro brilhando embaixo d'água. Seus olhos violetas pareceram entrar em pânico por um momento... e então ele fez a última coisa que Luce esperaria.

Ele fitou o Pária de túnica bem nos olhos brancos, estendeu a mão com a palma para cima, e disse:

— Junte-se a nós.

O Pária riu sombriamente por um bom tempo.

Daniel não se abalou.

— Os Párias não trabalham para ninguém além de si mesmos.

— Vocês já deixaram isso claro. Ninguém está pedindo que se tornem escravos. Mas não lutem contra a única causa correta. Aproveitem esta chance de salvar a todos, vocês inclusive. Juntem-se à luta contra Lúcifer.

— É uma cilada! — gritou uma das garotas Párias.

— Ele quer enganá-lo para ganhar a liberdade!

— Pegue a garota!

Luce olhou com pavor para o Pária de túnica que pairava sobre ela. O Pária chegou mais perto, com os olhos se abrindo, famintos, e as mãos tremendo ao se estenderem em sua direção. Mais perto. Mais perto. Ela gritou...

Mas ninguém ouviu, porque, naquele momento, o mundo *tremeu*. O ar, a luz e cada partícula da atmosfera pareceram se duplicar e se dividir, depois se unir em um trovão.

Estava acontecendo de novo.

Atrás do monte de casacos castanhos e asas sujas, o céu ganhou um tom acinzentado turvo e nebuloso, como da última vez na biblioteca da Sword & Cross, quando tudo começou a tremer. Outro tempomoto. *Lúcifer se aproximando.*

Uma onda gigantesca atingiu em cheio a cabeça de Luce, que se debateu e segurou o halo com firmeza, nadando freneticamente para manter a cabeça fora d'água.

Ela viu o rosto de Daniel quando um estalo alto soou à esquerda. As asas brancas dele planavam em direção a ela, mas não depressa o suficiente.

A última coisa que Luce viu antes da cabeça ser mergulhada na água pareceu acontecer em câmera lenta: o pináculo cinza-esverdeado da igreja se dobrou sobre a água, com a ponta se inclinando devagar em sua direção. A sombra foi ficando maior até que, com uma pancada, empurrou-a para a escuridão.

⊰⊱

Luce acordou oscilando em uma onda; estava em um colchão de água.

Havia cortinas de renda vermelha nas janelas. Feixes de luz acinzentada que passavam pela renda elaborada sugeriam que o sol estava se pondo. A cabeça de Luce doía e seu tornozelo latejava. Ela se virou nos lençóis de seda preta — e deu de cara com uma garota com olhos sonolentos e uma enorme cabeleira loira.

A garota gemeu e piscou, com as pálpebras carregadas de sombra prateada, espreguiçando-se e esticando o punho sobre a cabeça.

— Ah — disse ela, aparentando menos surpresa por acordar ao lado de Luce do que Luce sentiu ao acordar ao lado dela. — Até que horas ficamos fora de casa ontem à noite? — murmurou ela em italiano. — Aquela festa foi *a-ni-mal*.

Luce deu um pulo para trás e caiu da cama diretamente em um tapete branco felpudo. O quarto era uma caverna, frio e malcheiroso, com papel de parede cinza-escuro e uma cama marquesa *king size* sobre um enorme tapete no centro. Luce não fazia ideia de onde estava, de como havia chegado lá, de quem era o roupão que estava usando, quem era a garota e que festa era aquela que pensava ter ido com Luce na noite anterior. Será que caíra em algum Anunciador? Havia um pufe de estampa de zebra ao lado da cama. As roupas deixadas na gôndola — o suéter branco usado dois dias antes na casa dos pais e o

⊰ 84 ⊱

jeans surrado — estavam bem dobradas sobre ele. As botas de montaria estavam encostadas nele, uma de cada lado. O medalhão de prata com a rosa gravada — que ela havia colocado dentro da bota antes de mergulhar com Daniel — estava sobre uma bandeja de fibra de vidro na mesinha de cabeceira.

Luce colocou o colar e vestiu a calça, desajeitada. A garota na cama adormecera com um travesseiro de seda preta sobre a cabeça e os cabelos loiros bagunçados saindo por baixo. Luce olhou por trás da alta cabeceira e viu duas cadeiras reclináveis em frente a uma lareira flamejante na parede mais distante, onde havia uma televisão de tela plana.

Onde estava Daniel?

Ela estava calçando a segunda bota quando ouviu uma voz passar pela fresta das portas francesas em frente à cama.

— Não vai se arrepender, Daniel.

Antes que ele pudesse responder, a mão de Luce já estava na maçaneta — do outro lado, ela viu o anjo, sentado em um sofá de zebra na sala de estar, de frente para Phil, o Pária.

Ao vê-la à porta, Daniel levantou-se. Phil também fez o mesmo, parando rigidamente ao lado do sofá. As mãos de Daniel roçaram o rosto de Luce, esfregando sua testa, que, notou, estava sensível e esfolada.

— Como está se sentindo?

— O halo...

— Estamos com o halo. — Daniel apontou para o enorme disco com acabamento de ouro sobre a grande mesa de jantar de madeira na sala adjacente.

Havia um Pária sentado à mesa tomando iogurte com uma colher e outro apoiado na porta com os braços cruzados. Ambos estavam voltados para Luce, mas era impossível dizer se eles sabiam disso. Sentiu-se em perigo com eles por perto, um frio no ar, mas confiava na aparência calma de Daniel.

— O que aconteceu com o Pária com quem estava brigando? — perguntou Luce à procura da criatura de túnica.

— Não se preocupe com ele. É com *você* que estou preocupado — falou com o mesmo tom carinhoso que usava quando ficavam sozinhos.

Luce lembrou-se do pináculo da igreja inclinando-se em sua direção enquanto a catedral desmoronava sob a água. Lembrou-se das asas de Daniel lançando uma sombra sobre tudo ao mergulharem em sua direção.

— Você levou uma pancada feia na cabeça. Os Párias me ajudaram a tirá-la da água e nos trouxeram aqui para descansarmos.

— Por quanto tempo dormi? — perguntou Luce. A noite estava caindo. — Quanto tempo temos ainda...

— Sete dias, Luce — disse Daniel em tom baixo. Ela percebeu a rapidez com que ele também sentia o tempo escorrer entre os dedos.

— Bem, não podemos perder mais tempo aqui. — Luce olhou para Phil, que enchia o próprio copo e o do anjo com algo vermelho chamado Campari.

— Não gosta do meu apartamento, Lucinda Price? — indagou Phil, fingindo olhar a sala de estar pós-modernista pela primeira vez.

As paredes estavam cheias de pinturas a la Jackson Pollock, mas era para Phil que Luce não conseguia parar de olhar. A pele dele estava mais pálida do que conseguia se lembrar, com olheiras pesadas e roxas ao redor dos olhos vazios. Ela ficava gelada a cada vez que se recordava das asas esfarrapadas erguendo-a no ar sobre o quintal dos pais, prontas para levá-la a algum lugar sombrio e distante.

— Não consigo enxergar muito bem este lugar, é claro, mas me disseram que seria decorado para agradar às gatinhas. Quem poderia adivinhar que eu acabaria gostando de carne mortal após o tempo com Shelby, sua amiga Nefilim? Conheceu minha amiga, aquela que está na cama? Ela é uma doçura; todas são.

— Temos que ir. — Luce puxou a camisa de Daniel com ar mandão.

Os outros Párias na sala se levantaram para prestar atenção.

— Tem certeza de que não aceita um drinque? — ofereceu Phil, derramando o líquido vermelho-cereja em um terceiro copo. Daniel pôs a mão sobre a boca do copo e encheu-o com refrigerante de toranja.

86

— Sente-se, Luce — disse Daniel ao entregar o copo. — Não estamos prontos para ir embora.

Quando eles se sentaram, os outros dois Párias fizeram o mesmo.

— Seu namorado é bastante sensato — afirmou Phil, colocando as botas sujas de lama sobre a mesinha de café. — Nós Párias concordamos em nos unirmos a vocês na luta contra a Estrela da Manhã.

Luce se aproximou de Daniel.

— Podemos conversar *a sós*?

— Sim, é claro — respondeu Phil antes de se levantar com o corpo rígido e acenar para os outros Párias. — Vamos todos fazer uma pausa. — Em fila atrás de Phil, os outros desapareceram por uma porta oscilante de madeira que dava para a cozinha do apartamento.

Quando ficaram a sós, Daniel pousou as mãos sobre os joelhos.

— Veja, sei que não gosta deles...

— Daniel, eles tentaram me sequestrar.

— Sim, eu sei, mas aquilo foi quando pensavam que... — Daniel fez uma pausa e acariciou os cabelos da amada, desfazendo um nó com os dedos. — Que levá-la ao Trono compensaria a traição anterior. Mas agora o jogo mudou totalmente, em parte pelo que Lúcifer fez e em parte porque você chegou mais longe na tentativa de quebrar a maldição do que os Párias haviam imaginado

— O quê? — perguntou Luce com espanto. — Acha que estou mais próxima de quebrar a maldição?

— Digamos que nunca chegou tão perto — respondeu Daniel. Algo que Luce não sabia o que era começou a disparar dentro de si. — Com a ajuda dos Párias contra nossos inimigos, você poderá se concentrar no que precisa fazer.

— A ajuda dos Párias? Mas acabaram de armar uma tocaia para nós!

— Phil e eu resolvemos tudo. Chegamos a um acordo. Escute, Luce. — Daniel pegou o braço dela e sussurrou, apesar de estarem sozinhos na sala. — Os Párias não são para nós uma ameaça tão grande quanto somos para eles. São desagradáveis, mas também são incapazes de mentir. Sempre saberemos se estão do nosso lado.

— Por que temos que ficar do lado deles? — Luce se atirou contra a almofada de zebra atrás dela.

— Porque eles têm armas, Luce. Equipamentos melhores e mais guerreiros que qualquer outra facção que enfrentaremos. Pode chegar um momento em que precisaremos de suas setas estelares e força. Não precisam ser nossos melhores amigos, mas são excelentes guarda-costas e implacáveis quando se trata dos inimigos. — Daniel se recostou com o olhar fixado na janela, como se algo desagradável tivesse passado voando por ali. — E, já que vão entrar na briga de qualquer maneira, então que estejam do nosso lado.

— E se eles ainda pensarem que sou o preço ou sei lá o quê?

Daniel deu um sorriso suave e inesperado.

— Tenho certeza de que ainda pensam, assim como muitos outros. Mas apenas você pode decidir como cumprirá seu papel nessa velha história. O que começamos quando nos beijamos pela primeira vez na Sword & Cross? Aquele despertar dentro de você foi somente o primeiro passo. Todas as outras lições que aprendeu enquanto estava nos Anunciadores lhe servem de arma agora. Nem os Párias nem ninguém pode tirar isso de você. Além do mais — continuou ele, com um sorriso malicioso —, ninguém pode tocar em você quando estou do seu lado.

— Daniel? — Ela tomou um gole do refrigerante de toranja e sentiu o gás efervescente na garganta. — Como cumprirei meu papel nessa velha história?

— Não tenho ideia. Mas mal posso esperar para descobrir.

— Eu também.

A porta da cozinha se abriu e o rosto pálido e quase bonito de uma garota apareceu, com os cabelos loiros puxados para trás em um rabo de cavalo austero.

— Os Párias estão cansados de esperar — avisou ela com um tom robótico.

Daniel olhou para Luce, que se forçou a assentir.

— Pode dizer para entrarem. — E gesticulou para a garota.

Eles vieram rapidamente, de forma mecânica, e retomaram as antigas posições, com exceção de Phil, que se aproximou de Luce. A colher do Pária que comia iogurte bateu desajeitadamente na lateral do potinho de plástico vazio.

— Então, ele a convenceu também? — perguntou Phil, sentando-se no braço do sofá.

— Se Daniel confia em vocês, eu...

— Como eu havia pensado. Quando os Párias decidem apoiar uma causa nos dias de hoje, somos absolutamente fiéis. Entendemos o que está em jogo quando fazemos esse tipo de... escolha. — Ele enfatizou a última palavra, assentindo para Luce com ar intimidador. — A escolha de nos aliarmos a alguém é muito importante, não acha, Lucinda Price?

— Do que ele está falando, Daniel? — perguntou Luce, apesar de suspeitar do que se tratava.

— Sobre o fascínio que todos têm hoje — respondeu Daniel, cansado. — O equilíbrio que quase existe entre o Céu e o Inferno.

— Após todos esses milênios, quase o alcançamos! — Phil sentou-se de frente para Luce e Daniel. Ela nunca o vira tão animado. — Com quase todos os anjos de um dos lados, o da escuridão ou o da luz, apenas um não fez sua escolha.

Um anjo que não fez sua escolha.

Um lampejo de lembrança: Luce estava atravessando em um Anunciador para Las Vegas com Shelby e Miles. Iriam encontrar a irmã dela da vida passada, Vera, mas acabaram indo parar numa franquia de panquecas com Ariane, que disse que haveria um acerto de contas. Em breve. E, no final, quando todas as almas dos anjos tomassem suas decisões, tudo se resumiria à escolha de um único anjo essencial.

Luce tinha certeza de que o anjo indeciso era Daniel.

Ele parecia irritado, esperando que Phil terminasse de falar.

— E, é claro, ainda há os Párias.

— Como assim? — indagou Luce. — Os Párias já não escolheram um lado? Sempre pensei que estivessem com Lúcifer.

— Isso porque você não gosta de nós — respondeu Phil, sem demonstrar emoções. — Não, os Párias não fazem escolhas. — Ele virou o rosto como se fosse olhar pela janela e suspirou. — Pode imaginar como é...

— Está dando seus sermões para a plateia errada, Phil — interrompeu Daniel.

— Nós deveríamos *contar* — rebateu Phil, de repente defendendo seu lado para Daniel. — Tudo o que pedimos é que sejamos considerados no equilíbrio cósmico.

— Vocês não podem fazer escolhas — repetiu Luce, ao compreender tudo. — Essa é a punição pela sua indecisão?

O Pária fez que sim num movimento automático.

— E o resultado é que nossa existência não significa nada para o equilíbrio cósmico. Nossas mortes também não significam nada. — Phil abaixou a cabeça.

— Sabe que não tenho nada a ver com isso — disse Daniel. — E certamente Luce não tem nada a ver com isso. Estamos perdendo tempo...

— Não seja tão indiferente, Daniel Grigori — disse Phil. — Todos têm um objetivo. Admitindo ou não, você precisa de nós para atingir o seu. Poderíamos ter nos juntado aos Anciãos de Zhsmaelim. Aquela tal de Srta. Sophia Bliss ainda está de olho em você. Está na direção errada, é claro, mas quem sabe se... ela poderá obter sucesso onde você fracassará?

— Então por que vocês não se juntaram a eles? — perguntou Luce, ríspida, defendendo Daniel. — Não tiveram problema algum em trabalhar com Sophia quando sequestraram minha amiga Dawn.

— Aquilo foi um erro. Naquela época, não sabíamos que os Anciãos haviam matado a outra garota.

— Penn — disse Luce, com voz embargada.

O rosto pálido de Phil se contorceu ligeiramente.

— Imperdoável. Os Párias nunca machucariam um inocente. Muito menos alguém de tanto caráter, com uma mente tão pura.

Luce olhou para Daniel, querendo passar a mensagem de que talvez tivesse julgado os Párias muito cedo, mas o olhar do anjo estava fixado em Phil.

— Mesmo assim, você se reuniu com a Srta. Sophia ontem — disse ele.

O Pária fez que não.

— Cam me mostrou o convite dourado — pressionou Daniel. — Você se encontrou com ela na pista de corrida mortal chamada Churchill Downs para discutir a perseguição a Luce.

— Errado. — Phil levantou-se. Era da mesma altura de Daniel, mas débil e frágil. — Encontramo-nos com Lúcifer ontem. Ninguém pode recusar um convite da Estrela da Manhã. A Srta. Sophia e seus companheiros estavam lá, acho. Os Párias sentiram a presença de suas almas sujas, mas não estamos do lado deles.

— Espere — disse Luce —, você encontrou Lúcifer *ontem?* — Ou seja, sexta-feira, o dia em que Luce e os outros estavam na Sword & Cross discutindo sobre como encontrar as relíquias para impedir que Lúcifer apagasse o passado. — Mas nós já havíamos voltado dos Anunciadores. Lúcifer já estaria caindo.

— Não necessariamente — explicou Daniel. — Apesar de o encontro ter acontecido após *você* voltar dos Anunciadores, ainda assim ocorreu no passado de *Lúcifer.* Quando ele foi atrás de você disfarçado de gárgula, o momento em que o caminho dele começou foi meio dia depois do seu, e o local, a milhares de quilômetros.

A lógica fez o cérebro de Luce doer um pouco, mas estava certa sobre uma coisa: não confiava em Phil. Então se voltou para ele e disse:

— Quer dizer que vocês sempre souberam dos planos de Lúcifer de apagar o passado. Iriam ajudá-lo, como estão dizendo agora que vão nos ajudar?

— Nós nos encontramos com ele porque somos obrigados a comparecer quando ele chama. Todos são, com exceção do Trono e... — Phil fez uma pausa com um sorriso fino espalhando-se pelos lábios. —

Bem, não conheço nenhuma força viva capaz de resistir a um chamado de Lúcifer. — Ele inclinou a cabeça para Luce. — Você conhece?

— Já chega! — interrompeu Daniel.

— Além do mais — continuou o Pária —, ele não quis nossa ajuda. A Estrela da Manhã nos excluiu. Disse... — Phil fechou os olhos e, por um momento, pareceu um adolescente normal, quase fofo. — Disse que não podia arriscar nada, que era hora de cuidar de tudo com as próprias mãos. A reunião acabou de repente.

— Deve ter sido quando Lúcifer foi atrás de você nos Anunciadores — disse Daniel a Luce.

Ela se sentiu enjoada ao lembrar-se de como Bill a encontrou no túnel, tão vulnerável, tão solitária. Em todos aqueles momentos, ela ficou feliz em tê-lo por perto, ajudando-a em sua missão. Ele quase parecia gostar de ficar ao lado dela, pelo menos por um tempo.

Os olhos brancos de Phil se fixaram sobre ela, como se examinando sua alma. Será que o Pária sentia a perturbação que tomava conta de Luce todas as vezes em que pensava no tempo que passara sozinha com Bill? Será que Daniel sentia?

Phil não estava exatamente sorrindo pra Luce, mas sua aparência não parecia tão sem vida como de costume.

— Os Párias vão protegê-la. Sabemos que seus inimigos estão em grande número. — Ele olhou para o anjo. — A Balança também está agindo.

Luce olhou para Daniel.

— A Balança?

— Eles trabalham para o Céu. São um empecilho, não uma ameaça.

Phil abaixou a cabeça novamente.

— Os Párias acreditam que a Balança possa ter... ter se separado do Céu.

— O quê? — Daniel pareceu ficar sem fôlego de repente.

— Há um desentendimento entre eles, do tipo que se espalha rapidamente. Você me disse que tem amigos em Viena?

— Ariane — arfou Luce. — E Gabbe e Roland. Estão em perigo?

— Temos amigos em Viena — completou Daniel. — Em Avalon também.

— A Balança está tomando Viena.

Quando Luce se virou para Daniel, ele estava abrindo as asas, que irromperam para a frente, iluminando a sala com sua glória. Phil não demonstrou ter notado ou se importado e tomou um gole da bebida vermelha. O olhar vazio dos outros Párias recaiu sobre as asas de Daniel, com inveja do passado.

As portas francesas do quarto se abriram e a garota italiana de ressaca com quem Luce dividiu a cama saiu de lá, cambaleando descalça para dentro da sala. Olhou para Daniel e esfregou os olhos.

— Uau, que viagem! — murmurou em italiano antes de desaparecer no banheiro.

— Chega de conversa — disse o anjo. — Se seu exército é tão forte quanto diz, reserve um terço de sua força para ir a Viena e proteger os três anjos caídos que encontrará por lá. Envie outro terço a Avalon, onde encontrará Cam e dois outros.

Quando Phil assentiu, dois Párias que estavam na sala abriram as asas fracas e voaram pela janela como moscas gigantes.

— O terço que sobrar fica sob minha jurisdição. Vamos acompanhá-lo até o monte. Voaremos agora e reunirei os outros no caminho.

— Sim — disse Daniel rapidamente. — Pronta, Luce?

— Vamos lá. — Ela colocou as costas contra os ombros de Daniel para que ele pudesse envolvê-la com os braços, voar pela janela e rasgar o céu escuro de Veneza.

CINCO

A MIL BEIJOS DE DISTÂNCIA

Eles pousaram no deserto de uma montanha alta pouco antes do amanhecer. Luzes margeavam o céu a leste próximo ao horizonte, ondas cor-de-rosa e douradas com nuvens ocres curando o arroxeado da noite.

Daniel colocou Luce em um planalto rochoso, seco e implacável demais até mesmo para o arbusto mais resistente. A paisagem árida das montanhas se estendia infinitamente ao redor, com declives íngremes em vales sombrios aqui e picos de colossais rochas castanhas em ângulos impossíveis acolá. Estava frio e ventava muito, e o ar parecia tão seco que doía para engolir. Mal havia espaço no platô para Luce, Daniel e os cinco Párias que viajaram com eles.

A areia fina chicoteou o cabelo de Luce quando Daniel posicionou as asas de volta às laterais do corpo.

— Cá estamos nós. — A voz dele soou quase respeitosa.

— Onde? — Luce puxou a gola do suéter branco mais para o alto para proteger as orelhas do vento.

— No monte Sinai.

Ela inspirou o ar seco e arenoso, dando a volta para ter uma visão panorâmica sob a leve luz dourada que se estendia sobre as montanhas de arenito ao leste.

— Foi aqui que Deus entregou a Moisés os Dez Mandamentos?

— Não. — Daniel apontou por sobre o ombro dela, para onde uma fila de mochileiros, do tamanho de bonecas àquela distância, percorriam terrenos mais brandos a algumas centenas de quilômetros ao sul.

Suas vozes viajavam pelo ar gelado e fino no deserto. O ressoar suave de risos ecoava misterioso pelos picos das montanhas. Uma garrafa de plástico azul se inclinou para cima, por sobre a cabeça de uma pessoa.

— Foi *ali* que Moisés recebeu os Dez Mandamentos. — Ele abriu os braços e olhou para o pequeno círculo de pedra sobre o qual estavam. — Foi daqui que alguns anjos assistiram o episódio. Gabbe, Ariane, Roland, Cam... — Apontou para um ponto na rocha, depois outro, onde cada um dos anjos ficara. — E mais alguns.

— E você?

Ele se voltou para ela e deu três passos, até seus torsos se tocarem e a ponta de seus pés se sobreporem.

— Bem... — Ele a beijou. — Aqui.

— E como foi?

Daniel desviou o olhar.

— Foi o primeiro pacto oficial com os homens. Antes disso, os pactos eram feitos apenas entre Deus e os anjos. Alguns se sentiram traídos, acharam que a ordem natural das coisas tinha sido rompida. Outros pensaram que nós é que havíamos causado isso com nossos próprios atos, que era apenas uma consequência natural.

O tom violeta de seus olhos ficou mais brilhante por um instante.

— Os outros devem estar chegando. — Daniel virou-se para os Párias, cujas silhuetas negras estavam contornadas pela luz que ascendia no leste. — Vocês ficariam de guarda até eles chegarem?

Phil assentiu. Os outros quatro Párias estavam atrás dele, as pontas frágeis das asas destroçadas ondulando ao vento.

Daniel passou a asa esquerda na frente do corpo, evitando ser visto, e colocou a mão dentro dela como se fosse um mágico enfiando a mão por dentro da capa.

— Daniel? — perguntou Luce, aproximando-se. — O que foi?

Com os dentes à mostra, Daniel balançou a cabeça. Então, esquivou-se e gritou de dor, algo que Luce nunca testemunhara antes. O corpo dela se enrijeceu.

— Daniel?

Quando ele relaxou e estendeu a asa novamente, ergueu uma coisa branca e brilhante.

— Devia ter feito isto antes — disse ele.

Parecia uma tira de tecido, macia como seda, porém mais dura. Tinha trinta centímetros de comprimento e alguns centímetros de largura, e tremulava na brisa gelada. Luce ficou olhando. Será que era um pedaço de *asa* que Daniel arrancara de si? Ela gritou de pavor e pegou a coisa sem pensar. Era uma pena!

Olhar as asas de Daniel, ser envolvida nelas, era o mesmo que esquecer que eram feitas de penas individuais. Luce sempre supusera que a composição fosse misteriosa e sobrenatural, uma coisa dos sonhos de Deus. Mas aquela pena era diferente de todas que ela já vira: larga, densa, repleta do mesmo poder que corria por Daniel.

Entre os dedos, era a coisa mais macia e forte que Luce já tocara, e a mais bela — até que seus olhos passaram sobre a mancha de sangue de onde Daniel havia arrancado a pena.

— Por que fez isto? — perguntou ela.

Daniel entregou a pena a Phil, que a colocou na lapela do casaco sem hesitar.

— Vai servir como um sinal — respondeu Daniel, olhando sem preocupação para a parte manchada de sangue da asa. — Se por acaso os outros chegarem sozinhos, saberão que os Párias são amigos. — Seus olhos seguiram os dela, que estavam arregalados de aflição, até o sangue na asa. — Não se preocupe comigo. Vai sarar. Vamos...

— Aonde vamos?

— O sol já vai nascer — respondeu ele, pegando uma pequena bolsa-carteiro que estava com Phil. — E imagino que você deva estar faminta.

Luce não havia percebido, mas estava mesmo.

— Acho que poderíamos aproveitar enquanto ninguém aparece.

Havia uma trilha íngreme e estreita que saía do platô e levava a uma rocha plana embaixo de onde eles pousaram. Os dois começaram a descer pela montanha irregular, de mãos dadas, e quando o caminho ficou íngreme demais para caminhar, Daniel levantou voo, passando sempre bem perto do chão com as asas próximas ao corpo.

— Não quero chamar a atenção dos alpinistas — explicou. — Na maioria dos lugares da Terra, as pessoas não estão dispostas a ver milagres, anjos. Se nos virem voando, vão se convencer de que os olhos os estão enganando. Mas em um lugar como este...

— As pessoas podem ver milagres — completou Luce. — Querem ver.

— Exato. E ver leva a imaginar.

— E imaginar leva a...

— Problemas — disse Daniel com um riso ligeiro.

Luce não conseguiu conter o sorriso, aproveitando pelo menos por um instante o fato de que Daniel era um milagre só dela.

Sentaram-se um ao lado do outro no pequeno espaço plano no meio do nada, protegidos do vento por uma rocha de granito e longe da vista de todos, com exceção de uma perdiz marrom-claro que passeava em meio às pedras irregulares. A paisagem que Luce via além da rocha era diferente de tudo: uma cadeia de montanhas com alguns picos à sombra, outros banhados pela luz, mas todos ficando mais brilhantes a cada segundo, à medida que o sol se erguia no horizonte cor-de-rosa.

Daniel abriu a bolsa-carteiro e enfiou a mão lá dentro. Balançou a cabeça e riu.

— O que é tão engraçado? O que tem aí dentro? — perguntou Luce.

— Antes de sairmos de Veneza, pedi a Phil que separasse alguns mantimentos. Onde já se viu pedir a um Pária cego para preparar uma refeição nutritiva. — Ele retirou uma embalagem de batatas sabor páprica, um pacotinho vermelho de confeitos de chocolate e outro de chicletes, um punhado de bombons embrulhados em papel laminado azul, várias garrafas pequenas de refrigerante diet e alguns envelopes de pó de café *espresso*.

Luce caiu na risada.

— Será que isto vai matar sua fome? — perguntou ele.

Ela o abraçou, pegou e mastigou algumas bolinhas de chocolate e ficou observando o céu ao leste ficar rosado, depois dourado e então azul-bebê enquanto o sol surgia atrás dos picos e vales ao longe. A luz formava sombras estranhas sobre as fendas das montanhas. Primeiro, achou que ao menos algumas delas fossem Anunciadores, mas percebeu que não. Eram simplesmente sombras, consequência da luz que mudava de posição. Luce se deu conta de que não via um Anunciador há dias.

Estranho. Durante semanas, meses, eles apareciam com cada vez mais frequência, a ponto de ela mal poder desviar o olhar sem ver algum oscilando em algum canto escuro, chamando-a. Agora pareciam ter desaparecido.

— Daniel, o que aconteceu com os Anunciadores?

Ele se encostou à rocha e expirou profundamente.

— Estão com Lúcifer e a legião do Céu. Eles também fazem parte da Queda.

— O quê?

— Isso nunca aconteceu antes. Os Anunciadores pertencem à história. São as sombras de eventos importantes. Foram gerados pela Queda e, então, quando Lúcifer iniciou este jogo, foram levados de volta para lá.

Luce tentou imaginar a cena: um milhão de sombras tremulantes cercando uma enorme esfera negra, com seus filamentos lambendo a superfície do limbo como manchas solares.

— É por isso que tivemos que voar em vez de atravessar por um deles — concluiu ela.

Daniel concordou e mordeu uma batata, mais por uma questão de hábito, por estar sempre com mortais, do que por necessidade.

— As sombras desapareceram logo após voltarmos do passado. Este momento em que estamos agora, estes nove dias desde o começo do jogo de Lúcifer, é um período de limbo, desprendido do restante da história. Se fracassarmos, vai deixar de existir completamente.

— E onde fica isso exatamente? Quero dizer, a Queda?

— Outra dimensão, um lugar que eu não conseguiria descrever. Estávamos mais próximos no ponto onde peguei você, depois que se separou de Lúcifer, mas ainda estávamos bem longe.

— Nunca pensei que diria isso, mas... — Ela observou a quietude das sombras constantes sobre a montanha. — Eu sinto falta deles. Os Anunciadores eram a ligação com meu passado.

Daniel pegou a mão de Luce e olhou no fundo de seus olhos.

— O passado é importante por toda a informação e sabedoria que contém. Mas você pode se perder nele. Deve aprender a manter o conhecimento do passado consigo enquanto persegue o presente.

— Mas agora que eles se foram...

— Agora que eles se foram, você pode fazer isso sozinha.

Ela balançou a cabeça.

— Como?

— Vejamos — disse ele. — Está vendo aquele rio próximo do horizonte? — Daniel apontou para o risco azul apagado que serpenteava por uma planície no deserto. Estava no limite do alcance dos olhos de Luce.

— Sim, acho que estou vendo.

— Morei perto daqui em diferentes épocas, mas uma vez, quando vivi aqui há algumas centenas de anos, eu tinha um camelo chamado

Oded. Era a criatura mais preguiçosa que já colocou os pés na Terra. Desmaiava enquanto o alimentava, e chegar ao acampamento de beduínos mais próximo para tomar um chá era quase um milagre. Mas quando conheci você naquela vida...

— Oded saiu correndo — completou Luce sem pensar. — Gritei porque pensei que fosse me atropelar. Você disse que nunca o vira correr daquele jeito.

— É, bem — disse Daniel —, ele gostou de você.

Eles ficaram calados e se olharam. Daniel começou a rir quando Luce ficou boquiaberta.

— Eu consegui! — gritou ela. — Estava lá, na minha memória, uma parte de mim. Como se fosse ontem. A lembrança me veio sem nem precisar pensar!

Foi milagroso. Todas as recordações de todas as vidas que se perdiam a cada vez que Lucinda morria nos braços de Daniel estavam de alguma forma voltando para ela, da mesma forma que Luce sempre reencontrava seu anjo.

Não. *Ela* é que estava encontrando o caminho para as lembranças.

Era como se um portão tivesse ficado aberto após a busca de Luce através dos Anunciadores. As recordações ficaram com ela, desde Moscou, passando por Helston, até o Egito. Agora, outras também estavam disponíveis.

Luce percebeu com uma clareza repentina quem era — e ela não era apenas Luce Price, de Thunderbolt, Geórgia. Era todas as garotas que já fora, uma amálgama de experiências, erros, conquistas e, acima de tudo, amor.

Era Lucinda.

— Depressa — disse ela a Daniel. — Podemos fazer de novo?

— Tudo bem. Que tal outra vida no deserto? Você morava no Serengueti quando a conheci. Era alta, magra e a corredora mais veloz do vilarejo. Eu estava de passagem um dia, a caminho de uma visita a Roland, e parei para dormir na nascente mais próxima. Todos os homens desconfiaram de mim, mas...

— Mas meu pai lhe deu três peles de zebra em troca de uma faca que tinha na mochila!

Daniel sorriu.

— Foi difícil negociar com ele.

— Isto é demais! — disse, quase sem ar.

O que mais havia ali que ela desconhecia? Até que ponto do tempo poderia voltar? Ela se virou para olhar para ele, trazendo os joelhos para perto do peito e se inclinando até as testas de ambos quase se tocarem.

— Consegue se lembrar de tudo em nosso passado?

O olhar de Daniel suavizou.

— Às vezes a ordem das coisas se mistura na minha cabeça. Admito que não me lembro de longos períodos que passei sozinho, mas consigo me lembrar de cada imagem do seu rosto, de cada beijo dos seus lábios, de cada recordação dos momentos que passei com você.

Luce não esperou até que Daniel se aproximasse e a beijasse, mas encostou os lábios nos dele, soltando um gemido de prazer surpreendente, querendo limpar qualquer dor que ele já sentira ao perdê-la.

Beijar Daniel estava entre aquilo que é novo e arrebatador e algo inconfundivelmente conhecido, como uma recordação da infância que parecia um sonho até surgir uma fotografia daquele momento escondida em uma caixa no porão. Luce sentia como se tivesse descoberto um hangar cheio de fotografias monumentais, e como se todos aqueles instantes enterrados tivessem sido libertados do cativeiro diretamente para as profundezas de sua alma.

Ela o beijava agora, mas, estranhamente, estava beijando-o no *passado*. Quase conseguia tocar a história do amor deles, sentir sua essência na língua. Os lábios não trilhavam os de Daniel apenas agora, mas também durante outro beijo que haviam trocado, um beijo mais antigo, um beijo como este, com a boca de Luce naquele mesmo lugar e com os braços de Daniel ao redor da cintura da amada naquela mesma posição. Ele passou a língua pelos dentes dela, o que trouxe à tona um monte de outros beijos, todos intoxicantes. Quando ele passou as mãos pelas costas de Luce, ela sentiu centenas de arrepios iguais aos que estava sentindo naquela hora. E quando os olhos dela se abriram e fecharam, a imagem dele por trás dos cílios emaranhados parecia estar a mil beijos de profundidade.

— Daniel. — A voz desafinada de um Pária pôs fim ao devaneio de Luce. O garoto pálido estava em pé sobre a pedra onde eles estavam encostados. Por trás das asas acinzentadas quase translúcidas, Luce viu uma nuvem passar no céu.

— O que foi, Vincent? — perguntou Daniel ao se levantar. Devia saber o nome dos Párias por causa do tempo que passaram juntos no Céu antes da Queda.

— Desculpe interromper — disse o Pária sem ser cortês o bastante para desviar o olhar das bochechas vermelhas de Luce. Pelo menos ele não conseguia enxergar direito.

Ela ficou de pé rapidamente, ajeitando o suéter e passando a mão gelada na pele quente.

Os outros já chegaram? — perguntou Daniel.

O Pária estava imóvel acima dele.

— Não exatamente.

A mão direita de Daniel deslizou pela cintura de Luce. Com um leve movimento das asas, ele escalou os quinze metros de pedra com a facilidade com que um mortal sobe um degrau de escada. O estômago dela revirou com a guinada súbita.

Colocando Luce sobre o primeiro platô, Daniel se virou e viu os cinco Párias que o acompanhavam ao redor de uma sexta figura. Daniel tomou um susto, e suas asas se repuxaram para trás em choque ao ver o sexto Pária.

O garoto era pequeno, esguio e tinha pés grandes. O cabelo estava recém-raspado. Ele parecia ter catorze anos, isso se os Párias envelhecessem como os mortais. Alguém havia batido nele. Batido muito

Seu rosto estava esfolado como se tivesse sido atirado contra um muro de concreto várias vezes seguidas. O lábio sangrava tanto que os

102

dentes ficaram cobertos de sangue. No primeiro momento, Luce não pensou que aquilo fosse sangue, porque o dos Párias não é vermelho. O sangue era da cor de cinzas.

O rapaz choramingava, sussurrando algo que Luce não conseguia compreender. Ele deitou de bruços na rocha e se permitiu receber os cuidados dos outros.

Eles tentaram levantá-lo para tirar o casaco sujo, que estava rasgado em vários lugares e sem uma das mangas. Mas o Pária gritou com tanta força que até mesmo Phil ficou com pena e deitou o garoto outra vez.

— As asas estão quebradas — disse ele, e Luce percebeu que, sim, as asas encardidas estavam deslocadas de uma forma não natural. — Não sei como conseguiu voltar.

Daniel se ajoelhou diante do Pária, protegendo o rosto do garoto contra o sol.

— O que aconteceu, Daedalus? — Ele colocou a mão sobre o ombro do Pária, o que pareceu acalmar o rapaz.

— É uma emboscada — disparou Daedalus com voz rouca, cuspindo sangue cinza na lapela do casaco.

— O que é uma emboscada? — perguntou Vincent.

— Armada por quem? — perguntou Daniel.

— A Balança. Eles querem a relíquia. Esperando em Viena... pelos seus amigos. Exército grande.

— Exército? Estão lutando abertamente contra anjos agora? — Daniel balançou a cabeça em descrença. — Mas eles não podem ter setas estelares.

Os olhos brancos de Daedalus se esbugalharam de dor.

— Não podem nos matar. Só torturar...

— Você lutou contra a Balança? — Daniel parecia assustado e impressionado. Luce ainda não entendia o que era a Balança. Ela as imaginava vagamente como extensões obscuras do Céu descendo sobre o mundo. — O que aconteceu?

— Tentei lutar. Estavam em maior número.

— E os outros, Daedalus? — A voz de Phil soou sem emoção, mas pela primeira vez Luce conseguiu ouvir algo parecido com compaixão bem lá no fundo.

— Franz e Arda... — O garoto falou como se as próprias palavras causassem dor. — Estão a caminho.

— E Calpúrnia? — perguntou Phil.

Daedalus fechou os olhos e balançou a cabeça com a maior suavidade que pôde.

— Eles encontraram os anjos? — perguntou Daniel. — Ariane, Roland, Annabelle? Estão a salvo?

As pálpebras do Pária tremeram e então se fecharam. Luce nunca se sentiu tão distante dos amigos. Se algo acontecesse a Ariane, a Roland, a qualquer um dos anjos...

Phil se aproximou de Daniel, perto da cabeça do garoto ferido. Daniel deu um passo para trás para abrir espaço para Phil. Lentamente, ele tirou uma seta estelar prateada sem ponta de dentro do casaco.

— Não! — gritou Luce, cobrindo a boca em seguida. — Você não pode...

— Não se preocupe, Lucinda Price — disse Phil, sem olhar para ela.

Então enfiou a mão na bolsa de couro preta que Daniel havia trazido de volta para cima, e pegou uma garrafa pequena de refrigerante diet. Com os dentes, arrancou a tampa, que rolou, formando um longo arco antes de tombar na superfície da pedra. Depois, bem lentamente, Phil colocou a seta estelar na boca estreita da garrafa.

A seta chiou e assobiou ao mergulhar no líquido. Phil fez careta quando a garrafa começou a soltar fumaça e vapor em suas mãos. Um aroma doce nauseante subiu, e os olhos de Luce se arregalaram quando o líquido marrom gasoso, um refrigerante diet comum, começou a girar em um redemoinho e a adquirir um tom prateado-vivo.

Phil tirou a seta estelar da garrafa, passou-a com cuidado entre os lábios, como se para limpá-la, e colocou-a de novo no casaco. Seus lábios ficaram prateados por um instante, até que ele os lambeu.

Em seguida, fez um sinal com a cabeça para um dos Párias, uma garota com um rabo de cavalo loiro e liso que chegava até o meio das costas. Automaticamente, ela colocou a mão atrás da cabeça de Daedalus para levantá-la alguns centímetros. Com cuidado, abriu os lábios cobertos de sangue do garoto, e Phil derramou o líquido prateado na garganta dele.

O rosto do rapaz se contorceu ao cuspir e tossir, mas em seguida o corpo de Daedalus se tranquilizou. Ele começou a beber, então engoliu o líquido, fazendo barulho quando a garrafa se esvaziou.

— O que era aquilo? — perguntou Luce.

— Há um componente químico na bebida — explicou Daniel —, um veneno obscuro que os mortais chamam de aspartame e acreditam ter sido inventado pelos cientistas, mas é uma substância antiga e divina... Um veneno que, quando misturado a um antídoto existente nas ligas da seta estelar, reage e produz uma poção cicatrizante para anjos. Para pequenos ferimentos como este.

— Ele vai precisar de descanso agora — comentou a garota loira. — Mas vai acordar novo em folha.

— Perdão, precisamos ir — disse Daniel, levantando-se. Suas asas brancas se arrastaram pela superfície rochosa até que ele alinhou os ombros e as ergueu. Então, pegou a mão de Luce.

— Podem ir ao encontro de seus amigos — incentivou Phil. — Vincent, Olianna, Sanders e Emmet os acompanharão. Eu e os outros vamos encontrá-los quando Daedalus estiver curado.

Os quatro Párias deram um passo à frente e fizeram uma reverência para Luce e Daniel, como se esperassem uma ordem.

— Vamos para o leste — instruiu Daniel. — Depois para o norte, sobre o mar Negro, e em seguida para o oeste quando passarmos pela Moldávia. A corrente de ar é mais calma por lá.

— E quanto a Gabbe, Molly e Cam? — perguntou Luce.

Daniel olhou para Phil, que voltou o olhar para eles, desviando-o do Pária que dormia.

— Um de nós ficará de guarda aqui. Se seus amigos chegarem, os Párias avisarão.

— Está com a pena? — perguntou Daniel.

Phil virou-se para mostrar a enorme pena branca enfiada na lapela. Ela cintilava e tremulava ao vento, o brilho contrastando de maneira incisiva com a pele cadavérica do Pária.

— Espero que precise usá-la. — As palavras de Daniel assustaram Luce, porque significavam que, na opinião dele, os anjos de Avalon corriam tanto risco quanto os de Viena.

— Eles precisam de nós, Daniel — disse ela. — Vamos logo.

Daniel lançou-lhe um olhar carinhoso e agradecido. Então, sem hesitar, pegou Luce nos braços. Com o halo entre os dedos entrelaçados dos dois, Daniel dobrou os joelhos e projetou-se ao céu.

SEIS

DESPROVIDA DE HABILIDADES

Estava chuviscando em Viena.

Cortinas de neblina cobriam a cidade, possibilitando que Daniel e os Párias pousassem antes do cair da noite no telhado de um enorme prédio sem serem vistos.

Luce viu primeiro o esplêndido domo de cobre, brilhando em um tom verde marítimo sob a neblina. Daniel colocou-a diante da cúpula em uma parte inclinada do telhado de cobre, coberto por água da chuva e rodeado por uma balaustrada baixa de mármore.

— Onde estamos? — perguntou ela, olhando o domo adornado por franjas douradas. As janelas ovais entalhadas com desenhos florais eram altas demais para os mortais enxergarem, a menos que estivessem nos braços de um anjo.

— No Palácio Imperial de Hofburg. — Daniel subiu em uma calha de pedra e ficou em pé na margem do telhado. As asas passaram sobre a cerca de mármore, fazendo a pedra parecer encardida. — Residência dos imperadores, depois dos reis e agora dos presidentes de Viena.

— Ariane e os outros estão aqui?

— Duvido muito — respondeu Daniel —, mas é um lugar agradável para recuperar as energias antes de procurá-los.

Uma rede labiríntica de anexos se estendia ao redor do domo, formando o restante do palácio. Alguns deles cercavam pátios escuros que ficavam dez andares abaixo, outros eram compridos e perfeitamente retos, iam além do que a neblina permitia a Luce enxergar. Diferentes partes dos telhados de cobre tinham tonalidades diferentes de verde — este era ácido, aquele quase da cor dos marrecos europeus —, como se as seções do prédio fossem construídas em épocas distintas, como se chuvas de eras variadas as tivessem oxidado.

Os Párias se espalharam pelo domo, apoiando-se em baixas chaminés escurecidas pela fuligem que pontuavam o telhado, parados ao lado do mastro erguido no centro com a bandeira listrada de vermelho e branco da Áustria. Luce se pôs junto a Daniel, entre ele e uma estátua de mármore que representava um guerreiro com um elmo de cavaleiro e uma lança dourada comprida. Seguiram o olhar da estátua para a vista da cidade. Tudo cheirava a madeira queimada e chuva.

Por baixo da névoa, milhões de luzes de Natal cintilavam em Viena. Havia uma profusão de carros estranhos e pedestres apressados, acostumados à vida urbana de uma forma que Luce não era. Montanhas assomavam ao longe e o Danúbio repousava nos limites da cidade. Observando a paisagem com Daniel, Luce sentiu-se como se já tivesse estado ali. Não sabia ao certo quando, mas a sensação de *déjà vu* cada vez mais frequente aumentava dentro dela.

Luce concentrou-se na pequena agitação que vinha de uma feirinha de Natal no círculo perto do palácio. Observou o tremular das velas nas lanternas com redomas de vidro vermelhas e verdes, as crianças correndo atrás umas das outras, puxando cachorrinhos de madeira com rodinhas. Então aconteceu: lembrou-se, com uma onda de satisfação, de que foi ali onde Daniel lhe comprou os laços de cabelo de veludo carmesim. A lembrança era simples, alegre, e pertencia a *ela*.

Lúcifer não podia tirar isso dela. Não podia levar aquela — e nenhuma outra lembrança — embora. Não para longe de Luce, não para longe do mundo brilhante, surpreendente e perfeito que se estendia lá embaixo.

Seu corpo se eriçou com a determinação em derrotar Lúcifer e com raiva por saber que, por causa do que ele estava fazendo, porque ela rejeitara os desejos dele, tudo aquilo poderia desaparecer.

— O que foi? — Daniel colocou a mão sobre o ombro dela.

Luce não queria dizer. Não queria que Daniel soubesse que a cada vez que pensava em Lúcifer sentia nojo de si.

O vento aumentou, abrindo a névoa que descansava sobre a cidade para revelar uma roda-gigante rodando lentamente no outro lado do rio. As pessoas eram levadas pelos círculos como se o mundo não fosse acabar, como se aquela roda-gigante fosse girar para sempre.

— Está com frio? — Daniel abraçou Luce com as asas. O peso sobrenatural delas era intimidante, recordando-a de que suas limitações mortais, assim como preocupação de Daniel com elas, diminuíam o ritmo da jornada dos dois.

A verdade é que Luce estava *mesmo* com frio, com fome e cansada, mas não queria que Daniel a mimasse. Tinham coisas importantes a fazer.

— Estou bem.

— Luce, se estiver cansada ou com medo...

— Eu disse que estou bem, Daniel — rebateu ela. Não queria ser grossa e sentiu-se culpada imediatamente.

Apesar da neblina que embaçava a vista, ela conseguiu enxergar carruagens puxadas por cavalos levando turistas e os contornos turvos das pessoas levando a vida. Assim como Luce lutava para fazer.

— Andei reclamando muito desde que deixamos a Sword & Cross? — perguntou ela.

— Não, você tem sido maravilhosa...

— Não vou morrer ou desmaiar só porque está frio e chovendo.

— Sei disso. — A franqueza de Daniel a surpreendeu. — Eu devia saber que *você* sabia disso também. Geralmente os mortais são limitados pelas necessidades e funções do corpo: comida, sono, aquecimento, abrigo, oxigênio, um incômodo medo de morrer, e assim por diante. Por isso, a maioria das pessoas não estaria preparada para essa jornada.

— Já percorri um longo caminho, Daniel. *Quero* estar aqui. Não deixaria você partir sem mim. Foi um acordo mútuo.

— Que bom. Agora me ouça. Está em seu poder a capacidade de libertar-se de suas limitações mortais. Ficar livre delas.

— O quê? Não preciso me preocupar com o frio?

— Não.

— Certo. — Ela colocou as mãos congelantes nos bolsos da calça jeans. — E com os strudels de maçã?

— Poder da mente sobre o corpo.

Um sorriso relutante apareceu no rosto dela.

— Bem, já sabemos que você pode respirar por mim.

— Não se subestime. — Daniel deu um sorriso rápido. — Isso depende mais de você do que de mim. Tente fazer o seguinte: diga a si mesma que *não* está com frio, *não* está com fome e *não* está cansada.

— Tudo bem. — Luce suspirou. — Não estou... — começou a murmurar, sem acreditar, mas então captou o olhar de Daniel.

O mesmo Daniel que acreditava que ela podia fazer coisas que nunca pensou ser capaz, que acreditava que a vontade dela é que fazia a diferença entre estar com o halo e deixá-lo escorregar pelos dedos. Luce estava com a relíquia nas mãos. Era a prova.

Agora ele estava dizendo que ela possuía necessidades mortais apenas porque pensava ter. Luce decidiu dar uma chance àquela ideia maluca, então ajeitou os ombros e projetou as palavras no pôr do sol nebuloso.

— Eu, Lucinda Price, *não* estou com frio, *não* estou com fome e *não* estou cansada.

O vento soprou, o relógio da torre lá longe badalou cinco horas — e então um peso saiu de cima dela, de modo que não se sentia mais abatida. Sentia-se descansada, equipada com o que quer que a noite exigisse, determinada a obter sucesso.

— Bem na hora, Lucinda Price — disse Daniel. — Cinco sentidos transcendidos às cinco horas.

Ela tocou a asa dele, embrulhou-se nela e deixou o calor espalhar-se por seu corpo. Desta vez, o peso da asa acolheu Luce em uma nova e poderosa dimensão.

— Eu consigo fazer isso.

Os lábios de Daniel tocaram o topo da cabeça dela.

— Eu sei.

Quando Luce virou-se, ficou surpresa em ver que os Párias não estavam mais voando nem olhando para ela com olhos mortos.

Não estavam mais lá.

— Eles saíram para procurar a Balança — explicou Daniel. — Daedalus nos deu pistas da localização, mas precisarei ter uma ideia melhor de onde e como os outros estão presos para poder distrair a Balança por tempo suficiente para que os Párias possam resgatá-los. — Ele se sentou no telhado com as pernas sobre a estátua de uma águia pintada de dourado, que observava a cidade do alto. Luce sentou-se ao lado.

— Não deve demorar, dependendo da distância em que eles se encontram. Depois disso, talvez meia hora para passar pelos protocolos da Balança — Daniel inclinou a cabeça, calculando. — A menos que decidam reunir um tribunal, o que aconteceu na última vez em que me perturbaram. Vou achar um jeito de nos livrarmos disso hoje, adiar o tribunal para outra data que não cumprirei. — Ele pegou a mão de Luce, concentrando-se. — Devo voltar até as sete, no máximo. Ou seja, daqui a duas horas.

O cabelo de Luce estava molhado pela névoa, mas ela seguiu o conselho do anjo, disse a si que isso não a afetava e então deixou de notar o incômodo, simples assim.

— Está preocupado com os outros?

— A Balança não vai machucá-los.

— Então por que machucaram Daedalus?

Imaginou Ariane com os olhos violeta inchados, Roland com os dentes quebrados e cheios de sangue. Não queria vê-los com a mesma aparência de Daedalus.

— Ah — disse Daniel —, a Balança pode ser apavorante. Gostam de causar dor e podem trazer aos nossos amigos um desconforto temporário. Mas não vão machucá-los de forma permanente. Eles não matam. Não é seu estilo.

— Qual é o estilo deles então? — Luce cruzou as pernas sobre a superfície dura e molhada do telhado. — Você ainda não me contou quem são ou contra quem estão lutando.

— A Balança se formou após a Queda. São um pequeno grupo de... anjos menos importantes. Foram os primeiros a serem questionados na lista de chamada em relação ao lado que tomariam, e eles escolheram o Trono.

— Existiu uma lista de chamada? — perguntou Luce, incerta se havia escutado corretamente. Parecia mais uma sala de aula do que o Céu.

— Após a divisão no Céu, todos nós fomos obrigados a escolher um lado. Então, começando pelos anjos de domínios menores, cada um foi chamado para fazer um juramento de lealdade ao Trono. — Ele fitou a névoa, e foi como se pudesse ver tudo acontecendo de novo. — Eras se passaram até chamarem o nome de todos os anjos, a partir dos níveis mais baixos. Deve ter demorado o mesmo tempo que a ascensão e queda de Roma. Mas não chegaram ao fim da lista de chamada antes de... — Daniel respirou fundo, tremendo.

— Antes do quê?

— Antes de acontecer algo que fez com que o Trono perdesse a fé nos anjos...

Agora Luce percebia que, quando Daniel deixava uma frase no ar daquela maneira, não era porque não confiava nela ou porque ela

112

não compreenderia, mas sim porque, apesar de tudo o que ela vira e aprendera, talvez ainda fosse muito cedo para conhecer toda a verdade. Assim, não perguntou — mesmo estando louca para perguntar — o que fez o Trono abandonar a lista de chamada quando os anjos de nível mais alto não haviam ainda escolhido lados. Deixou Daniel voltar a falar quando se sentisse pronto.

— O Céu expulsou todos que não escolheram seu lado. Lembra-se de quando lhe contei que alguns anjos nunca tiveram a chance de escolher? Eles estavam entre os últimos na lista de chamada, eram os da escala mais alta. Após a Queda, o Céu ficou privado da maioria dos Arcanjos. — Ele fechou os olhos. — A Balança, que teve a sorte de jurar lealdade, prontificou-se a ajudar.

— Então, por a Balança haver jurado lealdade ao Céu primeiro... — concluiu Luce.

— Eles acharam que tinham mais honra que os outros — disse Daniel, para completar o pensamento. — Desde então, alegam com arrogância que servem ao Céu agindo como uma patrulha de policiais celestiais. Mas esse cargo foi inventado por eles, não criado por Deus. Sem os Arcanjos após a Queda, a Balança se aproveitou daquele vácuo de poder. Criaram um papel para desempenharem, e convenceram o Trono de sua importância.

— Eles pressionaram Deus?

— Mais ou menos. Prometeram reabilitar os caídos de volta ao Céu, reunir os anjos que se desgarraram, devolvê-los à congregação. Passaram uns bons milênios tentando nos convencer a retornar para o lado "certo", mas em algum momento desistiram de mudar nosso ponto de vista. Agora, só tentam evitar que conquistemos qualquer coisa.

O olhar duro de Daniel demonstrava fúria e fez Luce imaginar o que havia de tão ruim no Céu que fizesse Daniel manter-se no exílio. Não seria a paz do Céu preferível ao que vivia agora, com todos esperando a escolha dele?

Daniel riu com amargura.

113

— Mas os anjos que honraram suas asas, que voltaram para o Céu, não precisaram da Balança para isso. Pergunte à Gabbe ou à Ariane. A Balança é uma piada. Ainda assim, conseguiram obter sucesso uma ou duas vezes.

— Mas você não, certo? — perguntou ela. — Você não escolheu nenhum dos lados. Por isso estão atrás de você, não é?

Um bonde vermelho lotado deu a volta no círculo pavimentado lá embaixo e entrou em uma rua estreita.

— Eles estão atrás de mim há anos — disse Daniel —, plantando mentiras, inventando escândalos.

— Mesmo assim você não se declarou a favor do Trono. Por quê?

— Já disse. Não é tão simples — explicou ele.

— Mas você claramente não vai se unir a Lúcifer.

— Sim, mas... Não posso explicar o que ocorreu em mil anos no espaço de um minuto. Fatores que estão fora do meu controle complicam a situação. — Olhou para o horizonte de novo, para a cidade, e depois para as próprias mãos. — E é um insulto lhe pedirem que faça uma escolha, um insulto seu Criador exigir que reduza a vastidão de seu amor à minúscula limitação de um gesto durante uma lista de chamada. — Ele suspirou. — Não sei. Talvez eu seja sincero demais.

— Não... — Luce começou a falar.

— Bem, voltando à Balança. São burocratas celestiais. Penso neles como diretores de escola, que assinam papéis e punem pequenas transgressões de regras para as quais ninguém liga ou nas quais não acreditam, tudo em nome da "moralidade".

Mais uma vez, Luce contemplou a cidade, que se envolvia no escuro da noite. Pensou no vice-diretor com hálito azedo na Dover, de cujo nome não se lembrava, que nunca estava interessado em ouvir o lado dela, que assinara sua expulsão depois do incêndio que matou Trevor.

— Já fui colocada na fogueira por pessoas assim.

— Todos já fomos. Elas insistem em regras frívolas inventadas por si próprias e que julgam corretas. Ninguém gosta deles, mas infeliz-

114

mente o Trono lhes deu o poder de nos monitorar, de nos deter sem motivo, de nos condenar por crimes perante um júri escolhido por eles.

Luce estremeceu, e dessa vez não pelo frio.

— E você acha que eles estão com Ariane, Roland e Annabelle? Por quê? Por que iriam prendê-los?

Daniel suspirou.

— Eu tenho *certeza* de que estão com Ariane, Roland e Annabelle. O ódio os deixa cegos para o fato de que nos atrasar ajuda Lúcifer. — Daniel engoliu em seco. — O que mais temo é que também estejam com a relíquia.

À distância, quatro pares de asas desgastadas se materializaram na neblina. Párias. Quando se aproximaram do telhado do palácio, Luce e Daniel se levantaram para cumprimentá-los.

Os Párias pousaram ao lado de Luce. As asas rangiam como guarda-chuvas de papel ao se abaixarem ao lado dos corpos. Os rostos não denunciavam emoções; nada no comportamento deles sugeria que a viagem fora bem-sucedida.

— E então? — perguntou Daniel.

— A Balança tomou conta de um local às margens do rio — anunciou Vincent, apontando na direção da roda-gigante. — É uma ala abandonada de um museu. Está em reforma, coberta por andaimes, então a presença deles não é notada. Também não há alarmes no local.

— Tem certeza de que é a Balança? — perguntou Daniel rapidamente.

Um dos Párias assentiu.

— Vimos a marca deles, a insígnia dourada... uma estrela de sete pontas, as sete virtudes sagradas, pintada no pescoço.

— E Roland, Ariane e Annabelle? — perguntou Luce.

— Estão com a Balança. As asas deles estão presas — respondeu Vincent.

Luce virou-se, mordendo o lábio inferior. Deve ser horrível para um anjo ter as asas presas. Não conseguia suportar pensar em Ariane sem liberdade para bater as asas iridescentes. Não conseguia imaginar um material tão resistente que contivesse a força das asas marmorizadas de Roland.

— Bem, se sabemos onde estão, vamos resgatá-los — disse ela.

— E a relíquia? — indagou Daniel a Vincent vagarosamente.

Luce ficou boquiaberta

— Daniel, nossos amigos estão perigo.

— Estão com ela? — pressionou Daniel. Ele olhou para Luce e colocou a mão na cintura dela. — *Tudo* está em perigo. Vamos salvar Ariane e os outros, mas temos que encontrar a relíquia também.

— Não sabemos da relíquia. — Vincent balançou a cabeça. — O local está muito bem guardado, Daniel Grigori. Eles estão aguardando a sua chegada.

Daniel fitou a cidade, os olhos violetas seguiram o curso do rio como se estivesse buscando o cativeiro. As asas dele bateram.

— Não vão esperar muito.

— Não! — implorou Luce. — É uma emboscada. E se o prenderem como fizeram com os outros?

— Os outros devem ter irritado a Balança de alguma forma. Contanto que eu siga o protocolo, apele para a vaidade deles, não me prenderão. Vou sozinho. — Daniel olhou para os Párias e completou: — E desarmado.

— Mas os Párias estão encarregados de protegê-lo — disse Vincent com o tom monótono de sempre. — Vamos segui-lo de longe e...

— Não. — Daniel levantou a mão para impedir Vincent. — Vocês irão pelo telhado do armazém onde eles estão. Sentiram a presença da Balança ali?

Vincent fez que sim.

— Um pouco. A maioria deles está perto da entrada principal.

— Ótimo. — Daniel assentiu. — Usarei o procedimento da Balança contra eles próprios. Assim que eu chegar à porta da frente, perderão tempo me identificando, me revistando em busca de contrabando ou qualquer coisa que possam fingir ser ilegal. Enquanto os distraio na entrada os Párias entram pelo telhado e libertam Roland, Ariane e Annabelle. E se vocês encontrarem um membro da Balança lá em cima...

Sincronizados, os Párias abriram os casacos e mostraram bainhas cheias de setas estelares prateadas sem ponta e pequenos arcos compactos combinando.

— Vocês não podem matá-los — advertiu Daniel.

— Por favor, Daniel Grigori — apelou Vincent. — Tudo ficará melhor sem eles.

— São chamados de Balança não apenas por causa da obsessão burra por regras. Também são um contrapeso essencial às forças de Lúcifer. Vocês são rápidos o bastante para enganá-los. Só precisamos atrasá-los, e para isso uma ameaça já bastará.

— Mas tudo o que eles querem é retardar *você* — argumentou Vincent. — Todo esse atraso leva ao esquecimento.

Luce estava prestes a perguntar qual seria o papel *dela* no plano quando Daniel a tomou nos braços.

— Preciso que espere aqui e guarde a relíquia. — Eles olharam para o halo apoiado na base da estátua de guerreiro. Estava salpicado por gotas de chuva. — Por favor, não discuta. Não podemos deixar a Balança chegar perto dela. Você e o halo ficarão mais seguros aqui. Olianna ficará para protegê-la.

Luce olhou para a garota Pária, que a encarava de uma forma vazia, com os olhos acinzentados sem fundo.

— Tudo bem, eu fico aqui.

— Vamos torcer para que a segunda relíquia ainda esteja por aí — disse ele, arqueando as asas para trás. — Assim que libertarmos os outros, poderemos armar um plano para encontrá-la juntos.

Luce cerrou os punhos, fechou os olhos e beijou Daniel, abraçando-o com força por um último instante.

Ele partiu um segundo depois. As asas foram sumindo à medida que penetrava na noite, com os três Párias ao lado. Logo em seguida, todos pareciam grãos de areia nas nuvens.

Olianna não se mexeu durante todo o tempo. Ficou parada em pé como uma versão das estátuas no telhado usando casaco. Encarava Luce com as mãos entrelaçadas no peito, os cabelos loiros puxados para trás em um rabo de cavalo tão apertado que parecia prestes a arrebentar. Quando ela pegou uma seta estelar e colocou no arco, Luce deu alguns passos para trás.

— Não tenha medo, Lucinda Price — disse Olianna. — Só quero estar preparada para defendê-la caso um inimigo se aproxime.

Luce tentou não imaginar que inimigos a garota tinha em mente. Ela se abaixou novamente e se protegeu contra o vento atrás da estátua de guerreiro com a lança dourada, mais por hábito do que por necessidade. Ajeitou o corpo para poder ver a alta torre de tijolos com o relógio dourado. Cinco e meia. Estava contando os minutos até que Daniel e os Párias voltassem.

— Quer se sentar? — perguntou para Olianna, que se escondeu bem atrás de Luce com o arco a postos.

— Prefiro ficar em guarda...

— É, acho que não dá para ficar *sentada* de guarda — murmurou Luce. — Ha, ha.

Uma sirene soou lá embaixo, vinda de uma viatura que contornava uma rotatória. Quando passou e tudo se calou novamente, Luce não soube como preencher o silêncio.

Encarou o relógio, comprimindo os olhos, como se isso fosse ajudá-la a enxergar através da neblina. Será que Daniel havia chegado ao armazém? O que Ariane, Roland e Annabelle fariam quando vissem os Párias? Luce se deu conta de que Daniel dera uma pena apenas a Phil. Como os anjos saberiam que podiam confiar nos Párias? Os ombros se ergueram e todo o seu corpo se enrijeceu sob a inútil sensação de frustração. Por que estava sentada ali, esperando, fazendo piadas idiotas? Merecia um papel ativo naquilo tudo. Afinal, não era Luce que a Balança queria. Ela deveria estar resgatando os amigos ou procurando a relíquia em vez de ficar parada como uma donzela indefesa à espera do retorno do cavaleiro.

— Você se lembra de mim, Lucinda Price? — perguntou a Pária, com a voz tão baixa que Luce quase não ouviu.

— Por que os Párias nos chamam pelo nome completo de repente? — Virou-se para a garota, que a olhava parada com o arco e flecha apoiados no ombro.

— É um sinal de respeito, Lucinda Price. Vocês são aliados agora. Você e Daniel Grigori. Lembra-se de mim?

Luce pensou por um segundo.

— Você foi uma das Párias que lutaram contra os anjos no quintal dos meus pais?

— Não.

— Desculpe. — Luce deu de ombros. — Não me lembro de tudo em meu passado. Já nos encontramos?

A Pária ergueu ligeiramente a cabeça.

— Já nos conhecemos em outra ocasião.

— Quando?

A garota deu de ombros, levantando-os com delicadeza, e Luce percebeu de repente que ela era bonita.

— Antes. É difícil explicar.

— E o que não é? — Luce voltou à posição de antes, sem paciência para decodificar mais uma conversa enigmática. Enfiou as mãos geladas dentro das mangas do suéter branco e observou o tráfego mover-se de um lado para o outro nas ruas escorregadias, os carros pequeninos entrando em ruelas tortas e íngremes, pessoas com casacos escuros e compridos marchando sobre as pontes iluminadas, carregando as compras do mercado para as famílias em casa.

Luce sentiu uma solidão dolorosa. Será que sua família pensava nela? Imaginavam-na no quarto apertado na Sword & Cross? Será que Callie já havia voltado a Dover? Estaria aninhada no assento frio perto da janela, esperando as unhas pintadas de vermelho-escuro secarem, falando ao telefone sobre a viagem estranha de Ação de Graças que fizera para visitar uma amiga que não era Luce?

Uma nuvem negra passou pelo relógio, tornando-o invisível ao badalar das seis horas. Daniel havia partido há uma hora, mas parecia um ano. Luce observou os sinos da igreja ressoarem, notou os ponteiros do enorme relógio antigo, e deixou a memória voltar à época anterior à invenção do tempo linear, quando este era marcado por estações, plantações e colheitas.

Após a sexta batida do relógio, veio outra — mais próxima. Luce virou-se bem a tempo de ver Olianna cair de joelhos e desabar pesadamente em seus braços. Então virou a Pária ferida para cima e tocou o rosto dela.

Olianna estava inconsciente. O som que Luce ouvira tinha sido da pancada que a garota tomou na cabeça.

Atrás de Luce estava uma figura enorme com uma capa negra. Seu rosto era enrugado e impossivelmente velho, com camadas de pele caindo sob os olhos azuis opacos e queixo protuberante, abaixo dos dentes tortos, pretos e amarelos. Na enorme mão direita, ele segurava o mastro de bandeira que provavelmente usara como arma. A bandeira austríaca estava pendurada na ponta, tremulando suavemente sobre a superfície do telhado.

Luce ficou de pé rapidamente, sentindo os punhos se erguerem enquanto se perguntava de que lhe serviriam contra um inimigo tão grande.

As asas dele eram de um azul bem claro, um tom acima do branco. Apesar de ser muito mais alto que Luce, as asas eram pequenas e densas, com uma envergadura pouco maior que a dos braços.

Uma coisa pequena e dourada estava presa na parte frontal da capa do homem: uma pena, uma pena marmorizada preta e dourada. Luce sabia de quais asas aquela pena tinha vindo. Mas por que Roland daria àquela criatura uma pena de suas asas?

Não daria. A pena estava dobrada e desgastada, sem algumas partes próximas ao cabinho. A ponta estava acastanhada com sangue seco e, em vez de ereta como a pluma brilhante que Daniel dera a Phil, parecia ter murchado e morrido ao ser presa à capa preta e nojenta do anjo.

120

Uma armadilha.

— Quem é você? — perguntou Luce, pondo-se de joelhos. — O que quer?

— Tenha mais respeito. — Antes de falar a garganta do anjo fez um movimento como se ele quisesse latir, mas a voz saiu baixa, fraca e velha.

— Faça por merecer — rebateu Luce —, e eu terei mais respeito.

Ele deu um meio sorriso maldoso e abaixou a cabeça. Então puxou a capa para mostrar a nuca. Luce piscou sob a luz fraca. Havia uma marca pintada no pescoço, com um brilho dourado sob o cintilar das luzes da cidade misturadas ao luar. Ela contou sete pontas na estrela.

Era um membro da Balança.

— Está me reconhecendo agora?

— É assim que os ajudantes do Trono trabalham? Machucando anjos inocentes?

— Nenhum Pária é inocente. Ninguém é inocente, aliás, até que se prove o contrário.

— Você provou ser culpado de não ter honra alguma ao nocautear uma garota por trás.

— Insolência — disse ele, enrugando o nariz —, não vai levá-la a lugar algum.

— É exatamente onde pretendo ficar. — Os olhos de Luce volta-ram-se para Olianna, para a mão pálida e a seta estelar que segurava.

— Mas não é onde vai ficar — retrucou o membro da Balança como se tivesse de se convencer a dar continuidade à missão ilógica de seu grupo.

Luce apanhou a seta estelar de supetão quando o homem a atacou. Porém, o anjo era muito mais rápido e forte do que aparentava. Ele lutou para tirar a seta das mãos dela, jogou Luce de costas contra o telhado de pedra ao lhe dar um tapa forte no rosto. Então segurou a seta com a ponta perto do coração de Luce.

"Eles não podem matar mortais. Não podem matar mortais", foi o que ela ficou repetindo em pensamento. Mas se lembrou do acordo que havia feito com Bill: Luce tinha uma parte imortal que poderia, *sim*, ser morta. A alma. Entretanto, não aceitaria isso, não após tudo o que vivera, não tão perto do fim.

Luce levantou a perna, preparando-se para chutá-lo como vira em filmes de kung fu, quando de repente ele atirou o arco e flecha pela borda do telhado. Ela virou a cabeça para o lado, com as bochechas contra a pedra fria, e viu a arma girar no ar em direção às luzes piscantes das ruas de Viena.

O anjo da Balança limpou as mãos na capa.

— Coisas nojentas. — Depois pegou Luce sem o menor cuidado pelos ombros e colocou-a de pé.

O homem chutou a Pária para o lado — Olianna gemeu, mas não se moveu — e ali, sob o corpo magro dela, coberto pelo casaco, estava o halo de ouro.

— Achei que poderia encontrar isto aqui — disse o anjo da Balança, recolhendo a relíquia e colocando-a sob a capa.

— Não! — Ela esticou a mão na direção do lugar escuro onde viu o halo desaparecer, mas o anjo lhe deu outro tapa no rosto, jogando-a para trás e fazendo seus cabelos balançarem na borda do telhado.

Luce pôs a mão no rosto. Seu nariz estava sangrando.

— Você é mais perigosa do que imaginam — resmungou ele. — Disseram-nos que era chorona, covarde. Acho melhor prendê-la antes de voarmos.

O anjo tirou a capa com rapidez e jogou a roupa sobre a cabeça de Luce tal qual uma cortina, tapando a visão dela por um longo e horrível instante. Depois, a noite de Viena e o anjo ficaram visíveis de novo. Luce notou que sob a capa que ele usava havia outra, exatamente igual à que tirara e colocara ao redor dela. O homem se curvou e, puxando uma corda, amarrou a capa de Luce como uma camisa de força. Quando ela chutou e se contorceu, sentiu a capa se apertar ainda mais.

Luce deixou escapar um grito:

— Daniel!

— Ele não vai ouvi-la. — O anjo riu sem alegria ao colocá-la sob o braço e seguir em direção à borda do telhado. — Não vai escutar nem se você gritar para sempre.

SETE

ANJOS ATADOS

A capa era paralisante.

Quanto mais Luce se movimentava, mais se fechava ao redor. O tecido áspero estava preso por uma corda estranha que pinicava a pele e mantinha o corpo imóvel. Quando Luce tentou se soltar, a corda respondeu apertando-se com ainda mais força ao redor dos ombros e espremendo as costelas, até que mal conseguisse respirar.

O anjo da Balança mantinha Luce sob o braço ossudo enquanto voava através do céu noturno. Com o rosto enterrado na cintura da fétida capa reformada que ele vestia, não conseguia enxergar nada, apenas sentia o vento açoitando a superfície de seu terrível casulo embolorado. Tudo o que conseguia ouvir era o uivar do vento, pontuado pelo bater de asas rígidas.

Para onde ele a estaria levando? Como iria conseguir avisar Daniel? *Não* tinham tempo para isso!

Após algum tempo, o vento parou, mas o anjo da Balança não havia pousado.

Ele e Luce pairavam no ar.

Então o anjo rosnou.

— Invasor! — gritou ele.

Luce sentiu que ambos estavam caindo, mas podia ver apenas a escuridão das pregas da capa de seu captor, que abafavam seus gritos aterrorizados — até que o som de vidro quebrando os fez parar.

Cacos finos afiados como lâminas rasgaram o manto que a cobria, passando pelo tecido da calça jeans. As pernas de Luce ardiam como se cortadas em diversas partes.

Quando os pés do anjo da Balança bateram com força ao pousarem, Luce tremeu diante do impacto. Ele a derrubou com brutalidade e ela caiu, batendo o quadril e o ombro. Rolou alguns metros, então parou. Viu que estava próxima de uma longa bancada de madeira, a superfície repleta de pilhas de fragmentos de porcelana e tecidos desgastados. Ela se contorceu sob aquele abrigo temporário, quase conseguindo evitar que a capa a apertasse ainda mais. O traje havia começado a apertar sua traqueia.

Mas pelo menos agora conseguia enxergar.

Estava num cômodo escuro, cavernoso. O piso era um mosaico de cerâmica laqueada cinza e vermelha. As paredes eram de mármore cintilante cor de mostarda, assim como os grossos pilares quadrados no centro do aposento. Luce estudou brevemente uma longa fileira de claraboias congeladas que ocupavam todo o teto, 12 metros acima. Era um conjunto de crateras de vidro quebrado, revelando do outro lado o panorama cinza-escuro de uma noite com nuvens. Deve ter sido por ali que ela e o anjo entraram, arrebentando o vidro.

E aquela devia ser a ala do museu que a Balança havia tomado, aquela sobre a qual Vincent falara com Daniel no teto de bronze. Isso significava que Daniel devia estar lá fora — e Ariane, Annabelle e Roland em algum lugar ali dentro! O coração de Luce se animou, em seguida ficou novamente aflito.

124

As asas deles estavam amarradas, tinham dito os Párias. Estariam da mesma forma que ela agora? Luce detestava ter chegado até ali e não poder ajudá-los, detestava precisar se movimentar para salvá-los, e o fato de esse movimento colocar a própria vida em perigo. Talvez não houvesse nada pior do que não poder se *mexer*.

As botas pretas lamacentas do anjo da Balança apareceram diante dela. Luce o observou. Ele se agachou, cheirando a naftalina podre, e seus olhos embaçados olharam-na com maldade. A mão, envolta por uma luva negra, estendeu-se em direção a ela...

Então a mão do anjo da Balança caiu sem vida — como se ele tivesse sido atingido. Ele desabou, bateu violentamente contra a mesa de trabalho, empurrando-a e deixando Luce exposta. A cabeça da escultura, que aparentemente havia atingido o anjo, rolou sinistramente, parando próxima ao rosto de Luce e parecendo olhar dentro de seus olhos.

Enquanto rolava de volta para baixo da mesa, Luce viu de soslaio outras asas azuis. Mais anjos da Balança. Quatro deles voaram espalhafatosamente em direção a uma alcova que ficava mais ou menos na metade da parede... onde Luce agora via que Emmet estava parado, com um longo serrote prateado à mostra.

Provavelmente Emmet havia arremessado a cabeça que a salvara do anjo da Balança! Foi ele o invasor, cuja entrada através do teto de vidro colocou o captor de Luce em perigo. Ela jamais pensou que ficaria tão feliz em ver um Pária.

Emmet estava cercado por esculturas em plataformas e pedestais, algumas cobertas, outras em andaimes, uma delas recém-restaurada — e por quatro anjos da Balança extremamente velhos, que se aproximavam dele cada vez mais com as capas estendidas, como vampiros amarfanhados. As capas negras rígidas pareciam ser suas únicas armas, a única ferramenta, e Luce sabia muito bem o quanto eram brutais. A própria respiração dolorosa era prova disso.

Luce abafou um murmúrio de espanto quando Emmet puxou uma seta estelar de um coldre escondido no casaco. Daniel havia feito os Párias prometerem que não matariam os anjos da Balança!

Os anjos da Balança se afastaram lentamente de Emmet, sibilando "Vil! Vil!" tão alto que fez com que o captor de Luce se remexesse na mesa acima dela. Então o Pária fez algo que deixou todos os presentes impressionados. Mirou a seta estelar contra si. Luce havia assistido ao suicídio de Daniel no Tibete, então sabia um pouco sobre a atmosfera desesperada, a linguagem corporal de derrota que acompanhava um gesto tão extremo. Mas Emmet parecia confiante e desafiador enquanto olhava de um rosto enrugado a outro.

Os anjos da Balança pareceram ganhar ousadia com o comportamento estranho de Emmet. Aproximaram-se mais, bloqueando o Pária da visão de Luce com a intensidade de abutres se aproximando de uma carcaça numa estrada deserta. Onde estariam os outros Párias? Onde estava Phil? Será que a Balança já os havia matado?

O som de algo que parecia tecido grosso e pesado sendo rasgado ecoou alto pelo lugar. Os anjos da Balança pairaram imóveis no ar, as enormes capas se amontoando como a boca aberta de um Anunciador que conduzia a um lugar terrível e triste. Então o barulho de algo sendo cortado preencheu o ar, seguido pelo som de um tecido esgarçando — e então os quatro anjos da Balança giraram como bonecas de pano em direção a Luce, as mandíbulas abertas, os olhos estatelados, as capas mutiladas e rasgadas, expondo corações e pulmões negros que se contraíam em espasmos, jorrando sangue azul-claro.

Daniel disse aos Párias que não podiam usar suas setas estelares para matar os anjos da Balança, mas não disse que não podiam machucá-los.

Os quatro anjos da Balança caíram em montinhos no chão como marionetes cujas cordas tinham sido cortadas. Lutando para conseguir respirar, Luce olhou para a alcova, onde Emmet estava limpando o sangue negro da balança de sua seta. Jamais tinha ouvido falar de alguém que tivesse usado a parte traseira de uma seta estelar como arma — e, aparentemente, os anjos da Balança também não.

— Lucinda, está aqui? — Luce ouviu Phil chamando. Olhou para cima e encontrou o rosto dele brilhando através de uma cratera no teto.

126

— Aqui! — gritou Luce, não conseguindo impedir um movimento brusco ao fazê-lo, o que levou a capa que a envolvia a apertar com mais força sua garganta. Quando ela fez uma careta de dor, o manto fechou ainda mais.

Uma perna enorme caiu pela lateral da mesa e a bota preta chutou o rosto de Luce, acertando seu nariz e trazendo lágrimas de dor aos olhos. Seu captor havia acordado! Essa percepção, juntamente à dor súbita que a cegou parcialmente, fez com que Luce deslizasse mais para baixo da mesa. Quando fez isso, a capa se enredou em volta da garganta, fazendo a traqueia se comprimir de vez. Luce entrou em pânico, tentando inutilmente respirar, contorcendo-se, agora que já não importava se o manto a apertasse com mais força...

Então se lembrou de como havia descoberto em Veneza que conseguia segurar o fôlego por mais tempo do que julgava possível. E Daniel lhe dissera que poderia se fortalecer para superar essa limitação sempre que quisesse. Então ela o fez; Luce conseguiu; concentrou sua força de vontade para se manter viva.

Porém, isso não impediu seu captor de derrubar a bancada, mandando pelos ares pedaços de louça e pernas e braços extirpados de antigas esculturas.

— Você parece... incomodada — zombou ele, revelando dentes ensanguentados e levando a mão com a luva preta em direção à bainha do manto de Luce.

Entretanto, o anjo da Balança congelou quando uma seta estelar atravessou o lugar onde, há apenas um segundo, estava seu olho direito. O sangue azul jorrou da cavidade aberta, respingando no manto de Luce. Ele gritou, debatendo-se loucamente pelo espaço, os braços balançando, a parte de trás da seta estelar protuberante em seu rosto enrugado.

Mãos pálidas apareceram diante de Luce, depois as mangas de um casaco cáqui desgastado, seguido por uma cabeça raspada. O rosto de Phil não revelava nenhum sentimento quando ele se ajoelhou na frente dela.

— Aqui está você, Lucinda Price. — Agarrou a gola da capa negra e levantou Luce. — Eu havia retornado ao palácio para ver se estava bem. — Ele a colocou sentada numa mesa próxima. Luce caiu imediatamente, não conseguindo se manter sentada. Emmet a endireitou tão sem emoção quanto o colega havia feito.

Finalmente ela pôde olhar ao redor com mais calma. À sua frente, três degraus desciam para uma grande câmara principal. No centro dela, uma corda de veludo vermelho amarrava uma grande estátua de leão. O animal se mantinha em pé nas patas traseiras, com os dentes arreganhados num rugido em direção ao céu. Sua juba estava descascada e amarelada.

Asas azul-acinzentadas cobriam o piso da ala de restauração, lembrando a Luce de um estacionamento coberto de gafanhotos que tinha visto após uma tempestade durante um verão na Geórgia. Os anjos da Balança não estavam mortos — não se transformaram em poeira de seta estelar —, mas havia tantos deles inconscientes que os Párias mal conseguiam caminhar sem pisar em suas asas. Phil e Emmet pelo jeito andaram ocupados, incapacitando pelo menos cinquenta deles, as curtas asas azuis se remexendo vez por outra, embora os corpos permanecessem imóveis.

Todos os seis Párias — Phil, Vincent, Emmet, Sanders, a outra Pária cujo nome Luce não sabia, e até mesmo Daedalus, com curativo no rosto — ainda estavam de pé, limpando sangue azul e restos de pele e ossos de seus casacos.

A garota loira, a mesma que havia ajudado a fazer o curativo em Daedalus, segurava um moribundo integrante feminino da Balança pelos cabelos. As asas azuis da velha tremeram quando a Pária bateu sua cabeça contra uma coluna de mármore. Soltou gritos esganiçados nas primeiras quatro ou cinco vezes que o crânio atingiu a coluna, depois os gritos se enfraqueceram e os olhos se reviraram nas órbitas.

Phil lutava contra a capa que estava amarrada ao redor de Luce. Os dedos rápidos compensavam a falta de visão. Um anjo da Balança inconsciente caiu de algum ponto acima dela e o rosto pousou entre o pescoço e o ombro de Luce. Ela sentiu sangue quente escorrer pelo seu pescoço. Apertou os olhos e estremeceu.

Phil chutou o anjo, arremessando-o sobre o raptor, agora caolho, de Luce, que ainda se debatia desajeitadamente pela sala, gemendo.

— Por que eu? Faço tudo direito.

— Ele está com o halo... — começou Luce.

Mas a atenção de Phil se voltou para a massa de asas de anjos da Balança, de onde um corpulento anjo com cabelo de monge havia se levantado e agora avançava em direção a Daedalus, que estava de costas. Uma capa áspera pairou sobre a cabeça do Pária, pronta para envolvê-la.

— Volto logo, Lucinda Price. — Phil deixou Luce amarrada sobre a mesa e colocou uma seta estelar no arco. Num instante, já estava entre Daedalus e o anjo da Balança.

— Abaixe o manto, Zaban.

Phil parecia tão feroz quanto ao surgir pela primeira vez no quintal da casa dos pais de Luce. Ela ficou surpresa ao perceber que eles se conheciam pelos nomes, mas, é claro, devem ter vivido todos juntos no Céu em algum momento. Agora era difícil de imaginar isso.

Zaban tinha olhos azuis enfadonhos e lábios azulados. Pareceu quase alegre ao ver a seta estelar apontada para si. Jogou a capa sobre os ombros e se virou para Phil, deixando Daedalus livre para pegar um anjo da Balança magricela pelo pé. Sacudiu o velho anjo três vezes em um círculo, depois arremessou-o pela janela leste em direção a uma pilha de andaimes abaixo.

— Está ameaçando atirar em mim, Phillip, é isto? — Os olhos de Zaban estavam cravados na seta estelar. — Quer pender o equilíbrio a favor de Lúcifer? Por que isso não me surpreende?

Phil se eriçou.

— Você não é importante o suficiente para que sua morte altere o equilíbrio.

— Pelo menos a gente vale *alguma coisa*. Juntas, nossas vidas fazem diferença no equilíbrio. A justiça sempre faz a diferença. Já vocês,

Párias — sorriu zombeteiramente —, não valem nada. É isso que os torna inúteis.

Aquilo foi a gota d'água para Phil. Havia algo relacionado à tal Balança que ele não podia suportar. Com um resmungo, disparou a seta estelar em direção ao coração de Zaban.

— Estou contra você — murmurou, esperando que o esquisitão de asas azuis sumisse.

Luce também esperou que ele sumisse. Já havia visto isso acontecer. Mas a seta atingiu a capa de Zaban e caiu no chão.

— Como você...? — perguntou Phil.

Zaban riu e puxou algo de dentro de um bolso oculto na altura do peito de seu manto. Luce se inclinou para a frente, querendo ver como Zaban havia se protegido contra a seta estelar. Porém se inclinou demais e escorregou da mesa, caindo de cara no chão.

Ninguém percebeu. Todos estavam olhando para o pequeno livro que Zaban havia retirado do casaco. Aprumando o corpo, Luce viu que a capa era de couro, da mesma tonalidade de azul que as asas dos anjos da Balança. Era encadernado com um cordão dourado entrelaçado. Parecia uma Bíblia, do tipo que os soldados da Guerra Civil colocavam no peito na esperança de que os livros protegessem seus corações.

Aquele livro havia feito justamente isso.

Luce espremeu os olhos para ler o título, arrastando-se pelo chão para ficar alguns centímetros mais perto. Entretanto, continuava longe demais.

Com um único movimento, Phil recuperou a seta estelar e arrancou o livro das mãos de Zaban. Num golpe de sorte, o livro foi parar a alguns metros de Luce. Ela se arrastou novamente, sabendo que não conseguiria pegá-lo, não com a capa lhe apertando daquele jeito. Ainda assim, precisava saber o que as páginas continham. Parecia familiar, como se o tivesse visto há muito, muito tempo. Conseguiu ler as palavras douradas na lombada.

Um Registro dos Anjos Caídos.

Zaban correu em direção ao livro, parando a poucos metros de Luce, exposta no centro do piso. Ele olhou para ela com cara feia e enfiou o livro no bolso.

— Não, não — disse ele. — *Você* não pode ver isto. Não verá tudo o que foi obtido graças às asas da Balança. Nem o que falta para atingir o derradeiro equilíbrio harmonioso. Não depois de ter passado esse tempo todo ocupada demais para nos notar, para notar a justiça, apaixonando-se e deixando de se apaixonar de forma egoísta.

Embora Luce odiasse a Balança, se havia um registro dos anjos caídos, ela ardia de curiosidade para saber quais nomes estariam naquelas páginas, para ver onde o nome de Daniel se encontrava agora. Era sobre isso que os anjos caídos falavam a toda hora. Um único anjo que mudaria o equilíbrio de tudo.

Mas antes que Zaban pudesse criticar Luce ainda mais, um par de asas brancas e brilhantes apareceu diante dos olhos dela — um anjo descendo pelo maior buraco do teto.

Daniel pousou em frente a ela e ficou observando a capa que a aprisionava. Analisou seu pescoço preso. Os músculos dele se retesaram sob a camiseta enquanto tentava rasgar a capa.

De soslaio, Luce viu Phil erguer uma pequena picareta de uma mesa próxima e mirar no peito de Zaban. O anjo da Balança se desviou, tentando fugir do alcance de Phil. A lâmina o acertou no braço. O golpe foi tão forte que arrancou a mão de Zaban na altura do pulso. Enojada, Luce observou a mão pálida cair ao chão. Com exceção do sangue azul jorrando, aquela mão poderia pertencer a qualquer uma das estátuas ali.

— Amarre isso com um de seus nós — zombou Phil, enquanto Zaban buscava a própria mão em meio aos corpos desacordados dos integrantes de sua seita.

— Está machucando você? — Daniel tentou arrebentar os nós que mantinham Luce presa.

— Não. — Ela queria que fosse verdade. Quase foi.

Quando viu que força bruta não adiantava, Daniel tentou lidar com a capa de forma mais estratégica.

131

— Eu vi a ponta há um minuto atrás — murmurou ele. — Agora está escondida dentro da capa. — Os dedos percorriam o corpo dela, parecendo próximos num momento e distantes em outro.

Luce desejou que suas mãos, acima de qualquer outra parte do corpo, estivessem livres naquele momento para poder tocar Daniel, acalmar a ansiedade dele. Confiava que ele conseguiria soltá-la. Confiava nele para qualquer coisa.

O que poderia fazer para ajudá-lo? Fechou os olhos e se deixou levar para a vida no Taiti. Daniel tinha sido marinheiro. Ele a havia ensinado dezenas de tipos de nós durante as tardes calmas na praia. Ela se lembrava agora: o nó borboleta alpina, que fazia uma volta no centro e duas asas lobuladas de cada lado da corda, bom para suportar peso extra na rede. Ou o nó dos namorados, que parecia simples, em formato de coração, mas só podia ser desamarrado a quatro mãos ao mesmo tempo; cada mão tinha de puxar a corda em uma parte diferente do centro do coração.

A capa estava tão apertada que Luce não conseguia mexer nenhum músculo. Os dedos de Daniel remexiam a gola, fazendo com que esta se apertasse ainda mais. Ele amaldiçoou a forma como aquela capa apertava o pescoço dela.

— Não consigo! — gritou finalmente. — A capa dos anjos da Balança possui uma infinidade de tipos de nós. Apenas um deles conseguirá desamarrá-lo. Quem colocou este manto em você?

Luce virou a cabeça em direção ao anjo de asa azul que gritava sozinho, cambaleando num canto perto de um fauno de mármore. A seta estelar ainda estava enfiada em seu olho. Ela queria contar a Daniel como seu captor havia batido em Olianna com o mastro de uma bandeira, depois a amarrado e trazido até ali.

Mas não conseguia falar. A capa estava apertada demais.

A essa altura, Phil segurava o anjo resmungão pela gola da capa suja de sangue. Ele teve de estapear o anjo da Balança três vezes para que parasse de se lamentar e endireitasse as asas azuis, alarmado. Luce

132

viu que um círculo grosso de sangue azul seco havia se formado ao redor do local onde a flecha estava enfiada.

— Desamarre a garota, Barach — ordenou Daniel, reconhecendo imediatamente o sequestrador de Luce, fazendo-a imaginar o quão bem eles se conheciam.

— Improvável. — Barach se inclinou e cuspiu um jato de sangue azul e dois minúsculos dentes afiados no chão.

Num movimento rápido, Phil mirou uma seta estelar no centro dos olhos do anjo.

— Daniel Grigori ordenou que você a desamarre. Irá obedecer.

Barach recuou, olhando a seta estelar com desdém.

— Vil! Vil!

Então uma sombra escura caiu sobre o corpo de Phil.

Em meio a uma névoa indistinta, Luce discerniu outro anjo da Balança, a velha enrugada de asas azuis emboloradas. Provavelmente conseguira se levantar depois de ficar desacordada. Agora estava vindo para cima de Phil, empunhando a mesma picareta que ele havia usado contra Zaban...

Mas então o anjo da Balança se transformou em pó.

Vincent estava parado a três metros, com um arco vazio nas mãos. Assentiu com a cabeça para Phil, depois se virou para vasculhar o tapete de asas azuis à espera de algum movimento.

Daniel se virou para Phil e murmurou:

— Precisamos ter cuidado em relação a quantos matamos. À balança realmente importa o equilíbrio. Pelo menos um pouco.

— Que pena — disse Phil, com uma ponta de inveja na voz. — Manteremos as mortes ao mínimo, Daniel Grigori. Mas preferiríamos matar todos eles. — Ergueu a voz para que Barach ouvisse. — Bem-vindo ao mundo dos cegos. Os Párias são mais poderosos do que vocês pensam. Eu o mataria sem pensar duas vezes, na verdade sem pensar nem uma vez sequer. Entretanto, vou pedir novamente: desamarre-a!

Barach permaneceu parado por um longo tempo, como se estivesse pesando os prós e os contras, piscando com o único olho que lhe restava.

— Desamarre-a! Ela não consegue respirar! — urrou Daniel.

Barach resmungou e se aproximou de Luce. As mãos, velhas e cheias de pintas, desamarraram uma porção de nós que nem Phil nem Daniel haviam sido capazes de encontrar. Entretanto, Luce não sentiu alívio algum no pescoço. Pelo menos não até ele começar a sussurrar algo, bem baixinho, com seu hálito rançoso.

A falta de oxigênio a deixara prestes a desmaiar, mas aquelas palavras vagaram pela mente enevoada. Era uma forma arcaica de hebraico. Luce não sabia como conhecia aquele idioma, mas conhecia.

"E o Céu chorou ao ver os pecados dos filhos dela."

As palavras eram quase ininteligíveis. Daniel e Phil nem mesmo as haviam notado. Luce não tinha certeza se as escutara com clareza. Porém... eram familiares. Onde as tinha ouvido antes?

A lembrança chegou até ela mais depressa do que gostaria: um outro anjo da Balança, que amarrou Luce em outra vida com uma capa ainda mais velha que essa. Isso tinha acontecido há muito tempo. Ela já havia passado por tudo isso antes, sido amarrada e depois libertada.

Naquela vida, Luce colocara as mãos em algo que não deveria ver. Um livro, amarrado com um nó bastante complicado.

Um Registro dos Anjos Caídos.

O que ela estivera fazendo com ele? O que desejara ver?

A mesma coisa que queria ver agora. Os nomes dos anjos que ainda precisavam fazer sua escolha. Mas naquela vida também não tivera permissão para lê-lo.

Muito antes disso, Luce havia segurado aquele livro e, sem saber como, quase conseguira desatar o nó. Então em determinado momento o anjo da Balança a capturou e prendeu com a capa. Vira as asas azuis baterem intensamente enquanto o anjo amarrava o livro diversas vezes. Para ter certeza de que os dedos impuros dela não o tivessem danificado, dissera ele. Ela o ouvira sussurrar aquelas palavras — as mesmas palavras estranhas — logo antes de ela derramar uma lágrima sobre o livro.

E então o fio dourado havia desatado como mágica.

Ela olhou para o anjo enrugado de agora e observou uma lágrima prateada rolar por sua bochecha. Ele parecia verdadeiramente emocionado, mas com certa superioridade, como se tivesse pena da alma dela. A lágrima caiu na capa e os nós se soltaram misteriosamente.

Arfou em busca de ar. Daniel arrancou a capa de cima dela. Luce o abraçou. Liberdade.

Ainda estava abraçada a Daniel quando Barach se inclinou, sussurrando ao ouvido dela:

— Nunca vão conseguir.

— Silêncio, demônio — ordenou Daniel.

Mas Luce queria saber o que Barach queria dizer com aquilo.

— Por que não?

— Você não é a escolhida! — disse Barach.

— Silêncio! — gritou Daniel.

— Nunca, nunca, nunca. Nem em um milhão de anos — cantarolou o anjo, roçando a bochecha áspera contra a de Luce... segundos antes de Phil acertar uma seta estelar no coração dele.

OITO

COMO O CÉU CHOROU

Algo caiu aos pés deles com um baque surdo.

— O halo! — gritou Luce.

Daniel se abaixou rapidamente e recolheu a relíquia dourada do chão. Ficou admirando-a, balançando a cabeça. De algum modo o halo havia permanecido enquanto o anjo e suas estranhas roupas regeneradas desapareciam.

— Desculpe ter tirado a vida dele, Daniel Grigori — falou Phil. — Mas já não conseguia suportar as mentiras de Barach.

— Estava começando a me irritar também — disse Daniel. — Apenas tenha cuidado com os outros.

— Pegue — disse Phil, tirando a mochila preta dos ombros e entregando-a a Daniel. — Esconda isso dos anjos da Balança. Estão loucos atrás dele. — Quando Daniel abriu a mochila, Luce pôde ver o livro dele, *O Livro dos Guardiões*, ali dentro.

Phil fechou o zíper da mochila e deixou-a com Daniel.

— Agora devo retornar ao meu posto de guarda. Os anjos machucados podem se levantar a qualquer momento.

— Você agiu bem contra os anjos da Balança — disse Daniel, parecendo impressionado. — Mas...

— Sim, nós sabemos — disse Phil. — Haverá mais deles. Você viu muitos mais do que estes do lado de fora do museu?

— Eles são uma legião — afirmou Daniel.

— Se nos permitisse usar nossas setas estelares livremente, poderíamos garantir sua fuga...

— Não. Não quero perturbar o equilíbrio a esse ponto. Nada mais de mortes, a não ser que por absoluta legítima defesa. Teremos apenas que nos apressar e dar o fora daqui antes que a Balança mande reforços. Vá agora, guarde as portas e janelas. Estarei com você daqui a pouco.

Phil assentiu, virou-se e se foi, abrindo caminho pelo carpete de asas azuis.

Assim que ficaram a sós, as mãos de Daniel inspecionaram o corpo de Luce.

— Você está ferida?

Ela olhou para si e esfregou o pescoço. Estava sangrando. O vidro do teto havia atravessado o tecido da calça jeans em alguns pontos, mas nenhum dos ferimentos parecia fatal. Seguindo o conselho dado por Daniel anteriormente, disse para si mesma, *isto não a machuca*. A dor sumiu.

— Estou bem — disse ela rapidamente. — O que aconteceu com você?

— Exatamente o que nós queríamos que acontecesse. Eu distraí a maioria dos anjos da Balança enquanto os Párias encontraram um jeito de entrar. — Ele fechou os olhos. — Só que eu jamais quis que você se machucasse. Sinto muito, Luce, não devia tê-la deixado...

— Estou bem, Daniel, e o halo está a salvo. E quanto aos demais anjos? Quantos mais da Balança existem?

— Daniel Grigori! — O grito de Phil ecoou no cômodo superior.

Daniel e Luce cruzaram a ala rapidamente, pisando em cima das asas azuis em direção à entrada. Então Luce parou.

Um homem trajando um uniforme azul jazia deitado de bruços no chão de cerâmica. Havia uma poça de sangue ao redor da cabeça dele — sangue vermelho como dos mortais.

— Eu... eu o matei — balbuciou Daedalus, segurando um pesado capacete de metal na mão e parecendo assustado. O visor do capacete estava sujo de sangue. — Ele entrou correndo pela porta e achei que fosse um dos anjos da Balança. Pensei em apenas bater nele para que caísse. Mas era um mortal.

Um balde e um esfregão estavam caídos em cima do corpo do homem. Haviam matado um zelador. Até este momento, de certa forma, a luta contra a Balança não parecera real. Fora brutal e sem sentido e, sim, dois membros da Balança tinham sido mortos — mas havia sido algo descolado do mundo mortal. Luce se sentiu enjoada ao ver o sangue escorrer entre os rejuntes do piso, mas não conseguiu desviar os olhos.

Daniel coçou o queixo.

— Você cometeu um erro, Daedalus. Agiu bem ao guardar a porta de entrada contra intrusos. O próximo a entrar será da Balança. — Ele olhou ao redor. — Onde estão os anjos caídos?

— E o que faremos com ele? — Luce fitava o homem caído no chão. Seus sapatos haviam sido recentemente engraxados. Usava uma aliança de ouro na mão esquerda. — Era apenas um zelador vindo verificar o barulho. Agora está *morto*.

Daniel segurou Luce pelos ombros, afastou-a dali e pressionou a testa contra a dela. O hálito dele era quente.

— A alma dele está em paz e alegria. E muitas outras vidas serão perdidas se não encontrarmos nossos amigos, pegarmos a relíquia e dermos o fora daqui. — Ele apertou os ombros dela, então os soltou rapidamente. Luce abafou o choro pelo homem morto, engoliu em seco e se virou para olhar para Phil.

138

— Onde estão eles?

Phil apontou um dedo pálido para cima.

Balançando numa viga-mestra próximos ao teto quebrado havia três sacos pretos de estopa. Um deles se remexia, como algo tentando nascer de dentro de um casulo.

— Ariane! — gritou Luce.

O mesmo saco se balançou novamente, dessa vez com mais violência.

— Vocês jamais irão conseguir soltá-los a tempo — sussurrou uma voz vinda do chão. Um membro da Balança, com cara de peixe, estava apoiado nos cotovelos. — Há mais anjos da Balança a caminho. Amarraremos todos vocês com a Capa dos Justos e lidaremos nós mesmos com Lúcifer...

Um escudo de bronze arremessado como um frisbee por Phil arrancou um pedaço da cabeça do anjo, arremessando-o de volta à pilha de asas azuis.

Phil se virou para Daniel.

— Se você precisar mesmo da ajuda dos anjos da Balança para libertar seus amigos, teremos mais sorte enquanto eles estiverem em desvantagem numérica.

Os olhos de Daniel ardiam violetas enquanto voava pela ala, movendo-se de um andaime de restauração para o outro, e então para uma grande bancada de mármore que parecia ser uma das estações de restauração do museu. Estava repleta de papéis e ferramentas — a maioria delas inutilizadas após aquela noite —, os quais Daniel esmiuçou com atenção, jogando para o lado uma garrafa vazia de água, um monte de pastas plásticas, um porta-retrato com uma foto apagada. Finalmente suas mãos encontraram um grande e pesado bisturi.

— Pegue — disse para Luce, deslizando a pesada mochila de Phil pelos ombros dela. Luce segurou a mochila ao lado do corpo e prendeu o fôlego enquanto Daniel arqueava as asas e alçava voo.

Ela o observou se elevando sem fazer esforço, de maneira mágica, e se perguntou como as asas dele conseguiam fazer tudo brilhar naquele museu escuro. Quando ele finalmente chegou até o teto, passou o bisturi ao longo da viga, cortando a corda através da qual os três sacos eram mantidos suspensos. Caíram nos braços dele sem fazer ruído, e as asas de Daniel bateram mais uma vez enquanto descia para o chão, carregando sem esforço os três pacotes.

Daniel colocou os sacos lado a lado. Correndo na direção dele, Luce pôde ver os rostos dos três anjos aparecendo através deles. Seus corpos estavam envoltos pelo mesmo tipo de capa escura que a deixara sem respirar, porém os anjos também haviam sido amordaçados com um pedaço de pano preto. Enquanto ela os observava, as mordaças pareciam esfolar as bocas de seus amigos. Ariane se debatia, lutava e ficava com o rosto cada vez mais vermelho, parecendo tão furiosa que Luce pensou que fosse explodir.

Phil olhou para as oscilantes capas pretas. Levantou uma delas pelo braço. O anjo da Balança piscou, confuso.

— Você gostaria que os Párias escolhessem um voluntário da Balança para ajudar a desamarrar os seus amigos, Daniel Grigori?

— Jamais revelaremos os segredos de nossos nós! — sibilou o anjo da Balança. — Preferimos morrer.

— Também preferimos que vocês morram — disse Vincent, aproximando-se do círculo, empunhando uma seta estelar em cada mão, levando uma à garganta do anjo que havia falado.

— Vincent, cessar fogo — instruiu Phil.

Daniel já estava ajoelhado diante de uma das capas — a de Roland —, passando os dedos pelos nós invisíveis.

— Não consigo encontrar as pontas.

— Talvez uma seta estelar corte a corda — sugeriu Phil, empunhando a seta prateada. — Como um nó górdio.

— Isso não vai funcionar. Os nós são abençoados com um encanto oculto. Talvez precisemos dos anjos da Balança.

— Esperem! — Luce caiu de joelhos diante de Roland. Ele estava deitado, imóvel, mas os olhos diziam a Luce como se sentia impotente. Nada deveria restringir uma alma como a de Roland. Através daquele manto não era possível ver toda a classe e elegância que faziam daquele anjo caído quem ele era — estivesse ele cercando os Nefilim em Shoreline, tocando música na festa da Sword & Cross ou entrando em Anunciadores com mais maestria que qualquer pessoa que ela conhecia. O fato de a Balança ter feito isso com seu amigo deixava Luce furiosa a ponto de chegar às lágrimas.

Lágrimas.

Era isso.

As palavras em hebraico voltaram à lembrança. Suas muitas viagens haviam lhe dado o dom de aprender línguas. Fechou os olhos e, em sua cabeça, observou o fio dourado se soltar do livro. Lembrou-se dos lábios rachados de Barach sussurrando as palavras...

E Luce as repetia agora para Roland, sem saber o que significavam, apenas torcendo para que ajudassem.

— E o Céu chorou ao ver os pecados dos filhos dela.

Os olhos de Roland se arregalaram. Os nós se abriram. A capa caiu ao lado dele e a mordaça também.

Ele respirou profundamente, ficou de joelhos, levantou-se e abriu as asas douradas com força. A primeira coisa que fez foi dar um tapinha no ombro de Luce.

— Obrigado, Lucinda. Devo uma a você por uns bons milhares de anos.

Roland estava de volta... mas havia sangue no local onde Barach havia arrancado penas de suas asas para usar como um sinal falso.

Daniel buscou a mão de Luce, puxando-a em direção aos outros dois anjos amarrados. Ele havia observado e aprendido com Luce. Começou a tentar soltar Annabelle enquanto Luce se ajoelhava diante de Ariane. Ela não conseguia ficar parada. O manto estava tão apertado que Luce quase se encolheu ao fitá-la.

Os olhos das duas se encontraram. Ariane emitiu um som que Luce entendeu como um sinal de que estava feliz em vê-la. Os olhos de Luce se encheram de lágrimas ao se lembrar de seu primeiro dia na Sword & Cross, quando viu Ariane suportar a terapia com choque elétrico. Aquele anjo supermoderno havia parecido tão frágil então e, embora Luce mal conhecesse a garota, sentira o ímpeto de proteger Ariane, da maneira como se faz com velhos amigos. O sentimento só aumentou com o tempo.

Uma lágrima morna rolou pelo rosto de Luce e caiu no meio do peito de Ariane. Luce sussurrou as palavras em hebraico, ouvindo Daniel sussurrá-las para Annabelle ao mesmo tempo. Ela olhou para ele. O rosto do anjo estava molhado.

Os nós afrouxaram imediatamente, depois se desfizeram por completo. Os anjos foram libertados pelas mãos de Luce e Daniel — e pelos seus corações.

Uma rajada de vento foi gerada pela libertação das impressionantes asas iridescentes de Ariane, seguida por uma brisa suave causada pelas asas prateadas de Annabelle. O local estava quase em silêncio antes de as mordaças das garotas caírem. Ariane também exibia um pedaço de fita adesiva sobre a boca; provavelmente os outros anjos haviam sido amordaçados por causa dela. Daniel pegou uma das extremidades da fita e a puxou rapidamente fazendo um *riiiiiip*.

— Caramba! Como é bom estar livre! — gritou Ariane, passando os dedos pelo quadrado vermelho inchado ao redor de sua boca. — Três vivas à rainha dos nós, Lucinda! — A voz dela tinha o brilho costumeiro, porém os olhos estavam cheios de lágrimas. Percebeu que Luce havia visto e as limpou rapidamente.

Ariane caminhou pelo chão daquela ala, fazendo uma careta diferente para cada um dos anjos inconscientes da Balança, partindo para cima deles como se estivesse prestes a acertá-los. Seu macacão jeans estava completamente rasgado, os cabelos emaranhados e oleosos, e havia um hematoma do tamanho do mapa da Austrália em sua bochecha esquerda. As pontas de baixo de suas asas iridescentes estavam dobradas e arrastavam no chão.

— Ariane — sussurrou Luce. — Você está machucada.

— Ah, droga. Não se preocupe comigo, menina. — Ariane sorriu. — Eu me sinto bem o bastante para acabar com alguns anjos da

Balança! — Olhou ao redor do quarto. — Mas parece que os Párias chegaram antes de mim.

Annabelle se levantou mais lentamente que Ariane, abrindo e então flexionando as asas prateadas, alongando os membros esguios tal como uma bailarina. Mas quando ela olhou para Luce e Ariane, sorriu e inclinou a cabeça.

— Deve haver algo que possamos fazer para dar o troco.

As asas de Ariane bateram e ela se elevou a alguns metros do chão, voando pela ala do museu em círculos grandes, observando o estrago.

— Vou pensar em alguma coisa...

— Ariane! — gritou Roland, olhando para ela enquanto conversava baixinho com Daniel.

— O quê? — respondeu Ariane, desanimada. — Você não deixa mais eu me divertir, Ro.

— Não temos tempo para diversão — disse Daniel.

— Esses fósseis nos torturaram durante horas — gritou Annabelle de cima da cabeça do leão. — Devemos retribuir o favor.

— Não — disse Roland. — Danos incomensuráveis já foram feitos. Devemos gastar nossa energia procurando a segunda relíquia.

— Ao menos nos deixe garantir que permaneçam desacordados enquanto fazemos isso — argumentou Annabelle.

Roland olhou para Daniel, que assentiu.

Com um sorriso, Annabelle voou em direção a uma mesa encostada no fundo do armazém. Abriu uma torneira, cantarolando consigo. Derramou o que parecia ser gesso ou outro agente de fundição e começou a adicionar água.

— Ariane — disse ela, desafiadoramente. — Uma mãozinha aqui, por favor.

— Sim, senhora.

Ariane pegou um dos baldes das mãos de Annabelle e sobrevoou por sobre os anjos semiconscientes da Balança, sorrindo com doçura. Aos poucos, começou a derramar a mistura pegajosa sobre as cabeças deles. O gesso escorreu e formou poças ao lado dos corpos. Alguns deles tentavam se livrar da substância, que endurecia rapidamente, virando um tipo de areia movediça artificial. Luce reconheceu a genialidade do plano. Em alguns instantes, quando secasse completamente, eles ficariam presos em gesso duro como pedra.

— Isto não é prudente! — borbulhou um dos anjos da Balança através do gesso molhado.

— Estamos fazendo de vocês monumentos à Justiça! — gritou Annabelle.

— Sabe, acho que prefiro os anjos da Balança quando estão engessados — riu Ariane, deixando escapar a alegria da vingança.

As meninas continuaram derramando o gesso, balde após balde, em cima das cabeças dos anjos ameaçadores, até que suas vozes não podiam mais ser ouvidas, até que os Párias não precisassem mais ficar sobre eles empunhando setas estelares.

Daniel e Roland estavam afastados do grupo, discutindo baixinho. Luce fitou o hematoma de Ariane, o sangue nas asas de Roland e o talho no ombro de Annabelle.

Então teve uma ideia.

Procurou dentro da mochila e apanhou três pequenas garrafas de refrigerante diet e um punhado de setas estelares protegidas em bainhas prateadas. Então abriu as garrafas e rapidamente colocou uma seta estelar em cada uma delas, segurando as garrafas enquanto ferviam e fumegavam, fazendo o líquido mudar de marrom a prateado. Finalmente, levantou-se do canto onde estivera agachada e ficou feliz em encontrar uma bandeja de porcelana chinesa que, de algum modo, ficou intacta após a batalha.

— Aqui, pessoal! — disse ela.

Daniel e Roland pararam de conversar.

Ariane parou de jogar gesso nos anjos.

Annabelle pousou novamente na juba do leão.

Nenhum deles disse nada, mas todos pareceram impressionados quando pegaram suas garrafas, brindaram entre si, comemorando, e beberam.

144

Diferentemente do Pária Daedalus, os anjos não tinham de fechar os olhos e dormir após beberem o refrigerante transformado. Talvez porque não estivessem tão abatidos ou talvez porque essa forma mais elevada de anjos possuísse uma tolerância também mais elevada. Mesmo assim, a bebida os acalmou.

Como um gesto final, Roland bateu palmas, acendendo uma chama poderosa entre elas. Lançou ondas de calor em direção aos anjos engessados, vitrificando a cobertura e tornando ainda mais difícil escapar dali do que das capas.

Quando terminou, Roland, Ariane, Annabelle e Luce sentaram-se em uma das mesas altas de frente para Daniel.

Daniel estendeu as mãos para a mochila e abriu o zíper para mostrar o halo aos outros.

Ariane arfou, surpresa, e estendeu a mão para tocá-lo.

— Você encontrou! — Annabelle piscou para Luce. — Excelente!

— E quanto à segunda relíquia? — perguntou Daniel. — Vocês a pegaram? Os anjos da Balança a tomaram?

Annabelle balançou a cabeça negativamente.

— Não a encontramos.

— Mas com certeza os enganamos — disse Ariane, estreitando os olhos em direção aos anjos engessados. — Eles acharam que poderiam nos torturar para entregá-la.

— Seu livro é vago demais, Daniel — reclamou Roland. — Viemos até Viena à procura de uma lista.

— As desiderata — disse Daniel. — Eu sei.

— Mas isso era *tudo* que sabíamos. Nas horas entre nossa chegada e nossa captura pelos anjos da Balança, fomos a sete arquivos diferentes da cidade e não encontramos nada. Foi insensato. Atraímos atenção demais.

— É minha culpa — murmurou Daniel. — Deveria ter sido mais explícito quando escrevi esse livro há séculos. Fui impulsivo e impaciente demais naquela época. Agora não consigo me lembrar do que me levou às desiderata ou, mais precisamente, o que elas dizem.

Roland deu de ombros.

— Talvez isso não tivesse sido importante. A cidade já era um campo minado quando chegamos. Se já tivéssemos as desiderata em mãos, eles as teriam arrancado de nós. E as destruiriam, da mesma forma que destruíram essas obras de arte.

— A maior parte dessas peças era falsa — disse Daniel, fazendo com que Luce se sentisse um pouco menos culpada pelo que haviam feito ao museu. — E, de agora em diante, os Párias podem cuidar dos anjos da Balança. O restante de nós deve se apressar e procurar as desiderata. Você disse que foi à Biblioteca Hofburg?

Roland assentiu.

— E a biblioteca da universidade?

— Sim — confirmou Annabelle. — E provavelmente seria melhor a gente não dar as caras naquele lugar tão cedo. Ariane destruiu diversos pergaminhos valiosos da coleção especial...

— Ei! — disse Ariane, indignada. — Eu os colei novamente!

Diversos passos soaram no corredor e todos viraram a cabeça em direção à porta. No mínimo vinte outros anjos da Balança tentavam voar para dentro do aposento, mas os Párias os mantiveram do lado de fora com suas setas estelares.

Um deles viu o halo nas mãos de Daniel e disse:

— Eles roubaram a primeira relíquia!

— E estão trabalhando juntos! Anjos, demônios e... — Olhos estreitados voltaram-se na direção de Luce. — Aqueles que não conhecem o seu lugar. Todos trabalhando juntos em nome de uma causa impura. O Trono não apoia isto. Vocês jamais irão encontrar o desideratum!

— *Desideratum* — repetiu Luce, lembrando-se vagamente de uma aula chata de latim que tivera em Dover. — Isto é... singular. — Ela se virou para Daniel. — Você disse *desiderata* um minuto atrás. Isto é plural.

— Objeto desejado — sussurrou Daniel. Os olhos violetas começaram a pulsar e logo todo o seu ser parecia brilhar. Um sorriso de

146

reconhecimento tomou conta de seu rosto. — É apenas um único objeto. Isso mesmo.

Então o bater do relógio de uma igreja soou em algum lugar distante.

Era meia-noite.

Um dia a menos para a chegada de Lúcifer. Faltavam seis dias agora.

— Daniel Grigori — declarou Phil por cima do badalar dos sinos —, não podemos segurá-los para sempre. Você e seus anjos devem sair daqui.

— Já estamos indo — respondeu Daniel. — Obrigado. — Ele se virou para fitar os anjos. — Vamos visitar todas as bibliotecas, arquivos desta cidade, até...

Roland parecia em dúvida.

— Deve haver centenas de bibliotecas em Viena.

— E vamos tentar não ser tão destrutivos dentro delas, que tal? — sugeriu Annabelle, inclinando a cabeça em direção a Ariane. — Os mortais também se importam com seu passado.

Sim, pensou Luce. Os mortais se importam bastante com seu passado. As recordações das vidas passadas dela vinham à tona com cada vez mais frequência. Não conseguia impedi-las ou fazer com que viessem mais devagar. Enquanto os anjos preparavam as asas para o voo, Luce permanecia imóvel, debilitada por uma recordação bastante intensa.

Fitas de prender os cabelos carmesins. Daniel e a feirinha de Natal. Uma tempestade súbita e ela sem casaco. Da última vez em que estivera em Viena... havia mais coisas naquela história... algo mais... uma campainha...

— Daniel! — Luce agarrou o ombro dele. — E a biblioteca à qual você me levou? Lembra-se? — Ela fechou os olhos. Não estava pensando, mas sentindo, revivendo uma recordação enterrada superficialmente em seu cérebro. — Viemos a Viena para passar o final de semana... Não me lembro de quando, mas fomos assistir a Mozart

147

reger *A Flauta Mágica*... no *Theater an der Wien*? Você queria reencontrar um amigo que trabalhava numa biblioteca antiga; o nome dele era...

Ela parou, pois, quando abriu os olhos, percebeu que os outros a observavam, incrédulos. Ninguém, muito menos Luce, esperara que fosse *ela* a pessoa a se lembrar de onde eles iriam encontrar o desideratum.

Daniel se recobrou primeiro. Ele lhe lançou um sorriso esquisito, que Luce sabia estar cheio de orgulho. Mas Ariane, Roland e Annabelle continuaram a fitá-la como se de repente tivessem percebido que sabia falar chinês. O que, pensando bem, ela sabia.

Ariane rodou um dedo dentro do ouvido.

— Será que preciso diminuir o uso de drogas psicodélicas ou LP acabou de se lembrar de uma de suas vidas passadas no momento mais crucial possível?

— Você é um gênio! — disse Daniel, inclinando-se na direção dela e beijando-a apaixonadamente.

Luce corou e se inclinou para fazer o beijo durar um pouco mais, então ouviu uma tosse.

— Bem, falando sério, vocês dois — repreendeu Annabelle. — Depois haverá tempo o suficiente para o agarra-agarra se conseguirmos completar nossa tarefa.

— Eu diria para vocês arrumarem um quarto, mas se isso acontecesse acho que não os veríamos nunca mais — completou Ariane, o que fez todos caírem na risada.

Quando Luce abriu os olhos, Daniel havia descerrado as asas. As pontas afastaram pedaços de gesso e bloquearam os anjos da Balança da vista. A alça da mochila de couro preta que continha o halo estava pendurada no ombro dele.

Os Párias juntaram as setas estelares caídas e as colocaram de volta nas bainhas prateadas.

— Voe na velocidade do vento, Daniel Grigori.

— Vocês também — disse Daniel, assentindo para Phil. Virou Luce de modo que as costas dela ficaram apoiadas contra o peito de Daniel e seus braços envolvessem a cintura dela. Eles entrelaçaram as mãos sobre o coração dela.

— A Biblioteca da Fundação — disse Daniel para os demais anjos. — Sigam-me, sei exatamente onde fica.

NOVE

O DESIDERATUM

Uma neblina envolvia os anjos. Sobrevoaram o rio, quatro pares de asas fazendo um barulho tremendo cada vez que batiam. Voavam todo o tempo baixo o suficiente para que o brilho alaranjado dos postes servisse de guia, como luzes na pista de pouso de um aeroporto. Esse voo, contudo, não teve pouso.

Daniel estava nervoso. Luce podia sentir a tensão percorrendo todo o corpo dele: nos braços que lhe envolviam a cintura, nos ombros, alinhados aos dela, até mesmo na maneira como as asas largas batiam acima. Sabia como ele se sentia; estava tão ansiosa para chegar à biblioteca da Fundação quanto o abraço de Daniel sugeria que ele estava.

Apenas alguns marcos da cidade sobressaíam por entre a neblina. Havia o pináculo da enorme igreja gótica, e a roda-gigante escurecida com suas cabines vermelhas vazias balançando ao vento noturno. Havia o domo de cobre verde do palácio onde pousaram ao chegarem a Viena.

Mas espere aí... Já haviam passado pelo palácio. Talvez meia hora atrás. Luce tentou enxergar Olianna, a quem o anjo da Balança deixara inconsciente. Não a havia visto no telhado naquela ocasião e não a via agora também.

Por que estavam voando em círculos? Estariam perdidos?

— Daniel?

Ele não respondeu.

Sinos de igreja soaram à distância. Era a quarta vez que tocavam desde que Luce, Daniel e os demais haviam levantado voo através do teto quebrado do museu. Eles estavam voando há bastante tempo. Poderia mesmo ser três horas da manhã?

— *Onde* fica? — murmurou Daniel entredentes, guinando para a esquerda, seguindo o curso do rio e depois indo em outra direção, através de uma avenida larga cheia de escuras lojas de departamento. Luce também já tinha visto aquela rua. Estavam voando em círculos.

— Achei que você havia dito que sabia exatamente onde ficava! — disse Ariane, saindo da formação na qual estiveram voando até então — Daniel e Luce na frente, com Roland, Ariane e Annabelle formando um triângulo fechado atrás deles —, e se posicionando a mais ou menos três metros abaixo de Daniel e Luce, próximo o suficiente para poder falar. Os cabelos estavam emaranhados e suas asas iridescentes se movimentavam rapidamente para dentro e para fora da névoa.

— Eu *sei* onde fica — disse Daniel. — Ou, pelo menos, sei onde *ficava*.

— Você tem um senso de direção tortuoso, Daniel.

— Ariane. — Roland usou o tom de voz de advertência que reservava para as frequentes situações nas quais Ariane ia longe demais. — Deixe que ele se concentre.

— Tá, tá, tá — disse Ariane, revirando os olhos. — Melhor retornar para a "formação". — Ela batia as asas da mesma forma que

≈ 151 ≈

algumas garotas piscavam os cílios, fez o sinal de paz e amor com os dedos e retomou seu lugar lá atrás.

— Muito bem, então onde *ficava* a biblioteca? — perguntou Luce.

Daniel suspirou, recolheu as asas um pouco e baixou cerca de 15 metros. O vento gelado bateu no rosto de Luce. Sentiu um frio na barriga enquanto mergulhavam verticalmente, depois voltou ao normal quando Daniel parou de modo abrupto, como se tivesse pousado numa corda bamba invisível sobre uma rua residencial.

A rua estava quieta, vazia e escura. Apenas duas longas fileiras de casas de pedra se estendiam de cada um dos lados. As cortinas estavam fechadas. Pequenos carros estavam estacionados em estreitos espaços na rua. Jovens carvalhos pontuavam a calçada de pedra que se estendia pelos jardins bem-cuidados das casas.

Os outros anjos pairaram de cada um dos lados de Daniel e Luce, a cerca de seis metros do nível da rua.

— Era aqui que ficava — disse Daniel. — Era *aqui*. A seis quadras do rio, a oeste de Türkenschanzpark. Juro que era. Nada disto — fez um gesto, mostrando as casas abaixo deles — estava aqui.

Annabelle fez uma careta e abraçou os joelhos, deixando as asas prateadas baterem lentamente para mantê-la no ar. Os tornozelos erguidos revelaram meias listradas cor-de-rosa por baixo das calças jeans.

— Você acha que foi destruída?

— Se foi — disse Daniel —, não faço a menor ideia de como recuperar o desideratum.

— Estamos ferrados — disse Ariane, chutando uma nuvem, frustrada. Olhou para os pedaços da nuvem que voaram para leste, inalterados. — Isto nunca é tão satisfatório quanto eu penso que vai ser.

— Talvez seja melhor a gente ir para Avalon — sugeriu Roland. — Verificar se o grupo de Cam teve mais sorte.

— Precisamos das três relíquias — retrucou Daniel.

Luce se virou um pouco nos braços do anjo para poder encará-lo.

— É apenas um obstáculo. Pense em tudo que tivemos de enfrentar em Veneza. Mas ainda assim conseguimos o halo. Vamos encontrar o desideratum também. É só isto que importa. Qual foi a última vez que algum de nós esteve nessa biblioteca, há duzentos anos? É claro que as coisas vão mudar, mas isso não significa que devemos desistir. Só temos de... temos de...

Todos estavam olhando para ela. Luce, porém, não sabia o que fazer. Só sabia que eles não podiam desistir.

— A menina tem razão — disse Ariane. — Não vamos desistir. Nós...

Ariane parou de falar quando suas asas começaram a estremecer.

Então Annabelle gemeu. Seu corpo se contorceu no ar enquanto as asas também vibravam. As mãos de Daniel tremeram de encontro ao corpo de Luce quando o céu enevoado mudou para aquele tom de cinza característico — a cor de uma tempestade no horizonte — que Luce agora reconhecia como sendo a cor de um tempomoto.

Lúcifer.

Ela quase conseguia ouvir o silvo da voz de Daniel, sentir o hálito dele contra seu pescoço. Os dentes de Luce batiam, mas também sentiu aquilo mais profundamente, no âmago, cru e turbulento, como se tudo dentro dela estivesse sendo alinhado como uma corrente.

Os prédios abaixo deles emitiram luzes fracas. Postes de luz partiram-se ao meio. Os próprios átomos do ar pareciam se fraturar. Luce se perguntou o que o tempomoto estaria causando às pessoas da cidade abaixo deles, que dormiam em suas camas. Será que podiam senti-lo? Se não, ela os invejava.

Tentou chamar o nome de Daniel, mas o som de sua voz saiu deformado, como se estivesse embaixo d'água. Ela fechou os olhos, mas isso a fez se sentir nauseada. Abriu-os e tentou focar nos prédios sólidos, balançando em suas fundações até se transformarem em borrões brancos abstratos.

Então Luce viu que uma estrutura permanecia firme, como se fosse invulnerável às flutuações do cosmo. Era um pequeno prédio marrom, uma casa, bem no meio da rua branca estremecida.

Aquela casa não estava ali um momento antes. Parecia que havia surgido do nada, sendo visível apenas por um momento, antes de se partir ao meio e desaparecer novamente em meio às construções modernas e monocromáticas.

Mas por um instante a casa estivera ali, uma coisa fixa em meio ao caos, ao mesmo tempo distante e pertencente àquela rua de Viena.

O tempomoto parou e o mundo ao redor de Luce e dos anjos ficou quieto. Nenhum momento era tão silencioso quanto os instantes que se seguiam a um terremoto no tempo.

— Vocês viram aquilo? — gritou Roland, feliz.

Annabelle balançou as asas, arrumando as pontas com os dedos.

— Ainda estou me recuperando do último abalo. Eu *odeio* essas coisas.

— Eu também — tremeu Luce. — Vi algo, Roland. Uma casa marrom. Era a Biblioteca da Fundação?

— Sim. — Daniel sobrevoou em círculos o local onde Luce havia visto a casa, fixando os olhos ali.

— Talvez esses tempomotos *sirvam* para alguma coisa — comentou Ariane.

— Mas para onde foi a casa? — perguntou Luce.

— Ainda está lá. Só não está visível agora — respondeu Daniel.

— Já ouvi algumas lendas sobre essas coisas. — Roland passou os dedos pelos cachos negros. — Mas jamais acreditei que fosse possível.

— Que coisas? — Luce piscou, tentando enxergar a construção marrom novamente; contudo, a fileira de casas modernas continuava lá. O único movimento na rua era dos galhos de árvores desfolhados, que balançavam ao sabor do vento.

— Chama-se pátina — respondeu Daniel. — É uma forma de dobrar a realidade ao redor de uma unidade de tempo e espaço...

— É uma reorganização da realidade para manter algo em segredo — acrescentou Roland, voando ao lado de Daniel e olhando para baixo, como se ainda pudesse enxergar a casa.

— Então quer dizer que, embora esta rua exista numa linha contínua através da realidade — disse Annabelle, apontando as casas lá embaixo —, sob esta mesma realidade existe uma outra, independente, na qual esta rua leva à nossa Biblioteca da Fundação.

— Pátinas são as fronteiras entre as realidades — disse Ariane, enfiando os dedos nos suspensórios do macacão. — Um espetáculo de luzes que apenas as pessoas *especiais* conseguem enxergar.

— Vocês parecem saber bastante sobre essas coisas — comentou Luce.

— Sim — zombou Ariane, quase prestes a chutar outra nuvem —, só não sabemos como chegar lá.

Daniel assentiu.

— Pouquíssimas entidades são fortes o suficiente para criar pátinas, e aquelas que o são acabam sendo bem guardadas. A biblioteca está aqui, mas Ariane tem razão. Precisamos descobrir como entrar.

— Ouvi dizer que é necessário um Anunciador para conseguir entrar — disse Ariane.

— Isso é uma lenda cósmica — retrucou Annabelle, balançando a cabeça. — Cada pátina é diferente da outra. O acesso fica inteiramente a cargo do criador. Ele programa o código.

— Certa vez ouvi Cam contar uma história durante uma festa sobre como conseguiu entrar numa — lembrou Roland. — Ou será que foi uma história sobre uma festa que ele fez numa pátina?

— Luce! — disse Daniel subitamente, fazendo com que todos paralisassem no ar. — É você. Durante todo o tempo, foi você!

Luce deu de ombros.

— Fui eu o quê?

— A pessoa que tocou a campainha. Você era a pessoa que tinha acesso à biblioteca. Basta tocar a campainha.

Luce observou a rua vazia, a neblina envolvendo tudo ao redor.

— Do que você está falando? Que campainha?

— Feche os olhos — disse Daniel. — Lembre. Entre no passado e encontre a campainha...

Luce já estava lá, de volta à biblioteca, na última vez em que estivera em Viena com Daniel. Seus pés tocavam o chão com firmeza. Chovia e os cabelos estavam grudados no rosto. Seus laços de fita carmesim, ensopados, mas ela não se importava. Estava procurando por alguma coisa. Uma pequena trilha levava até o pátio, então havia uma alcova escura do lado de fora da biblioteca. Estava frio lá fora e, dentro do prédio, uma lareira tinha sido acesa. Ali, num canto úmido próximo à porta, via-se um cordão de tear, adornado com peônias brancas, pendendo de um grande sino prateado.

Ela levantou a mão e puxou a corda.

Os anjos ofegaram. Luce abriu os olhos.

Ali, no centro da área norte da rua, a fileira de casas modernas foi quebrada ao meio por uma pequena casa marrom. Uma espiral de fumaça subia da chaminé. A única luz — além do fulgor das asas dos anjos — era o brilho fraco de uma lamparina na janela da frente da casa.

Os anjos desceram devagar e pousaram na rua vazia. Daniel soltou as mãos que trazia ao redor da cintura de Luce e beijou a mão dela.

— Você se lembrou. Muito bem!

A casa marrom era térrea, enquanto as demais casas da rua tinham três andares, tornando possível ver outras fileiras de casas brancas nas ruas paralelas. A casinha era uma anomalia: Luce analisou seu teto de colmo, o portão adornado no canto de um quintal bem-cuidado, a porta assimétrica de madeira, detalhes que a faziam parecer uma casa da Idade Média.

Luce deu um passo em direção à casa e viu-se em uma calçada. Seus olhos pousaram na grande placa de bronze afixada nas paredes de barro. Era um marco histórico, onde estava entalhado em letras grandes: *Biblioteca da Fundação, desde 1233*.

Ela olhou ao redor da rua, que era comum exceto pela casinha. Havia baldes de lixo reciclável cheios de garrafas plásticas, pequenos carros europeus estacionados tão próximos entre si que seus para-choques quase se tocavam, alguns buracos no pavimento.

— Então estamos numa rua de verdade, em Viena...

— Exatamente — disse Daniel. — Se fosse de dia, você veria os vizinhos, mas eles não veriam você.

— E as pátinas são comuns? — perguntou Luce. — Havia uma sobre a cabana onde dormi na ilha, na Geórgia?

— São bastante incomuns. Na verdade são coisas preciosas. — Daniel balançou a cabeça. — Aquela cabana foi o abrigo de última hora mais oculto que pudemos encontrar.

— A pátina de um homem pobre — disse Ariane.

— Na verdade, a casa de verão do Sr. Cole — completou Roland.

O Sr. Cole era um dos professores da Sword & Cross. Era mortal, mas era amigo dos anjos desde a chegada destes à escola, e estava dando cobertura para Luce agora que ela havia ido embora. Era graças ao Sr. Cole que os pais dela não estavam preocupados mais do que o normal com Luce.

— E como são criadas? — perguntou Luce.

Daniel balançou a cabeça.

— Ninguém sabe, exceto o criador da pátina. E existem pouquíssimas. Você se lembra do meu amigo, Dr. Otto?

Ela assentiu. O nome do doutor estivera na ponta da língua de Luce.

— Ele morou aqui durante várias centenas de anos, mas nem mesmo ele sabia como esta pátina chegou até aqui. — Daniel estudou o prédio. — Não sei quem é o bibliotecário agora.

— Vamos — disse Roland. — Se o desideratum está aqui, precisamos encontrá-lo e ir embora de Viena antes que a Balança se reorganize e nos encontre.

Abriu a trava do portão e o manteve aberto para que os outros passassem. O caminho de seixos que levava até a casa marrom estava repleto de frésias roxas e orquídeas brancas, enchendo o ar com um perfume adocicado.

O grupo alcançou a pesada porta de madeira com seu topo arqueado e aldrava de ferro, e Luce segurou a mão de Daniel. Annabelle bateu.

Não houve resposta.

Então Luce olhou para cima e viu uma corda atada a um sino, enfeitada como aquela que ela havia tocado no ar. Olhou para Daniel. Ele assentiu.

Luce puxou a corda e a porta se abriu lentamente, como se a casa os estivesse esperando. Espiaram através de um corredor iluminado à luz de velas, tão comprido que Luce não conseguia ver o final. O interior era bem maior do que a parte externa sugeria; o teto era baixo e curvado, como o túnel de um trem através de uma montanha. Tudo era feito de belos tijolos cor-de-rosa claro.

Os outros anjos seguiram Daniel e Luce, os únicos que já haviam estado ali. Daniel foi o primeiro a cruzar a soleira, entrando no corredor de mãos dadas com Luce.

— Olá? — chamou ele.

A luz das velas bruxuleava sobre os tijolos cor-de-rosa enquanto os anjos entravam, e Roland fechou a porta. Durante esse tempo, Luce estava atenta ao silêncio do corredor, ao eco que os passos deles faziam no chão liso de pedra.

Parou diante da primeira porta aberta do lado esquerdo quando uma lembrança preencheu sua mente.

— Aqui — disse ela, apontando para dentro do cômodo. Estava escuro, a não ser pelo brilho amarelo de uma lamparina na janela, a mesma luz que eles haviam visto pelo lado de fora da casa. — Não era aqui o escritório do Dr. Otto?

Estava escuro demais para ver claramente, mas Luce lembrou-se do fogo ardendo na lareira, do outro lado do quarto. Em sua memória, a lareira era ladeada por dezenas de estantes, cheias de livros com lombadas de couro do Dr. Otto. Por acaso seu antigo eu não havia se aninhado perto da lareira, com os pés metidos em meias de lã, lendo o quarto volume das *Viagens de Gulliver*? E não tinha a cidra servida abundantemente pelo doutor, enchido o ar com um perfume de maçã, cravo e canela?

— Você tem razão. — Daniel pegou um candelabro de uma alcova na parede do corredor e o levou para dentro, para iluminar um pouco mais o cômodo. Porém a grade de proteção da lareira estava fechada, assim como a antiga escrivaninha de madeira no canto, e, mesmo com o calor das velas, o quarto parecia frio e velho. As prateleiras estavam deformadas e envelhecidas por causa do peso dos livros, que pareciam cobertos por uma camada de poeira. A janela que outrora dava para uma rua residencial movimentada trazia fechadas as cortinas verde-escuras, dando ao quarto a aparência de abandono. — Não é de admirar que não tenha respondido a nenhuma de minhas cartas — disse Daniel. — Parece que o doutor foi embora.

Luce caminhou em direção às prateleiras de livros e passou os dedos por uma lombada empoeirada.

— Você acha que algum destes pode conter o desejado objeto que procuramos? — perguntou Luce, pegando um dos livros da prateleira: *Canzoniere*, de Petrarca, composto em tipos góticos. — Tenho certeza de que o Dr. Otto não se importaria se déssemos uma olhada por aqui para tentar achar o desi...

Ela parou de falar. Ouvira algo: o canto suave de uma mulher.

Os anjos se entreolharam quando outro som vindo da biblioteca escura chegou até eles. Agora, juntando-se à música fantasmagórica, havia o som de passos e o guincho agudo de um carro com rodinhas sendo empurrado. Daniel caminhou em direção à porta aberta e Luce seguiu atrás dele, observando o corredor cautelosamente.

Uma sombra escura apareceu, indo em direção a eles. As velas bruxuleavam nas alcovas de pedra rosada do corredor, distorcendo a sombra, fazendo com que seus braços parecessem fantasmagóricos e extremamente longos.

A dona da sombra, uma mulher magra vestindo uma saia lápis cinza, um cardigã mostarda e sapatos pretos de saltos altíssimos, caminhava em direção a eles, empurrando uma elegante bandeja de chá com rodinhas. Seus cabelos ruivos estavam presos num coque. Elegantes argolas de ouro brilhavam em suas orelhas. Algo na maneira como caminhava, em seu comportamento, parecia familiar.

Enquanto a mulher cantarolava, levantou a cabeça ligeiramente, lançando a sombra de seu perfil na parede. A curvatura do nariz, o queixo baixo, o maxilar saliente, tudo isso deu a Luce uma sensação de *déjà vu*. Ela repassou suas vidas passadas, tentando se lembrar de onde a conhecia.

De repente, Luce ficou pálida. Nem toda a tintura para cabelo do mundo poderia enganá-la.

A mulher empurrando o carrinho era a Srta. Sophia Bliss.

Antes que pudesse pensar, Luce agarrou um atiçador de lareira guardado num canto próximo à porta da biblioteca. Ergueu a vareta como uma arma, travando as mandíbulas com força, o coração batendo depressa, e pulou no corredor.

— Luce! — chamou Daniel.

— Dee? — gritou Ariane.

— Sim, querida? — disse a mulher, um segundo antes de perceber que Luce estava investindo contra ela. Pulou ao mesmo tempo em que Daniel agarrou Luce, bloqueando o golpe.

— O que você está fazendo? — sussurrou Daniel.

— Ela... ela... — Luce lutava contra Daniel, tentando soltar as mãos dele de sua cintura. Aquela mulher havia assassinado Penn. Tentara matar Luce. Por que ninguém mais queria matá-la?

Ariane e Annabelle correram em direção à Srta. Sophia e a envolveram num abraço duplo.

Luce piscou.

Annabelle beijou as bochechas alvas da mulher.

— Não a vejo desde a Revolta dos Camponeses em Nottingham... Quando foi isso, 1380?

— Tenho certeza de que não foi há tanto tempo — disse a mulher, educadamente, a voz com a mesma entonação simpática de bibliotecária que havia usado na Sword & Cross, quando tentou ludibriar Luce para que gostasse dela. — Foi uma época maravilhosa.

— Também não a vejo faz tempo — falou Luce, irritada. Ela se soltou das mãos de Daniel e levantou o ferro novamente, desejando que fosse uma arma mais mortal. — Desde que você assassinou minha amiga...

— Oh, querida. — A mulher não se mexeu. Observou Luce caminhar até ela e levou um dedo magro aos lábios. — Você deve estar me confundindo.

Roland deu um passo à frente, separando Luce da Srta. Sophia.

— É que você se parece com outra pessoa. — A mão calma dele pousou no ombro de Luce e a fez parar.

— O que quer dizer? — indagou a mulher.

— Ah, é claro! — Daniel deu um sorriso triste para Luce. — Você pensou que ela era... deveríamos ter dito a você que os transeternos normalmente se parecem.

— Você quer dizer que ela não é a Srta. Sophia?

— Sophia Bliss? — A mulher fez cara de quem tinha comido algo azedo. — Essa vadia ainda anda por aí? Estava certa de que, a essa altura, alguém já teria acabado com ela. — Torceu o nariz e deu de ombros, olhando para Luce. — Ela é minha irmã, por isso posso apenas demonstrar uma pequena porcentagem da raiva que acumulei daquela megera nojenta ao longo dos anos.

Luce soltou um risinho nervoso. O atiçador escorregou da mão e caiu no chão. Ela estudou a velha senhora, encontrando similaridades em relação à Srta. Sophia — um rosto que parecia velho e jovem ao mesmo tempo — e também diferenças. Comparados aos olhos negros de Sophia, os olhos pequeninos da mulher pareciam quase dourados, realçados ainda mais pelo tom amarelado do cardigã.

A cena com o atiçador de fogo deixou Luce envergonhada. Ela se encostou contra a parede e desabou no chão, sentindo-se vazia, sem saber se ficava ou não aliviada por não precisar encarar a Srta. Sophia novamente.

— Desculpe.

— Não se preocupe, querida — disse a mulher com jovialidade. — O dia que eu encontrar Sophia novamente, agarrarei o objeto pesado mais próximo e a arrebentarei eu mesma.

Ariane estendeu a mão para ajudar Luce a se levantar, puxando-a com tanta força que seus pés se ergueram do chão.

— Dee é uma velha amiga. E devo dizer também que é uma rata de festas de primeira classe. Tem o metabolismo de um burro. Ela quase levou as Cruzadas a um hiato na noite em que seduziu Saladino.

— Ah, deixe disso — falou Dee, balançando a mão.

— Ela também é a melhor contadora de histórias do mundo — disse Annabelle. — Ou pelo menos era, antes de sumir da face da Terra. Onde você esteve escondida, mulher?

A outra soltou um suspiro e seus olhos dourados ficaram mareados.

— Na verdade, eu me apaixonei.

— Oh, Dee! — murmurou Annabelle, pegando a mão da mulher. — Que maravilha!

— Otto Z. Otto — fungou a mulher. — Que ele descanse...

— O Dr. Otto — interrompeu Daniel, dando um passo adiante. — Você conhecia o Dr. Otto?

— De trás para a frente — disse a misteriosa senhora num tom choroso.

— Opa, que educação a minha! — disse Ariane. — Precisamos fazer as apresentações. Daniel, Roland, acredito que vocês não conheceram oficialmente nossa amiga Dee...

— Muito prazer. Sou Paulina Serenity Bisenger — sorriu a mulher, enxugando os olhos com um lenço bordado e estendendo a mão para Daniel e então para Roland.

— Sra. Bisenger — disse Roland. — Posso ter a ousadia de perguntar por que as garotas a chamam de Dee?

— É apenas um velho apelido, meu amor — comentou a mulher, oferecendo o tipo de sorriso enigmático que era a especialidade de Roland. Quando se virou para Luce, os olhos dourados se iluminaram.

— Ah, Lucinda. — Em vez de estender a mão, Dee abriu os braços para enlaçá-la, mas Luce sentiu-se estranha aceitando o abraço. — Perdão pela infeliz semelhança que te causou tanto pavor. Devo acrescentar que é minha irmã que se parece comigo; *eu* não me pareço com *ela*. Mas eu e você nos conhecemos tão bem durante tantas vidas, durante tantos anos, que me esqueço que você podia não se lembrar. Foi

162

a mim que você confiou seus maiores segredos: o amor por Daniel, os medos em relação ao futuro, os sentimentos confusos por Cam. — Luce corou, mas a mulher não percebeu. — E foi a você que confiei a razão da minha existência, assim como a chave para tudo aquilo que procura. Você era a inocente em quem eu sabia que sempre poderia confiar para fazer o que precisava ser feito.

— Eu... eu sinto muito, mas não me lembro — gaguejou Luce. — Você é um anjo?

— Transeterna, querida.

— Tecnicamente eles são mortais — explicou Daniel —, mas podem viver por centenas, até mesmo milhares de anos. Há muito tempo trabalham com os anjos.

— Tudo começou com meu bisavô Matusalém — disse Dee, orgulhosa. — Ele inventou a oração. Inventou, sim!

— Como ele fez isso? — perguntou Luce.

— Bem, antigamente, quando os mortais queriam alguma coisa, simplesmente *desejavam* essa coisa de forma aleatória. Meu bisavô foi o primeiro a apelar para Deus diretamente e, essa é a parte genial, pediu uma mensagem para confirmar que havia sido ouvido. Deus respondeu com um anjo, e o anjo mensageiro nasceu. Foi Gabbe, eu acho, que esculpiu o espaço aéreo entre o Céu e a Terra para que as preces dos mortais pudessem fluir mais livremente. Meu bisavô amava Gabbe, amava os anjos, e ensinou a toda sua família a amá-los também. Ah, mas isso foi há muitos anos.

— Por que os transeternos vivem tanto? — perguntou Luce.

— Porque somos iluminados. Graças ao histórico de nossa família com os anjos e ao fato de sermos capazes de receber a glória de um anjo sem sermos destruídos, como ocorre com muitos mortais, somos recompensados com uma existência mais longa. Nós somos o ponto de ligação dos anjos com os outros mortais, assim o mundo sempre poderá ter um senso de tutela angelical. Podemos ser mortos a qualquer momento, é claro, mas, a não ser em caso de assassinatos e terríveis acidentes, um transeterno pode viver até o fim dos dias.

Os 24 de nós que restam são os últimos descendentes vivos de Matusalém. Costumávamos ser pessoas exemplares, mas me envergonho em dizer que estamos em declínio. Você já ouviu falar dos Anciãos de Zhsmaelim?

A simples menção do nome do clã da Srta. Sophia fez com que o corpo de Luce se arrepiasse.

— Todos eles são transeternos — disse Dee. — Os Anciãos *começaram* nobres. Houve um tempo em que eu mesma era envolvida com eles. É claro, todos os bons desertaram — ela olhou para Luce e franziu a testa — não muito tempo depois de sua amiga Penn ser assassinada. Sophia sempre teve um veio cruel. Agora ela ficou ambiciosa. — Dee fez uma pausa e pegou um lenço branco para polir uma quina do carrinho de chá prateado. — Quantas coisas ruins para falar durante o nosso reencontro. Mas há um lado positivo: você se lembrou de como viajar através de minha pátina. — Dee olhou para Luce. — Excelente trabalho.

— *Você* criou aquela pátina? — perguntou Ariane. — Eu não fazia a menor ideia de que era capaz disso!

Dee ergueu uma sobrancelha, sorrindo levemente.

— Uma mulher não pode revelar *todos* os seus segredos, assim não podem tirar vantagem dela. Certo, garotas? — Fez uma pausa. — Bem, agora que somos todos amigos novamente, o que os traz à Fundação? Já ia me sentar para tomar meu chá de jasmim. Precisam me acompanhar, sempre faço chá demais.

Ela se afastou para revelar a bandeja prateada completa com uma grande chaleira de prata, um prato de porcelana com sanduíches de pepino sem casca, bolinhos fofinhos com uvas-passas brancas e uma tigela de cristal cheia de cerejas e creme. O estômago de Luce roncou ao ver comida.

— Então você estava nos esperando — disse Annabelle, contando as xícaras na bandeja.

Dee sorriu, virou-se e continuou a empurrar o carrinho pelo corredor. Luce e os anjos caminharam apressados para acompanhá-la enquanto os saltos de Dee batiam no chão. Ela dobrou à direita, entrando num cômodo grande feito do mesmo tijolo cor-de-rosa. Havia uma lareira acesa no canto, uma mesa de jantar de carvalho polido capaz de acomodar sessenta pessoas e um lustre enorme feito do tronco petrificado de uma árvore e decorado com centenas de castiçais de cristal reluzente.

A mesa já estava arrumada com mais louças de porcelana elegante do que o número de pessoas do grupo. Dee começou a encher as xícaras com o chá fumegante cor de âmbar.

— É uma reunião muito informal, por favor sentem-se onde desejarem.

Após alguns olhares de Daniel, Ariane finalmente se adiantou e tocou Dee — que estava colocando uma colherada de creme num potinho e cobrindo-o com fruta — levemente nas costas.

— Na verdade, Dee, não poderemos ficar para o chá. Estamos com um pouco de pressa. Sabe...

Daniel tomou a frente.

— As notícias a respeito de Lúcifer já chegaram a você? Ele está tentando apagar o passado, carregando o grupo de anjos da época da Queda para o presente.

— Isto explica o tremor — murmurou Dee, enchendo outra xícara com chá.

— Também consegue sentir os tempomotos? — perguntou Luce.

Dee assentiu.

— Mas a maioria dos mortais não consegue, caso você esteja se perguntando.

— Viemos até aqui porque precisamos rastrear o local original da Queda — disse Daniel. — O local onde Lúcifer e o grupo do Céu irão aparecer. Precisamos impedi-lo.

Dee parecia estranhamente concentrada no ritual do chá, continuando a servir os sanduíches de pepino. Os anjos aguardavam pela resposta dela. Uma tora de madeira estalou na lareira e passou pela grade de proteção.

— E tudo isso porque um garoto amou uma garota — disse ela finalmente. — Quer horror. Essas coisas realmente trazem à tona o que há de pior em todos os velhos inimigos, não? Os anjos da Balança, desarticulados, os Anciãos matando inocentes. Tantas coisas desagradáveis. Como se vocês, anjos caídos, não tivessem o bastante com que se preocupar. Devem estar terrivelmente cansados. — Ela deu um sorriso tranquilizador para Luce e gesticulou novamente para que se sentassem.

Roland puxou a cadeira à cabeceira da mesa para Dee e se sentou no assento à esquerda dela.

— Talvez possa nos ajudar. — Ele acenou para que os outros sentassem também.

Annabelle e Ariane sentaram-se ao lado dele, enquanto Luce e Daniel sentaram do outro lado da mesa. Luce pousou a mão sobre a de Daniel, entrelaçando-lhe os dedos.

Dee passou as últimas xícaras de chá ao redor da mesa. Após o tilintar de porcelana e o som de colheres remexendo o açúcar dentro do chá, Luce pigarreou:

— Nós iremos impedir Lúcifer, Dee.

— Eu espero que sim.

Daniel apertou os dedos de Luce.

— Agora estamos à procura de três objetos que contam a história inicial dos caídos. Quando reunidos, devem revelar o local original da Queda.

Dee bebericou o chá.

— Garoto esperto. Tiveram sorte?

Daniel pegou a mochila de couro e abriu o zíper, revelando o halo de ouro e vidro. Uma eternidade havia se passado desde que Luce mergulhara em busca da igreja submersa e tirara o halo da cabeça de uma estátua.

A testa de Dee se enrugou.

— Sim, eu me lembro disso. O anjo Semihazah a criou, não foi? Mesmo na pré-história, ele tinha um senso de estética genial. Não havia textos escritos para ele satirizar, por isso fez o halo como um tipo de crítica à maneira como os artistas mortais tentavam capturar o brilho angelical. Divertido, não? Imagine carregar uma horrenda... bola de basquete na cabeça. Dois pontos e tudo o mais.

— Dee. — Ariane enfiou a mão dentro da mochila e pegou o livro de Daniel, depois passou os dedos pelas páginas até encontrar uma anotação na margem de uma delas a respeito do desideratum. — Viemos até Viena para encontrar isto — apontou ela —, o objeto desejado. Mas o tempo está acabando e não sabemos o que é ou onde encontrá-lo.

— Que esplêndido. Vocês vieram ao lugar certo.

— Eu sabia! — festejou Ariane. Ela se recostou na cadeira e deu um tapinha nas costas de Annabelle, que comia um bolinho educadamente. — Assim que eu a vi, sabia que ficaríamos bem. Você está com o desideratum, não é?

— Não, querida. — Dee balançou a cabeça.

— Então... o quê? — perguntou Daniel.

— Eu *sou* o desideratum. — Ela sorriu. — Estou esperando há um longo tempo para ser chamada ao serviço.

DEZ

SETA ESTELAR NA POEIRA

— *Você é* o desideratum? — O sanduíche de pepino de Luce escorregou de seus dedos e bateu na xícara de chá, deixando uma mancha de maionese na toalha de renda bordada.

Dee os fitou. Havia um brilho quase travesso em seus olhos dourados, que a fazia parecer mais uma adolescente do que uma mulher de muitas centenas de anos de idade. Enquanto prendia uma mecha brilhante de seus cabelos ruivos de volta ao coque e servia mais chá para todos, era difícil entender que aquela criatura elegante e vibrante era também, na realidade, um artefato.

— Foi por isso que recebeu o apelido de Dee, não foi? — perguntou Luce.

— Sim. — Dee parecia satisfeita. Deu uma piscadela para Roland.

— Então você sabe onde é o local da Queda?

A pergunta fez com que todos escutassem atentamente. Annabelle se endireitou na cadeira, esticando seu pescoço longo. Ariane fez o oposto: se afundou no assento, colocando os cotovelos na mesa e deixando o queixo pousado sobre as mãos cruzadas. Roland se inclinou para a frente e jogou os dreadlocks para trás de um dos ombros. Daniel apertou a mão de Luce. Seria Dee a resposta para todas as perguntas que tinham?

Ela balançou a cabeça.

— Eu posso ajudá-los a descobrir onde aconteceu a Queda. — Dee pousou a xícara no pires. — A resposta está dentro de mim, mas não consigo expressá-la de nenhum jeito que eu ou vocês consigam compreender. Não até que todas as peças estejam no lugar certo.

— O que você quer dizer com "no lugar certo"? — perguntou Luce. — Como saberemos quando isso acontecer?

Dee caminhou até a lareira e usou o atiçador para recolocar a tora caída de volta ao fogo.

— Vocês saberão. Todos saberemos.

— Mas você sabe ao menos onde está o terceiro artefato? — Roland passou um prato com rodelas de limão ao redor da mesa, colocando uma dentro de sua xícara de chá.

— Na verdade, sei.

— Nossos amigos — disse Roland —, Cam, Gabbe e Molly foram a Avalon para procurá-lo. Se você puder ajudá-los a localizar o...

— Sabem tão bem quanto eu que os anjos devem localizar os artefatos sozinhos, Sr. Espertinho.

— Achei que fosse dizer isto. — Ele se recostou novamente na cadeira, observando Dee. — Por favor, me chame de Roland.

— E eu achei que fosse perguntar, Roland. — Ela sorriu. — Fico feliz que tenha perguntado. Isso me faz sentir que vocês confiam em mim para ajudá-los a derrotar Lúcifer. — Inclinou a cabeça em direção a Luce. — A confiança é algo importante, não acha, Lucinda?

Luce olhou ao redor da mesa, para os anjos caídos que havia conhecido na Sword & Cross, eras antes.

— Eu acho.

Ela teve uma conversa bastante diferente com a Srta. Sophia certa vez, que havia descrito a confiança como uma negligência, "uma boa maneira de acabar morta". Era assustador como as duas eram parecidas fisicamente, embora as palavras produzidas por suas almas distintas diferissem completamente.

Dee estendeu a mão em direção ao halo no centro da mesa.

— Posso?

Daniel estendeu a peça, que Luce sabia por experiência própria ser bastante pesada. Nas mãos de Dee, parecia não pesar nada.

Seus braços delgados eram quase insuficientes para abraçar a circunferência dourada, mas Dee embalou o halo como uma criança. Seu reflexo brilhava fraco no vidro.

— Outra reunião — disse baixinho, para si. Quando Dee ergueu os olhos, Luce não conseguiu decifrar se ela parecia triste ou contente. — Será maravilhoso quando o terceiro artefato estiver em nossas mãos.

— Das nossas bocas para os ouvidos de Deus — proferiu Ariane, derramando em seu chá algo que estava dentro de um frasco prateado.

— Essa foi a jornada de meu bisavô! — falou Dee, com um sorriso.

Todos riram nervosamente.

— Falando do terceiro artefato... — Dee olhou para um fino relógio de ouro enterrado entre suas muitas pulseiras de pérolas. — Alguém disse a vocês que devemos partir logo?

Houve um clamor de xícaras sendo pousadas em seus pires, cadeiras sendo arrastadas e asas se abrindo ao redor da mesa. De repente, a enorme sala de jantar parecia menor e mais clara, e Luce sentiu o arrepio de sempre percorrer seu corpo quando viu as asas de Daniel abertas.

Dee percebeu o olhar de Luce.

— São lindas, não?

Em vez de enrubescer por ter sido pega admirando Daniel, Luce apenas sorriu, pois sabia que Dee estava do lado deles.

170

— Todas as vezes.

— Para onde, capitão? — perguntou Ariane para Daniel, enfiando alguns bolinhos nos bolsos do casaco.

— De volta ao monte Sinai, certo? — perguntou Luce. — Não foi lá que combinamos de encontrar Cam e os outros?

Daniel olhou em direção à porta, agitado. Franziu a testa.

— Na verdade, não queria mencionar isso antes de termos encontrado o segundo artefato...

— Vamos, Grigori — disse Roland. — Desembuche.

— Antes de deixarmos o depósito — continuou Daniel —, Phil me disse que recebeu uma mensagem de um dos Párias que ele enviou a Avalon. O grupo de Cam foi interceptado...

— Pelos anjos da Balança? — perguntou Dee. — Eles ainda alimentam fantasias sobre sua importância para o equilíbrio cósmico?

— Não temos como saber com certeza — disse Daniel —, embora pareça provável. Vamos em direção a Pont Saint Bénézet, em Avignon. — Ele olhou para Annabelle, cuja face foi tomada por uma coloração escarlate.

— O quê? — gritou ela. — Por que para lá?

— Minhas anotações no *Livro dos Guardiões* sugerem que este seja o local aproximado do terceiro artefato. Deve ter sido a primeira parada de Cam, Gabbe e Molly.

·Annabelle desviou o olhar e não disse mais nada. A atmosfera ficou séria enquanto todos permaneciam de pé na sala de jantar. Luce ficou tensa, preocupada com Cam e Molly, imaginando-os presos nas capas negras dos anjos da Balança, assim como tinham feito com Ariane e Annabelle.

As asas dos anjos roçavam as paredes estreitas de pedra enquanto caminhavam pelo corredor interminável. Quando chegaram à porta arqueada de madeira que dava para a rua, Dee suspendeu uma tampa de ferro que cobria o olho mágico e ficou observando o exterior.

— Humm... — disse ela, fechando o olho mágico.

— O que foi? — perguntou Luce, mas, antes que pudesse completar, Dee já havia aberto a porta e gesticulava para que todos deixassem a casinha marrom, cuja alma era bem mais rica que seu exterior sugeria.

Luce foi a primeira a sair, mas ficou parada na varanda — que era na verdade apenas um pequeno espaço, agora coberto pelo orvalho congelado — esperando pelos outros. Os anjos saíram pela porta um de cada vez: Daniel abrindo as asas brancas, Annabelle encolhendo rapidamente as grossas asas prateadas às laterais do corpo, Roland arqueando as asas douradas em frente ao corpo como um escudo invencível e Ariane saindo descuidadamente, xingando uma vela que havia queimado superficialmente a ponta da asa.

Depois de saírem, todos os anjos ficaram juntos no jardim e abriram suas asas, felizes por estarem novamente em contato com o ar fresco.

Luce percebeu a escuridão. Tinha certeza de que, quando haviam entrado na Fundação, faltava pouco para o sol nascer: os sinos da igreja haviam batido novamente, marcando quatro horas da manhã, e o céu estava adquirindo o dourado precioso do amanhecer.

Teriam eles estado lá dentro com Dee por apenas uma hora? Por que o céu estava agora com uma coloração azul escura, indicando ser tarde da noite?

As luzes estavam acesas nas casas de pedra branca. As pessoas se movimentavam por trás das janelas, fritando ovos, servindo xícaras de café. Homens carregando maletas e mulheres trajando terninhos elegantes saíam pelas portas da frente e, sem olhar para o grupo de anjos nenhuma vez, entravam em seus carros para ir para o trabalho — ou pelo menos era o que Luce presumia.

Ela se lembrou do que Daniel explicara, que as pessoas não podiam vê-los enquanto estivessem dentro da pátina. Não viam a casinha marrom. Luce observou uma mulher num roupão atoalhado preto e com um gorro de plástico na cabeça caminhando de maneira sonolenta em direção a eles, guiando seu cachorrinho peludo. A casa dela

172

fazia fronteira com o caminho de seixos que levava à porta da frente da Fundação. A mulher e seu cachorro passaram pelo caminho.

E desapareceram.

Luce respirou de forma ofegante, mas então Daniel apontou para trás dela, para o outro lado do jardim da Fundação. A cerca de 12 metros de distância, onde o caminho de seixos terminava e a calçada moderna continuava, a mulher e o cachorro reapareceram. O cãozinho latia histericamente, mas a mulher continuava caminhando como se nada tivesse perturbado sua rotina matinal.

Era estranho, percebeu Luce, que a missão dos anjos era manter a vida daquela mulher daquela exata maneira. Para que não acontecesse nada que apagasse seu mundo, para que ela jamais percebesse o perigo que havia corrido.

Mas, embora as pessoas na rua não tivessem percebido Luce e os anjos, elas certamente notaram o céu. A mulher com o cachorro olhava para ele incessantemente, preocupada, e a maioria das pessoas que deixava suas casas usava capas impermeáveis e carregava guarda-chuvas.

— Vai chover? — Luce já havia sobrevoado bolsões de chuva com Daniel, chuvas mornas que os refrescara e alegrara... Esse céu de agora, porém, era agourento, quase preto.

— Não — respondeu Dee. — Não vai chover. São os anjos da Balança.

— O quê? — Luce levantou a cabeça rapidamente. Observava o céu, aterrorizada, quando ele mudou e trovejou. Nuvens de chuva não se movimentavam daquela maneira.

— O céu está preto por causa das asas deles — estremeceu Ariane. — E de suas capas.

Não.

Luce observou o céu até as coisas começarem a fazer sentido. Com um sentimento tal como vertigem, percebeu uma massa ondulante de asas azul-acinzentadas. Elas sujavam o céu, grossas como uma camada de tinta, bloqueando o nascer do sol. O bater das asas curtas soava como uma nuvem de vespas. O coração se apertava enquanto tentava contá-los. Era impossível. Quantas centenas deles pairavam no ar?

— Estamos cercados — disse Daniel.

— Estão tão perto — murmurou Luce, hesitando enquanto o céu estremecia. — Podem nos ver?

— Não exatamente, mas sabem que estamos aqui — falou Dee, indiferente, enquanto um pequeno grupo de anjos da Balança sobrevoava mais baixo, o suficiente para que eles vissem os rostos sedentos de sangue. Olhos frios percorriam o espaço onde Luce e os outros estavam reunidos, mas no que dizia respeito à pátina, os anjos da Balança pareciam tão cegos quanto os Párias.

— Minha pátina nos envolve, da mesma forma que um abafador de chaleira a envolve, formando uma barreira protetora. Os anjos da Balança não podem vê-la, nem viajar por ela. — Dee sorriu para Luce. — A pátina só responde ao chamado de um tipo específico de alma, inocente em seu potencial.

As asas de Daniel pulsavam ao lado dela.

— Eles estão aumentando em quantidade a cada minuto que passa. Precisamos encontrar um jeito de sair daqui, e rápido.

— Não pretendo ser apanhada por uma daquelas burcas asfixiantes — falou Dee. — Ninguém me captura em minha casa!

— Gosto da maneira como ela fala — disse Annabelle para Luce, baixinho.

— Sigam-me! — gritou Dee, correndo através de uma ruela. Eles a seguiram através de uma inesperada plantação de abóboras, ao redor de um gazebo em ruínas e em direção a um grande quintal verde.

Roland olhou para o céu, que estava mais escuro agora, mais densamente povoado por asas.

— Qual é o plano?

— Bem, para começar... — Dee caminhou até chegar à sombra de um carvalho no centro do jardim. — A biblioteca precisa ser destruída.

Luce soltou um murmúrio de espanto.

— Por quê?

174

— Mecânica simples. Esta pátina sempre envolveu a biblioteca, por isto deve continuar com ela. Para conseguirmos passar pelos anjos da Balança, precisaremos abrir a pátina, expondo assim a Fundação, e não pretendo deixá-la para que as asas deles a revirem indiscriminadamente. — A mão dela acariciou o rosto aflito de Luce. — Não se preocupe, querida, eu já doei os volumes que eram valiosos... a maioria ao Vaticano, embora alguns tenham ido para Huntington e para uma pequena cidadezinha no Arkansas. Ninguém sentirá falta deste lugar. Sou a última bibliotecária daqui e, para falar a verdade, não planejo retornar após o término desta missão.

— Ainda não entendo como passaremos por eles. — O olhar de Daniel estava fixo no céu azul-escuro.

— Terei de construir uma segunda pátina, que envolva apenas nossos corpos, garantindo-nos uma passagem segura. Então abrirei esta, e deixarei que os anjos da Balança entrem.

— Acho que estou começando a entender seu plano — disse Ariane, escalando um carvalho como um macaco e se aninhando nos galhos.

— A Fundação será sacrificada — Dee fez uma careta —, mas pelo menos os anjos da Balança serão bom combustível.

— Espere um momento, como pretende sacrificar a biblioteca? — Roland cruzou os braços e olhou para Dee.

— Esperava que pudesse me ajudar com isso, Roland — falou Dee, piscando os olhos. — Você é particularmente bom em incendiar coisas, não?

Roland ergueu as sobrancelhas, mas Dee já tinha se virado. De frente para o tronco da árvore, procurou por um nó na casca, puxou-o como uma maçaneta secreta e abriu o tronco, revelando uma câmara. Dentro dela, a madeira estava trabalhada e o espaço tinha mais ou menos o tamanho de um pequeno armário. Dee enfiou os braços dentro dele e retirou uma longa chave dourada.

— É assim que você abre a pátina? — perguntou Luce, surpresa que a tarefa requeresse uma chave tão comum.

175

— Bem, é assim que eu a destrancarei para que possa ser manipulada de acordo com nossas necessidades.

— Quando você a abrir, se houver um incêndio — disse Luce, lembrando-se da maneira como a mulher e seu cachorro deixaram de existir por um instante enquanto cruzaram o jardim em frente à Fundação —, o que vai acontecer às casas, às pessoas na rua?

— O engraçado da pátina — falou Dee, ajoelhando-se e procurando por algo no jardim — é a forma como se situa na fronteira entre o presente e o passado da realidade. Podemos estar aqui e não estar aqui, estar no presente e também em algum outro lugar. É um lugar onde tudo o que imaginamos sobre tempo e espaço se concretiza materialmente. — Ela levantou o fronde de uma samambaia gigantesca, então cavou a terra com as mãos. — Nenhum dos mortais fora dela será afetado, mas, se os anjos da Balança forem tão vorazes quanto sabemos que são, assim que eu abrir a pátina, irão mergulhar em cima da gente. Durante um momento tenso, se juntarão a nós em algum lugar da realidade em que a Biblioteca da Fundação pertenceu a esta rua.

— E nós voaremos para fora dela, envolvidos pela segunda pátina — concluiu Daniel.

— Exatamente — falou Dee. — Então teremos apenas de fechar a primeira pátina ao redor deles. Assim como agora não podem entrar, não poderão sair quando a fecharmos. E, enquanto voamos em segurança para a adorável Avignon, a biblioteca será destruída pelas chamas, com os anjos da Balança presos em seu interior.

— Isso é genial! — exclamou Daniel. — Os anjos da Balança ainda estarão vivos tecnicamente, assim nossa manobra não irá afetar o equilíbrio, mas eles serão...

— Marcas de um incêndio do passado, estarão selados, fora do nosso caminho. Isto mesmo. Todos a bordo? — O rosto de Dee se iluminou. — Ah, *aqui* está!

Enquanto Luce e os anjos se reuniam ao redor de Dee, ela limpava a terra em volta de uma fechadura que estava enterrada no jardim.

176

Ela fechou os olhos, segurou a chave próxima ao coração e sussurrou uma oração:

— Luz nos cerque, amor nos envolva, nos proteja, pátina, do mal que virá.

Ela colocou a chave na fechadura com cuidado. O pulso tremeu por causa da força necessária para girá-la, mas finalmente conseguiu virar num ângulo de 25 graus à direita. Dee suspirou profundamente e se levantou, limpando as mãos na saia.

— Lá vamos nós.

Ergueu os braços acima da cabeça e então, lenta mas decididamente, trouxe-os para perto de seu coração. Luce esperou que a terra se movesse, que alguma coisa acontecesse, mas por um momento nada pareceu ter mudado.

Então, quando o espaço ao redor deles ficou completamente em silêncio, Luce ouviu um roçar quase inaudível, como o esfregar de palmas da mão. O ar pareceu se distorcer levemente, fazendo com que tudo — a casa marrom, a fileira de casas de pedra branca que a cercavam, e até mesmo as asas azuis dos anjos da balança — oscilasse. As cores se misturaram. Foi como estar dentro de uma neblina.

Tal como antes, Luce podia ao mesmo tempo ver e não ver a pátina. Suas fronteiras amorfas ficaram visíveis por um momento — como a transparência iridescente de uma bolha de sabão —, depois desapareceram. Mas ela conseguia *senti-las* amoldando-se ao redor do pequeno espaço no jardim onde ela e os outros estavam, emanando calor e o sentimento de estar sendo envolvida por algo poderoso, totalmente protetor.

Todos permaneceram calados, maravilhados pelo encantamento de Dee.

Luce estudou a velha mulher, que murmurava tão alto que seu corpo parecia zunir. Luce se surpreendeu quando sentiu que a segunda pátina estava pronta. Algo que antes parecia não estar completo, agora estava. Dee assentiu com as mãos sobre o coração, como se estivesse rezando.

— Estamos na pátina dentro da pátina. Estamos no coração da segurança e a salvo. Quando eu abrir a primeira pátina para os anjos da Balança, acreditem nessa segurança e mantenham-se calmos. Nenhum mal pode alcançá-los.

Ela sussurrou as palavras novamente — *Luz nos cerque, amor nos envolva; nos proteja, pátina, do mal que virá —*, e Luce se surpreendeu ao acompanhá-la. A voz de Daniel se fez ouvir também.

Então houve um buraco, como uma corrente de ar frio que entra num quarto aquecido. Eles se aproximaram mais uns dos outros, as asas se tocando, com Luce no centro. Observaram o céu se transformando.

Um grito selvagem veio de cima deles e outros milhares se juntaram ao primeiro. Agora os anjos da Balança conseguiam ver a casinha marrom.

Entraram pelo buraco como um enxame de abelhas.

A fenda era invisível para Luce, mas deve ter sido aberta diretamente sobre a chaminé da casinha marrom. Foi para lá que os anjos da Balança se dirigiram, como formigas aladas atacando uma gota de geleia caída no chão. Eles pousaram no telhado, no jardim, no beiral do telhado. As capas ondulavam com o impacto de seus pousos abruptos. Seus olhos percorriam a propriedade — ao mesmo tempo sentindo e não sentindo Luce, Dee e os anjos.

Luce prendeu a respiração, não emitiu um som sequer.

Os anjos da Balança continuaram vindo. Logo o quintal ficou repleto de asas azuis. Eles ficaram ao redor da segunda pátina de Dee, lançando olhares famintos como os de lobos diretamente para o local em que as presas que buscavam estavam escondidas.

— Onde estão? — rosnou um deles. Sua capa enroscada em um mar de asas azuis enquanto abria caminho através da multidão formada pelo seu clã. — Estão aqui em algum lugar.

— Preparem-se para voar depressa e sem interrupções para Avignon — sussurrou Dee, permanecendo imóvel enquanto um anjo da Balança que trazia uma marca de nascença no rosto se inclinava perto dos limites da pátina deles e cheirava o ar como um porco à procura de lavagem.

As asas de Ariane tremiam. Luce sabia que ela estava pensando no que os anjos da Balança haviam feito com ela. Luce estendeu a mão para segurar a da amiga.

— Roland, que tal aquela enorme conflagração? — disse Daniel, entredentes.

— Pode deixar comigo. — Roland entrelaçou os dedos e franziu o cenho, então lançou um olhar bastante sério para a casa marrom.

Houve uma grande explosão, como uma bomba sendo detonada, e a Biblioteca da Fundação explodiu. Os anjos da Balança foram lançados aos ares, seus mantos envolvidos em chamas.

Roland acenou, e o buraco onde a biblioteca ficava transformou-se em um vulcão expelindo chamas e em um rio de lava correu pelo jardim. O carvalho pegou fogo. As chamas se espalharam pelos galhos como se fossem palitos de fósforo. Luce estava suando e tonta pelo calor que entrava na pátina, mas embora os anjos da Balança tivessem sido arremessados pelas sucessivas explosões, o grupo dentro da pátina de Dee permanecia a salvo.

Dee gritou:

— Vamos voar!

Ao mesmo tempo, um tornado de ar quente cheio de chamas espiralou-se pelo jardim, engolindo centenas de anjos da Balança e sugando-os para o seu interior em chamas, girando-os pelo jardim.

— Está pronta, Luce? — Os braços de Daniel envolveram-na da mesma forma que os de Roland envolveram Dee. A fumaça ricocheteava nas paredes externas da pátina, mas Luce estava respirando com dificuldade por causa do pescoço machucado.

Então Daniel a ergueu do chão. Levantaram voo. Pelo canto dos olhos, Luce viu as asas marmorizadas de Roland voando à direita, Annabelle e Ariane à esquerda. As asas de todos os anjos batiam com tanta força e tão rapidamente que formaram um clarão, saindo do fogo e adentrando o céu azul.

Mas a pátina ainda estava aberta. Os anjos da Balança que ainda podiam voar de alguma forma sentiram que estavam sendo enganados, caindo numa armadilha. Tentaram voar para fora das labaredas, mas Roland produziu outra onda de fogo e a lançou em cima deles, puxando-os de volta para a terra em chamas, queimando suas peles enrugadas até se transformarem apenas em esqueletos com asas.

— Só mais um instante... — Os dedos e o olhar fixo de Dee manipularam as fronteiras da pátina. Luce observou a velha senhora e depois o monte de anjos da Balança ardendo. Imaginou a pátina se fechando em cima deles, como o manto fizera em seu pescoço, prendendo os anjos da Balança dentro dela, sufocando-os.

— Pronto! — gritou Dee, enquanto Roland a levava mais para o alto através do céu.

Luce olhou para baixo, além dos pés dela e dos de Daniel, enquanto o chão ia ficando cada vez mais distante. Viu o incêndio horrível cintilar, em seguida tremeluzir e depois desaparecer por completo, engolido por uma fumaça escondida em algum outro lugar. A rua que deixaram para trás estava branca, era moderna e cheia de pessoas que nunca sentiram nada daquilo acontecer.

❧❦

O chão estava a milhas de distância quando Luce parou de visualizar as asas dos anjos da Balança consumidas nas chamas vermelhas. Não adiantava nada olhar para trás. Podia apenas olhar para a frente, em direção à próxima relíquia, em direção a Cam, Gabbe e Molly, em direção a Avignon.

Através das falhas nas finas camadas de nuvens, ela via o terreno se tornar pedregoso, cinza escuro, montanhoso. O ar invernal ficava mais frio e mais cortante, enquanto o bater incessante das asas dos anjos cortava o silêncio nos limites da atmosfera.

Cerca de uma hora após terem dado início ao voo, as asas de Roland tornaram-se visíveis a poucos metros abaixo de Luce e Daniel.

Ele levava Dee do mesmo jeito que Daniel carregava Luce: os ombros alinhados aos dela, um braço ao redor de seu peito, o outro ao redor da cintura. Assim como Luce, Dee cruzou as pernas na altura dos tornozelos, e seus finíssimos saltos altos bamboleavam precariamente a muitos metros do chão. Os músculos escuros de Roland envolvendo o corpo frágil e envelhecido de Dee faziam com que o par parecesse quase cômico enquanto entrava e saía de foco, voando através das nuvens. Mas o brilho satisfeito nos olhos de Dee fazia com que parecesse bem mais jovem do que era. Mechas dos cabelos ruivos caíam-lhe pelo pescoço, e seu perfume — rosas e chantilly — adoçava o ar por onde voavam.

— Bem, acho que a barra já está limpa — declarou Dee.

Luce sentiu o ar ao redor ondular. Seu corpo ficou tenso, preparando-se para outro tempomoto, mas dessa vez não era a transgressão de Lúcifer que causava a ondulação. Era Dee, retirando a segunda pátina. Uma fronteira nebulosa se aproximou da pele de Luce, depois passou através dela, fazendo-a estremecer com um prazer desconhecido. Então se encolheu até virar uma pequena esfera de luz ao redor de Dee, que fechou os olhos. Um segundo mais tarde, sua pele absorveu a pátina. Era quase invisível — e uma das coisas mais belas que Luce já havia visto.

Dee sorriu e acenou para que Luce se aproximasse dela. Os dois anjos que as carregavam se alinharam para que as damas pudessem conversar.

Dee colocou as mãos em formato de concha ao redor da boca e falou:

— Então, querida, conte. Como vocês dois se conheceram?

Luce sentiu o ombro de Daniel estremecer atrás dela, num riso. Era uma pergunta normal a ser feita a duas pessoas que estavam num relacionamento feliz; mas por que fazia com que Luce se sentisse tão infeliz?

Porque a resposta não precisava ser tão complicada.

Porque ela nem ao menos sabia a resposta.

Levou a mão ao colar no pescoço. Ele oscilava, batendo contra a pele enquanto as asas de Daniel sacudiam com força.

— Bem, estudamos na mesma escola e...

— Oh, Lucinda! — Dee estava rindo. — Eu estava brincando. Só queria saber se já havia descoberto a história da vez em que vocês se conheceram *inicialmente*.

— Não, Dee — respondeu Daniel com firmeza. — Ela ainda não sabe disso...

— Eu já perguntei, mas ele não quer me contar. — Luce observou a altura vertiginosa abaixo dela, sentindo-se tão distante da verdade sobre aquela primeira vez em que se conheceram quanto das cidades que sobrevoavam agora. — Fico louca por não saber.

— Tudo a seu tempo, querida — disse Dee calmamente, olhando para o horizonte adiante. — Presumo que ao menos tenha recordado *algumas* de suas lembranças mais antigas, não?

Luce assentiu.

— Brilhante! Bem, me contentarei em ouvir a história do romance mais antigo do qual você se lembrar. Vamos, querida. Faça uma velha senhora feliz. Isso vai nos ajudar a passar o tempo até chegarmos a Avignon, como peregrinos indo à Catedral de Canterbury.

Uma lembrança apareceu na mente de Luce: a tumba fria e úmida onde ela havia sido trancada com Daniel no Egito, a maneira como os lábios dele pressionaram os dela, seus corpos juntos, como se fossem as últimas pessoas na face da Terra...

Mas eles não estiveram sozinhos. Bill esteve lá também. Esteve lá observando, esperando, querendo que a alma dela morresse dentro de uma tumba egípcia.

Luce abriu os olhos, retornando ao presente, onde os olhos vermelhos dele não a podiam alcançar.

— Estou cansada — disse ela.

— Descanse — falou Daniel.

— Não. Estou cansada de ser punida simplesmente por amar você, Daniel. E não quero ter nada a ver com Lúcifer, com os anjos da Balança, com os Párias e com quaisquer que sejam os outros grupos que existem. Não sou uma peça num jogo de xadrez. Sou uma pessoa. E para mim, chega!

Daniel entrelaçou as mãos às de Luce e apertou.

Dee e Roland olharam para ela como se quisessem lhe oferecer a mão também.

— Você mudou, querida — comentou Dee.

— Desde quando?

— Desde antes. Nunca a ouvi falando assim. Você já, Daniel?

Ele ficou em silêncio por alguns instantes. Finalmente, sobre o som do vento uivante e o bater das asas dos anjos, ele disse:

— Não. Mas fico feliz por ela falar assim agora.

— E por que não? É uma tragédia transdimensional a que vocês vêm enfrentando. Mas essa é uma garota tenaz, de fibra, uma garota que certa vez me disse que jamais cortaria os cabelos, foram essas suas palavras, querida, mesmo tendo sofrido com fios em aranhados e com nós, porque esses cabelos faziam parte dela, estavam indelevelmente atados à sua alma.

Luce piscou para a mulher.

— Do que você está falando?

Dee inclinou a cabeça em direção a Luce e apertou os lábios fartos.

Luce olhou para ela, para os olhos dourados e os finos cabelos ruivos, para a maneira como ela cantarolava delicadamente enquanto voavam. E então se lembrou.

— Eu me lembro de você!

— Ótimo — falou Dee. — Eu me lembro de você também!

— Eu não morava numa cabana numa planície?

Dee assentiu.

— E nós *de fato* falamos sobre os meus cabelos! Eu havia... topado com um caminho cheio de espinhos, caçando alguma coisa... era uma raposa?

— Você era uma garota levada. Na verdade, mais corajosa que alguns dos homens das pradarias.

— E você — disse Luce. — Você passou horas tirando os espinhos dos meus cabelos.

— Eu era sua tia favorita, figurativamente falando. Você costumava dizer que o diabo a havia amaldiçoado com cabelos tão cheios. Bastante dramática, mas tinha apenas 16 anos... e não estava muito distante da verdade, da maneira como apenas as garotas de 16 anos conseguem.

— Você falou que uma maldição só seria uma maldição se eu me permitisse ser amaldiçoada por ela. Disse... que eu tinha o poder de me libertar de qualquer maldição... que as maldições eram prelúdios de bênçãos...

Dee deu uma piscadela para ela.

— E aí você me pediu para cortá-los. Meus cabelos.

— Isso mesmo. Mas você não fez isso.

— Não. — Luce fechou os olhos enquanto uma névoa passava por ela, fazendo a condensação molhar sua pele. De repente, se sentiu inexplicavelmente triste. — Eu não cortei. Não estava preparada para aquilo.

— Bem — falou Dee. — Gosto muito da maneira como você arrumou seus cabelos desde que tomou juízo!

— Vejam. — Daniel apontou em direção ao local onde a nuvem caía como um penhasco. — Chegamos.

Desceram em Avignon. O céu estava limpo, sem nuvens para interromper a visão. O sol lançava as sombras das asas dos anjos sobre a pequena vila medieval de casas de pedra circundada por pastagens verdes de terras cultivadas. Cabeças de gado se amontoavam. Um trator arava a terra.

Eles se inclinaram à esquerda e sobrevoaram um estábulo, sentindo o cheiro desagradável de feno e estrume. Passaram rente a uma catedral feita da mesma pedra amarelo-tostada da maioria das construções da cidade. Turistas tomavam bebidas quentes num alegre café. A cidade tinha um brilho dourado sob o brilhante sol do meio-dia.

A surpresa pela rápida chegada se misturou ao sentimento de Luce de tempo se esgotando. Eles estavam procurando as relíquias há qua-

184

tro dias e meio. Metade do tempo já se passara antes de a Queda de Lúcifer se abater sobre eles.

— É para lá que nós vamos! — Daniel apontou para uma ponte nos arredores de Avignon, que não chegava a cobrir todo o rio que cortava a cidade. Era como se metade dela tivesse caído na água. — A ponte Saint Bénézet.

— O que aconteceu com ela? — perguntou Luce.

Daniel olhou por cima dos ombros.

— Lembra-se de como Annabelle ficou quieta quando mencionei nossa vinda para cá? Ela inspirou o garoto que construiu essa ponte na Idade Média, na época em que os papas viviam aqui e não em Roma. Ele notou Annabelle voando sobre o Ródano certo dia, quando ela pensou que ninguém podia vê-la. Ele construiu a ponte para segui-la até o outro lado.

— Quando a ponte caiu?

— Devagar, com o passar do tempo, um arco caiu no rio. Depois outro. Ariane diz que o rapaz, seu nome era Bénézet, tinha boa visão angelical, mas não arquitetônica. Annabelle o amava. Ficou em Avignon como sua musa até a morte dele. Bénézet jamais se casou, vivia afastado do restante da sociedade. Todos na cidade achavam que era louco.

Luce tentou não comparar seu relacionamento com Daniel com o que Annabelle havia tido com Bénézet, mas era difícil não o fazer. Que tipo de relacionamento um anjo e uma mortal poderiam ter *de fato*? Quando tudo isso acabasse, se eles derrotassem Lúcifer... O que aconteceria? Ela e Daniel voltariam para a Geórgia e seriam como qualquer outro casal, saindo para tomar sorvete às sextas-feiras depois do cinema? Ou a cidade inteira iria pensar que ela era maluca, como Bénézet?

Seria tudo impossível? O que aconteceria com eles no final? O amor deles iria desaparecer como os arcos de uma ponte medieval?

A ideia de dividir uma vida normal com um anjo era loucura. Sentia isso cada vez que Daniel a levava *voando* pelo céu. E, mesmo assim, o amava mais a cada dia.

185

Pousaram no banco do rio sob a sombra de um salgueiro-chorão, fazendo com que um bando de patos se agitasse na água. Em plena luz do dia, os anjos recolheram suas asas. Luce ficou de pé atrás de Daniel para observar o processo intrincado enquanto ele as recolhia sob a pele. Primeiro se dobravam no centro, fazendo uma série de estalos suaves enquanto camadas de músculos envolviam as penas celestes. Por último vinham as pontas das asas, finas, quase translúcidas, que brilhavam ao desaparecer dentro do corpo dele, sem deixar vestígios em sua camiseta especial.

Eles caminharam em direção à ponte, como se fossem turistas interessados em arquitetura. Annabelle caminhava mais ereta que o normal, e Luce viu Ariane segurar a mão dela. O sol estava claro e o ar tinha o perfume de lavanda e água de rio. A ponte era feita de enormes blocos de pedra branca, sustentadas por grandes arcos. Havia uma pequena capela de pedra com uma única torre em um dos lados próximo à entrada. Numa placa, lia-se Capela de São Nicolau. Luce se perguntou onde estariam os turistas de verdade.

A igrejinha estava coberta por uma fina camada de poeira prateada.

Caminharam pela ponte em silêncio, mas Luce percebeu que Annabelle não era a única que estava incomodada. Daniel e Roland tremiam, mantendo-se afastados da entrada da capela, e Luce se lembrou de que eles não podiam entrar num santuário de Deus.

Dee passou os dedos sobre o corrimão de ferro com um suspiro pesado.

— Chegamos tarde demais.

— Isso não é... — Luce tocou a poeira. Era fina e leve, com um ligeiro brilho prateado, como o pó que havia coberto o quintal da casa de seus pais. — Você quer dizer...

— Que anjos morreram aqui. — A voz de Roland era uniforme enquanto ele fitava o rio.

— M-m-mas... — gaguejou Luce. — Nem sabemos se Gabbe, Cam e Molly conseguiram chegar até aqui.

— Este lugar era lindo — disse Annabelle. — Agora, o arruinaram para sempre. *Je m'excuse, Bénézet.*

Foi então que Ariane ergueu uma pena prateada, tremendo.

— O sinal de Gabbe. Intacto. Então deve ter sido arrancado pelas mãos dele, talvez para entregá-lo a um Pária que não conseguiu chegar antes de... — Ela desviou o olhar, segurando a pena perto do peito.

— Mas achei que os anjos da Balança não matavam anjos — disse Luce.

— E não matam. — Daniel se inclinou e afastou a poeira que cobria seus pés como neve.

Havia algo enterrado debaixo dela.

Seus dedos encontraram uma seta estelar prateada. Ele a limpou na camiseta. Luce tremia cada vez que o via se aproximar da ponta mortal. Finalmente, estendeu-a para que os outros a examinassem. Estava adornada com uma letra. Z.

— Os Anciãos — sussurrou Ariane.

— *Eles* se alegram em matar anjos — disse Daniel baixinho. — Na verdade, não há nada que gostem mais de fazer.

Houve um estrondo intenso.

Luce se virou, esperando... não sabia o quê. Anjos da Balança? Anciãos?

Dee balançou o punho, massageando os nós vermelhos dos dedos com a outra mão. Então Luce viu: a porta de madeira da capela tinha sido quebrada no centro. Dee devia tê-la esmurrado. Ninguém mais achou impressionante que uma mulher tão pequena pudesse causar tanto estrago.

— Você está bem, Dee? — chamou Ariane.

— Nada disso é da conta de Sophia! — A voz dela estava cheia de ódio. — O que Lúcifer está fazendo ultrapassa o limite dos assuntos que dizem respeito aos Anciãos. Porém, ela pode arruinar as coisas para vocês, anjos. Ah, eu seria capaz de matá-la.

— Promete? — perguntou Roland.

Daniel colocou a seta estelar na mochila e fechou-a.

— Seja lá como essa batalha terminou, deve ter se iniciado por causa da terceira relíquia. Alguém a encontrou.

— Uma guerra por recursos — falou Dee.

Luce estremeceu.

— E alguém morreu por causa dela.

— Não sabemos o que aconteceu, Luce — disse Daniel. — E só saberemos quando estivermos diante dos Anciãos. Precisamos encontrá-los.

— Como? — perguntou Roland.

— Talvez tenham ido ao Sinai para nos executar — sugeriu Annabelle.

Daniel balançou a cabeça e caminhou de um lado para o outro.

— Eles não sabem que devem ir ao Sinai... a menos que tenham arrancado essa informação torturando algum dos nossos anjos.

Parou e desviou o olhar.

— Não — falou Dee, olhando ao redor do círculo formado por eles na ponte. — Os Anciãos têm seus próprios objetivos. São gananciosos. Querem ter uma importância maior em tudo isso. Querem ser lembrados, como seus antepassados. Se morrerem, querem morrer como mártires. — Fez uma pausa. — E qual o melhor local para encenar o próprio martírio?

Os anjos se remexiam, pensando. As asas de Daniel se movimentavam enquanto observava o céu cor-de-rosa. Annabelle corria as unhas longas pelos cabelos. Ariane cruzava os braços ao redor do próprio corpo e fitava o chão com dureza, diante da falta de palavras sarcásticas. Luce parecia ser a única que não sabia do que Dee estava falando. Finalmente, a voz de Roland ecoou terrivelmente na ponte em ruínas:

— O Gólgota. O lugar do Calvário.

ONZE

VIA DOLOROSA

Enquanto os anjos planavam acima do que parecia ser a costa sul da França, Luce fitava o mar negro ondulando abaixo deles, banhando a praia distante. Fez algumas contas de cabeça: à meia-noite seria terça-feira, 1º de dezembro. Cinco dias teriam se passado desde que ela retornara dos Anunciadores, o que significava que mais da metade do período de nove dias da Queda dos anjos sobre a Terra já havia se esgotado. Lúcifer e todos os antigos "eus" dos anjos estavam a menos da metade do caminho até o término da Queda.

Possuíam duas das três relíquias, porém não sabiam o que era a terceira, tampouco como ler todas juntas uma vez que estivessem de posse delas. E o pior de tudo, durante o processo de localização das relíquias, haviam ganhado mais inimigos. E parecia que tinham perdido seus amigos.

A poeira da ponte Saint Bénézet se entranhara sob as unhas de Luce. E se fosse Cam? Em poucos dias havia passado de cautelosa com seu envolvimento na missão a desesperada diante da ideia de perdê-lo. Cam era impetuoso, sombrio, imprevisível e intimidante, e não o cara predestinado para Luce — mas isso não significava que ela não se importasse com ele, que de certa forma não gostasse dele.

E Gabbe... A beldade sulina que sempre sabia a coisa certa a dizer ou fazer. Desde o momento em que Luce conheceu Gabbe na Sword & Cross, o anjo não fizera nada além de cuidar dela. Agora era Luce quem queria cuidar de Gabbe.

Molly Zane também havia ido a Avignon com Cam e Gabbe. Luce primeiro temera e depois detestara Molly, até uma certa manhã em que entrou pela janela do quarto na casa dos pais e descobriu a garota deitada na sua cama, se fazendo passar por ela. Foi um favor e tanto. Até mesmo Callie gostou da companhia de Molly. Será que os demônios tinham mudado? Será que Luce mudara?

As batidas ritmadas das asas de Daniel, voando pelo céu estrelado, fizeram com que Luce entrasse num estado de relaxamento profundo, mas não queria adormecer. Queria se concentrar no que poderia recebê-los quando chegassem ao Gólgota, preparar-se para o que estava por vir.

— Em quê você está pensando? — perguntou Daniel.

A voz era baixa e familiar acima do vento frenético pelo qual voavam. Annabelle e Ariane flanavam adiante e um pouco mais abaixo deles. As asas, em tom prata escuro e iridescente, abriam-se sobre a verde bota da Itália.

Luce tocou o medalhão de prata que trazia no pescoço.

— Estou com medo.

Daniel a abraçou com força.

— Você é tão corajosa, Luce.

— Eu me sinto mais forte do que nunca e me orgulho de todas as lembranças que consigo acessar sozinha, especialmente quando podem ajudar a impedir Lúcifer — fez uma pausa, fitando suas unhas sujas. — Mas, ainda assim, tenho medo do que estamos indo encontrar agora.

— Não vou deixar Sophia se aproximar de você.

— Não tenho medo do que ela pode vir a fazer comigo, Daniel, e sim do que talvez já tenha feito com pessoas com quem me importo. Aquela ponte, toda aquela poeira...

— Espero tanto quanto você que Cam, Gabbe e Molly estejam bem. — As asas do anjo bateram com força, e Luce sentiu o próprio corpo se erguer acima de uma pesada nuvem de chuva. — Mas anjos podem morrer, Lucinda.

— Eu sei disso, Daniel.

— É claro que sabe. E entende o quanto isso tudo é perigoso. Todos os anjos que se juntaram a nós para deter Lúcifer sabem disso também. Ao se juntar a nós, reconheceram que nossa missão é mais importante que a alma isolada de um anjo.

Luce fechou os olhos. *A alma isolada de um anjo.*

Lá estava novamente. A ideia sobre a qual ouvira Ariane falar pela primeira vez em Las Vegas. Um anjo poderoso capaz de virar o jogo. Uma escolha para determinar o desenlace da luta que já durava milênios.

Quando abriu os olhos, a lua estava banhada em uma luz clara, suave, e erguia-se sobre a paisagem escura abaixo deles.

— As forças do Céu e do Inferno — começou ela. — Estarão elas realmente em equilíbrio entre si neste momento?

Daniel ficou calado. Ela sentiu o peito dele se encher de ar, depois murchar novamente. Suas asas batiam um pouco mais depressa agora, mas ele não respondeu.

— Sabe? — pressionou Luce. — Se existe, tipo, o mesmo número de anjos e demônios em cada um dos lados?

O vento a açoitava.

Finalmente, Daniel falou:

— Sim, mas não é assim tão simples. Não se resume a ter uma centena aqui contra uma centena do outro lado. Integrantes diferentes possuem mais importância que outros. Os Párias não têm peso algum. Você ouviu Phil lamentando esse fato. Os anjos da Balança são quase desprezíveis, embora não dê para saber disso pela forma como falam sobre a própria importância — fez uma pausa. — Mas um dos Arcanjos...? Eles valem por pelo menos mil anjos.

— Ainda é verdade que existe um anjo importante que precisa escolher seu lado?

Outra pausa.

— Sim, isso ainda é verdade.

Ela já havia implorado que ele tomasse partido, certa vez, no topo da Shoreline. Estavam no meio de uma discussão e não tinha sido o momento correto. Porém, agora o laço entre eles estava mais forte. É claro que se ele soubesse o quanto ela o apoiava, que sempre estaria ao seu lado e que o amaria independentemente de qualquer coisa, isso poderia ajudá-lo a finalmente se decidir.

— E se você simplesmente fosse em frente e... escolhesse?

— Não...

— Mas Daniel, você poderia pôr um fim nisto tudo! Poderia fazer o equilíbrio pender, e ninguém mais teria de morrer, e...

— Quero dizer, não, não é assim tão fácil. — Ela o ouviu suspirar e sabia, mesmo sem olhar, a cor dos olhos dele neste momento: um violeta lupino, escuro e selvagem. — Não é mais assim tão fácil — repetiu ele.

— Por que não?

— Porque este presente já não importa mais. Estamos num espaço de tempo que pode deixar de existir. Portanto, escolher agora não significaria nada, não até que esse problema dos nove dias esteja resolvido. Ainda precisamos detê-lo. Ou Lúcifer vai vencer e apagar o passado de cinco ou seis milênios e todos começaremos de novo...

— Ou nós venceremos — disse Luce automaticamente.

— Se isso acontecer — ponderou Daniel —, poderemos reavaliar novamente como as categorias estão alinhadas.

A seis metros abaixo deles, Ariane voava devagar, em transe, dando piruetas como se para passar o tempo. Annabelle voou para dentro de uma das nuvens de chuva normalmente evitadas pelos anjos. Ela saiu do outro lado com as asas encharcadas e os cabelos cor-de-rosa colados em um dos lados do rosto, mas pareceu nem perceber. Roland estava em algum lugar entre elas, provavelmente absorto nos próprios pensamentos enquanto carregava Dee. Todos pareciam preocupados, distraídos.

— Mas *quando* nós vencermos, você não poderia...

— Escolher o Céu? — perguntou Daniel. — Não. Fiz minha escolha há muito tempo, quase nos primórdios.

— Mas pensei...

— Eu escolhi você, Lucinda.

Luce roçou a mão sobre a de Daniel enquanto o oceano escuro abaixo deles dava lugar a um deserto. A paisagem estava longe, mas fazia com que ela se lembrasse do terreno ao redor do Sinai: despenhadeiros rochosos interrompidos pelo verde de uma ou outra árvore. Não entendia por que Daniel teve de escolher entre o Céu e o amor.

Tudo o que Luce sempre quis foi o amor dele... mas a que preço? Será que o amor dos dois valia o fim do mundo e de todas as suas histórias? Teria Daniel sido capaz de prevenir tal ameaça se tivesse escolhido o Céu tempos atrás?

E teria ele voltado para lá, onde era seu lugar, caso o amor por Luce não o tivesse desencaminhado?

Como se estivesse lendo a mente dela, Daniel disse:

— Colocamos nossa fé no amor.

Roland os alcançou. Suas asas se angularam e ele virou o corpo para ficar de frente para Daniel e Luce. Em seus braços, os cabelos ruivos de Dee voavam e as bochechas dela brilhavam. Ela fez um gesto para que os dois se aproximassem. As asas de Daniel batiam com força e graça, e passaram rapidamente por uma nuvem para ficar ao lado de Roland e Dee. Roland assoviou e Ariane e Annabelle também se juntaram a eles, formando um círculo iridescente no céu escuro.

— São quase quatro horas da manhã em Jerusalém — falou Dee. — Isso quer dizer que podemos esperar que a maioria dos mortais esteja dormindo ou pelo menos fora do nosso caminho por talvez mais uma hora. Se Sophia estiver com os seus amigos, provavelmente está planejando... Bem, devemos nos apressar, queridos.

— Você sabe onde eles estarão? — perguntou Daniel.

Dee pensou por alguns instantes.

— Antes de eu abandonar os Anciãos, o plano era reunir-se novamente na Igreja do Santo Sepulcro, que foi construída na encosta do Gólgota, na parte cristã do centro velho.

O grupo flutuou em direção à Terra Santa. Formavam uma coluna de asas brilhantes. O céu limpo estava azul-escuro, salpicado por estrelas, e as pedras brancas dos prédios léguas abaixo brilhavam em um azul lúgubre. Embora a terra parecesse naturalmente seca, poeirenta, o solo estava repleto de palmeiras grossas e oliveiras.

Sobrevoaram um dos maiores cemitérios que Luce já vira, construído sobre um declive gradual em frente ao centro velho de Jerusalém.

A cidade em si estava escura e adormecida, banhada pelo luar e cercada por um alto muro de pedra. A enorme mesquita Abóbada da Rocha, com seu domo de ouro que brilhava mesmo no meio da escuridão, assomava no alto de uma colina. Estava a certa distância do restante da cidade abarrotada de construções, podendo ser alcançada por meio de vários lances de escadas de pedra e portões altos em cada uma de suas entradas. Além do velho muro, alguns prédios modernos cortavam o céu, porém dentro do centro velho as estruturas eram bem mais antigas e menores, formando um emaranhado de vielas melhor exploradas a pé.

Eles pousaram nas ameias de um portão alto que marcava a entrada da cidade.

— Este é o novo portão — explicou Dee. — É a entrada mais próxima da parte cristã, onde fica a igreja.

Ao se prepararem para descer em fila os gastos degraus a partir do topo, os anjos já haviam retraído as asas para dentro dos ombros. As ruas de pedra se estreitaram enquanto Dee brandia uma pequena lanterna vermelha de plástico e os guiava em direção à igreja. A maior parte das fachadas das lojas possuía portas de metal que corriam de

194

cima a baixo, como a porta da garagem da casa dos pais de Luce. Nesse momento, todas estavam fechadas, todas trancadas com cadeado ao longo da rua pela qual Luce caminhava ao lado de Daniel, segurando a mão dele e torcendo pelo melhor.

Quanto mais se embrenhavam na cidade, mais os prédios pareciam se fechar sobre eles. Passaram sob os toldos listrados do mercado árabe, vazio, sob longos arcos de pedra e corredores escuros. O ar cheirava a carneiro assado, incenso, e depois sabão em pó. Trepadeiras de azaleias subiam pelas paredes, à procura de água.

O bairro estava silencioso, a não ser pelos passos dos anjos e pelo uivo distante de um coiote nas colinas. Eles passaram em frente a uma lavanderia fechada, com letreiros em árabe, em seguida por uma floricultura com adesivos em hebraico colados nas janelas.

Para onde quer que Luce olhasse, calçadas estreitas se ramificavam a partir da rua: passavam através de um portão de madeira aqui, subiam uma escadaria ali. Dee parecia estar contando as portas pelas quais entravam, mexendo os dedos enquanto caminhavam. Em determinado momento ela correu, cruzou um antigo arco de madeira, virou uma esquina e desapareceu. Luce e os anjos se entreolharam rapidamente, depois foram atrás dela: desceram diversos degraus, contornaram uma esquina úmida e escura, subiram mais alguns degraus e, de repente, viram-se no teto de outro prédio, olhando para mais uma rua abarrotada de construções.

— Lá está ela — assentiu Dee, sorrindo.

A igreja se erguia acima de tudo o mais que havia por perto. Era feita de pedras lisas e claras, tinha facilmente cinco andares de altura, sendo a parte mais alta seus delgados campanários. No centro, uma enorme abóbada azul parecia um manto do céu noturno atado ao redor de uma pedra. Blocos gigantes formavam grandes arcos ao longo da fachada, abrindo espaço para as enormes portas de madeira no primeiro andar e para as janelas arqueadas de vitrais mais acima. Uma escada estava encostada em uma plataforma do lado de fora de uma das janelas do terceiro andar, levando a lugar algum.

Partes da fachada estavam se desintegrando e tinham sido enegrecidas pelo tempo, enquanto outras pareciam ter sido recentemente restauradas. Em ambos os lados, dois longos braços de pedra estendiam-se para além do prédio, formando uma moldura ao redor de uma praça pavimentada. Logo atrás da igreja, um minarete branco furava o céu.

— Nossa! — Luce se ouviu exclamar enquanto descia, com os anjos, outro surpreendente lance de escadas para entrar na praça.

Os anjos se aproximaram das pesadas portas duplas que assomavam sobre eles, 12 metros de altura, no mínimo. Eram pintadas de verde e flanqueadas por três pilares de pedra de cada lado. Os olhos de Luce foram imediatamente atraídos pelos frisos ornamentados que havia entre as portas e os arcos acima delas — e, mais acima ainda, pela brilhante cruz dourada que cortava o céu. A igreja estava silenciosa, sombria, avivada por eletricidade espiritual.

— Então vamos entrar — disse Dee.

— Não podemos entrar aí — falou Roland, dando um passo para trás e se afastando da igreja.

— Ah, sim — falou Dee. — O tal negócio sobre incendiar. Você acha que não pode entrar porque é um santuário de Deus...

— É o santuário de Deus — interrompeu Roland. — Não quero ser o cara que vai trazer esse prédio abaixo.

— Só que isso não é um santuário de Deus — disse Dee simplesmente. — Na verdade, é exatamente o oposto. Este foi o lugar onde Jesus sofreu e morreu. Sendo assim, jamais foi um santuário do ponto de vista do Trono, e essa é a única opinião que realmente importa. Um santuário é um abrigo, um refúgio. Os mortais andam por entre essas paredes para rezar, a seu modo infinitamente mórbido, mas, no que diz respeito à sua maldição, você não será afetado. — Dee fez uma pausa. — O que é bom, porque Sophia e seus amigos estão lá dentro.

— Como sabe? — perguntou Luce.

Ela ouviu passos contra o chão de pedra vindos da parte leste do pátio. Dee olhou de soslaio em direção à rua estreita.

Daniel agarrou a cintura de Luce com tal rapidez que ela caiu em cima dele. Virando uma esquina sob uma placa onde se lia Via Dolorosa, duas freiras idosas se esforçavam para caminhar sob o peso de uma grande cruz de madeira. Vestiam simples hábitos azul-marinho, sandálias grossas e rosários de contas em volta do pescoço.

Luce relaxou diante da visão das velhas freiras, cuja idade média parecia ser de 85 anos. Começou a se dirigir a elas, obedecendo ao instinto de ajudar pessoas idosas que carregam coisas pesadas, mas a força com que Daniel a segurava pela cintura não diminuía à medida que as mulheres se aproximavam das grandes portas da igreja com excruciante lentidão. Parecia impossível que as freiras não tivessem visto o grupo de anjos a meros seis metros de distância — eles eram as únicas almas naquela praça —, mas as irmãs não ergueram o olhar nem sequer uma vez em sua direção.

— Um pouco cedo para as Irmãs das Estações da Cruz estarem na rua, não? — sussurrou Roland para Daniel.

Dee ajeitou a saia e colocou uma mecha rebelde de cabelo atrás da orelha.

— Eu esperava que não tivéssemos de chegar a este ponto, mas teremos simplesmente de matá-las.

— O quê? — Luce olhou para uma das delicadas mulheres marcadas pelas intempéries. Seus olhos cinzentos pareciam seixos cravados nas rugas profundas do rosto. — Você quer matar aquelas freiras?

Dee fez uma careta.

— Aquelas mulheres não são freiras, queridas. São Anciãs e devem ser eliminadas, senão irão nos eliminar.

— Devo observar que já parecem eliminadas — falou Ariane, equilibrando o peso do corpo numa perna, depois na outra. — Aparentemente Jerusalém recicla.

Talvez a voz de Ariane tivesse chegado até os ouvidos das freiras e as tivesse assustado, ou talvez estivessem esperando chegar a um lugar específico, mas naquele momento, quando alcançaram as portas da igreja, pararam e se viraram de maneira que a ponta da cruz que carregavam apontasse para o outro lado da praça, em direção aos anjos, como se fosse um canhão.

— Estamos perdendo tempo, anjos — disse Dee entredentes.

A freira de olhos de seixos mostrou as gengivas cheias de veias para os anjos e mexeu em algo na base da cruz. Daniel enfiou a mochila nas mãos de Luce, depois a posicionou atrás de Dee. A velha não era exatamente da altura de Luce — o topo da cabeça chegava no máximo até a altura do queixo de Luce —, mas esta entendeu o que estava acontecendo e se abaixou. Os anjos libertaram as asas com uma rapidez animalesca e começaram a batê-las — Ariane e Annabelle seguiram para a esquerda, Roland e Daniel para a direita.

A cruz gigante não era um fardo penitencial de peregrinos. Era um enorme arco, cheio de setas estelares, que tinha o intuito de matar a todos ali.

Não houve tempo para Luce registrar isso. Uma das freiras lançou a primeira seta, que assoviou contra o vento em direção ao rosto de Luce. A flecha prateada ficava cada vez maior em seu campo de visão enquanto se aproximava.

Então Dee pulou.

A pequena mulher abriu os braços o máximo que pôde. A ponta cega da seta estelar colidiu contra o seu peito, inócua. Dee grunhiu quando a seta — que Luce sabia ser inofensiva contra humanos — bateu contra seu corpo pequeno e caiu no chão, deixando a transeterna dolorida, mas fora de perigo.

— Presidia, sua tola! — gritou Dee para a freira, usando os saltos de seus sapatos para arrastar a seta para trás, no chão. Luce se abaixou para pegá-la e colocou-a dentro da bolsa. — Sabe que isso não pode me machucar! Agora você irritou os meus amigos. — Ela fez um gesto largo em direção aos anjos, que se apressaram para desarmar os Anciãos disfarçados.

— Para trás, desertora! — respondeu Presidia. — Queremos a garota! Entregue-a e iremos...

❦ 198 ❦

Presidia, porém, jamais terminou sua frase. Ariane rapidamente alcançou as costas da Anciã, tirando o véu de sua cabeça e agarrando os cabelos brancos.

— Por respeitar os mais velhos — sibilou Ariane com os maxilares cerrados —, sinto que devo evitar que envergonhem a si mesmos. — Então ela se ergueu do chão, ainda segurando Presidia pelos cabelos. A Anciã chutava o ar como se pedalasse uma bicicleta invisível. Ariane rodopiou e arremessou o corpo da velha contra a cornija da fachada da igreja com tal força que deixou uma mossa quando ela colidiu, mãos e pernas em ângulos terríveis.

A outra Anciã incógnita havia largado a cruz-canhão e tentava escapar, correndo por uma viela no canto oposto da praça. Annabelle pegou a cruz e se transformou em atiradora de dardos: deu alguns passos para trás e, com um salto, atirou o pesado T de madeira.

A cruz viajou pelo ar e lancetou a Anciã em fuga diretamente na coluna. Ela caiu para a frente e convulsionou, empalada pela réplica de um antigo instrumento de execução.

O pátio ficou em silêncio. Instintivamente, todos se viraram para olhar para Luce.

— Ela está bem! — falou Dee, erguendo a mão de Luce no ar como se as duas tivessem acabado de vencer uma corrida de revezamento.

— Daniel! — Luce apontou para um clarão branco que desaparecia atrás de Daniel, na igreja. Enquanto as portas se fechavam lentamente, um monge idoso que não haviam notado podia ser ouvido subindo as escadas internas do templo.

— Sigam-no! — gritou Dee, passando por cima do corpo inerte de Presidia.

Luce e Dee correram para alcançar os demais. Quando entraram na igreja, estava tudo escuro e silencioso. Roland apontou para o canto, em direção a um lance de escadas de pedra. Elas se abriam em direção a uma pequena arcada também de pedra, que levava a uma escadaria maior. O espaço era apertado demais para os anjos abrirem suas asas, por isso usaram as escadas o mais depressa que puderam.

199

— O Ancião nos guiará até Sophia — sussurrou Daniel, enquanto todos se abaixavam sob a arcada que levava à escadaria escura. — Se ela estiver em poder dos outros... se estiver de posse da relíquia...

Dee pousou a mão com firmeza no braço de Daniel.

— Ela não pode saber da presença de Luce. Você deve impedir que o Ancião alcance Sophia.

Os olhos de Daniel se dirigiram rapidamente a Luce, depois a Roland, que assentiu rapidamente e correu escadaria acima como se já tivesse corrido por fortalezas de pedra antes.

Menos de dois minutos depois, os aguardava no topo da escadaria estreita. O Ancião jazia morto no chão, os lábios azuis, os olhos vitrificados e úmidos. Atrás de Roland, um vão fazia uma curva abrupta para a esquerda. Alguém na plataforma estava cantando algo que parecia um hino religioso.

Luce estremeceu.

Daniel fez sinal para que eles ficassem para trás e espiou pelo canto da escadaria espiralada. De onde estava, pressionada contra uma parede de pedra, Luce viu um pequeno pedaço da capela para além do patamar das escadas. As paredes eram enfeitadas por elaborados afrescos, iluminados por dúzias de pequenas lamparinas de latão suspensas do teto abobado por correntes. Havia um pequeno aposento com toda a parede oeste tomada por um mosaico representando a crucificação. Mais além, um conjunto de colunas decoradas, e de vários metros de largura, dividia uma segunda capela, maior que a anterior e difícil de ser vista do local onde Luce se encontrava. Entre as duas capelas, um vistoso altar dedicado a Maria estava coberto por buquês de flores e velas sacramentais parcialmente consumidas.

Daniel fez sinal com a cabeça. Um clarão vermelho passou correndo por uma das colunas.

Uma mulher vestida em um longo robe escarlate.

Ela se curvou sobre um altar feito com uma grande placa de mármore adornada por uma toalha de renda branca. Havia algo sobre ele, mas Luce não conseguia identificar o quê.

200

A mulher era frágil, mas bonita, com cabelos brancos cortados em um chanel elegante. Seu robe estava amarrado à cintura com um cinto trançado colorido. Ela acendeu uma vela em frente ao altar. As mangas esvoaçantes do traje escorregaram pelos seus braços quando ela se ajoelhou, expondo pulsos adornados por camadas e mais camadas de pulseiras de pérola.

Srta. Sophia.

Luce empurrou Daniel para subir mais um degrau, desesperada para ter uma visão melhor. As colunas largas obstruíam a maior parte da capela, mas, quando Daniel a ajudou a subir um pouco mais, pôde ver melhor. Não havia apenas um, mas três altares no aposento, e não uma, mas três mulheres de escarlate acendendo velas ritualísticas ao redor deles. Luce não reconheceu as outras duas.

Sophia parecia mais velha, mais cansada do que quando estava atrás de sua mesa de bibliotecária. Luce se perguntou brevemente se seria porque, em vez de permanecer cercada por adolescentes, passara a estar acompanhada de seres que não eram mais adolescentes há centenas de anos. Naquela noite, o rosto de Sophia estava pintado, os lábios vermelhos como sangue. O robe que trajava parecia empoeirado e marcado com círculos de suor. Era sua a voz que estivera cantando. Quando começou a entoar novamente numa língua que parecia latim, mas não era, todo o corpo de Luce se contraiu. Ela se lembrou.

Esse era o ritual que a Srta. Sophia fizera com Luce na última noite que passou na Sword & Cross. A Srta. Sophia estivera prestes a matá-la quando Daniel entrou pelo teto numa explosão.

— Passe a corda, Vivina — disse a Srta. Sophia.

Estavam tão entretidas em seu ritual macabro que não perceberam os anjos agachados ao longo da escada do lado de fora da capela.

— Gabrielle parece um pouco à vontade demais. Quero amarrar sua garganta — continuou ela.

Gabbe.

⋰ 201 ⋱

— Não há mais corda — respondeu Vivina. — Tive de amarrar Cambriel duas vezes. Ele estava se contorcendo. Oooh, ele ainda está se contorcendo.

— Oh, meu Deus — sussurrou Luce. Cam e Gabbe estavam ali. Ela supunha que a presença de uma terceira mulher de robe significava que Molly estaria ali também.

— Deus não tem nada a ver com isso — falou Dee baixinho. — E Sophia está maluca demais para perceber.

— Por que os anjos caídos estão tão quietos? — sussurrou Luce. — Por que não estão resistindo?

— Provavelmente não se deram conta de que este lugar *não é* um santuário de Deus — respondeu Daniel. — Devem estar em choque, eu estaria, e Sophia deve estar usando isso em vantagem própria. Ela sabe que eles estão preocupados, achando que qualquer coisa que façam ou digam possa incendiar a igreja.

— Sei como se sentem — sussurrou Luce. — Temos que impedi-la.

Ela andou em direção à porta, sentindo-se corajosa por causa da lembrança dos Anciãos que haviam destruído lá fora, por causa do poder dos anjos atrás dela, por causa do amor de Daniel, por causa do conhecimento das duas relíquias que já haviam descoberto. Porém, alguém a agarrou pelo ombro, trazendo-a de volta ao corredor.

— Todos vocês, fiquem aqui — sussurrou Dee, olhando nos olhos de cada um dos anjos para se certificar de que todos haviam entendido seu comando. — Se os virem, saberão que Luce está com vocês. Esperem aqui. — Ela apontou para as colunas, grossas o suficiente para que os três anjos se escondessem. — Sei como lidar com minha irmã.

Sem dizer mais uma palavra, Dee entrou na capela. Seus saltos tamborilaram contra o assoalho preto e branco.

— Eu diria que já lhe deram corda demais, Sophia — disse Dee.

— Quem está aí? — gritou Vivina, surpreendida enquanto se ajoelhava.

Dee cruzou o local enquanto caminhava ao redor dos altares, estalando a língua, repreendendo o trabalho dos Anciãos.

202

— Que roupas de segunda categoria. Só mesmo Sophia para usar coisas de má qualidade durante um sacrifício com implicações cósmicas e eternas.

Luce estava desesperada para observar a reação estampada no rosto da Srta. Sophia, mas Daniel a manteve a distância. Ouviram o som de algo arranhando, um arfar melodramático e uma risadinha cruel.

— Ah, sim! — falou a Srta. Sophia. — Minha irmã vagabunda retorna, bem a tempo de testemunhar meu momento mais brilhante. Isto será um acontecimento maior que aquele seu recital de piano tão celebrado!

— Você é mesmo muito burra.

— Porque não estou usando a marca mais recomendada de corda? — zombou Sophia.

— Esqueça a corda, idiota — falou Dee. — Você é burra de muitas outras milhares de formas, sendo a principal delas acreditar que vai se safar disto.

— Não seja condescendente com ela! — sibilou a terceira Anciã.

— Não há outra maneira de me dirigir a ela — retrucou Dee imediatamente.

— Obrigada, Lyrica, mas eu consigo dar conta de Paulina — respondeu Sophia sem tirar os olhos de Dee. — Ou como é mesmo o nome que você pediu para ser chamada agora? Pee?

— Você sabe muito bem que é Dee. Só zomba porque adoraria saber por quê.

— Ah, sim, *Dee*. Graaaaaande diferença. Bem, vamos aproveitar nossa breve reunião da melhor maneira possível.

— Solte-os, Sophia.

— Soltá-los? — riu Sophia. — Ah, mas eu os quero mortos. — A voz dela se fez mais alta e Luce pôde ver as mãos da outra fazendo um gesto na direção dos anjos presos no altar. — E, mais do que tudo, que *ela* morra!

Luce não conseguia respirar. Sabia de quem a bibliotecária estava falando.

— Isso não vai impedir que Lúcifer acabe com a sua existência. — A voz de Dee soou quase triste.

— Bem, você sabe o que o papai costumava dizer: "Vamos todos para o Inferno, mesmo". Então devemos fazer o que queremos enquanto ainda estamos neste planeta. Onde ela está, Dee? — vociferou Sophia. — Onde está Lucinda, a criança chorona?

— Não saberia dizer. — A voz de Dee era suave agora. — Mas vim para impedir que você descubra.

Nesse momento, Daniel permitiu que Luce ficasse um pouco mais perto da entrada da primeira capela.

— Odeio você! — gritou Sophia, lançando-se sobre Dee.

Roland se virou para Daniel, perguntando com os olhos se deveriam interferir. Daniel parecia confiar nas habilidades da desideratum e negou com a cabeça.

As Anciãs assistentes de Sophia observavam de seus altares as irmãs rolando pelo chão, saindo e depois retornando ao campo de visão de Luce. Dee por cima, depois Sophia, e então Dee novamente.

As mãos de Dee encontraram o pescoço de Sophia e então apertaram. O rosto da velha bibliotecária da Sword & Cross ficou vermelho e suas mãos batiam contra o peito de Dee enquanto ela lutava para sobreviver.

Lentamente, Sophia conseguiu erguer o joelho até pressioná-lo contra a barriga da irmã, tentando empurrá-la para trás. Os braços de Dee estavam completamente estendidos, mantendo o pescoço de Sofia sob forte aperto. Ela olhou para baixo, para o rosto da irmã, distorcido pela fúria, os olhos incendiados de ódio.

— O seu coração ficou negro, Sophia — falou Dee, com a voz embargada por algo parecido com nostalgia. — Foi como se uma luz tivesse se apagado. Ninguém conseguiria acender essa luz novamente. Podíamos apenas tentar impedi-la de nos atropelar na escuridão. — Então ela libertou Sophia e permitiu que a outra puxasse ar para os pulmões, em pânico.

— Você me traiu — falou Sophia, ainda arfando, enquanto Dee segurava a irmã pela gola, fechava os olhos e se preparava para bater a cabeça de Sophia contra o piso de mosaico.

Mas, em vez disso, ouviu-se um gemido quando Dee foi arremessada pelos ares. Sophia chutou a irmã com uma força que Luce tinha esquecido pertencer a ela, e se pôs de pé. Estava suada, o rosto vermelho, os cabelos brancos desgrenhados. Correu para onde Dee se encontrava caída, a muitos metros de distância. Luce ficou na ponta dos pés e estremeceu ao ver que os olhos de Dee estavam fechados.

— Ha! — Sophia retornou para os altares e se abaixou para pegar algo embaixo daquele onde estava Cam. Sacou, então, uma aljava de setas estelares.

Novamente Roland olhou para Daniel. Dessa vez, Daniel assentiu.

Num instante, Ariane, Annabelle e Roland saíram voando para dentro do cômodo. Roland foi para cima da Srta. Sophia, mas no último momento ela se abaixou e conseguiu desviar-se. As asas bateram contra o rosto dela, mas Sophia conseguiu evitar que ele a agarrasse.

Ao ver as asas dos anjos, as duas outras Anciãs se acovardaram, gemendo de pânico e medo. Annabelle as manteve presas enquanto Ariane pegava um canivete de seu bolso — o rosa, aquele mesmo que Luce tinha usado para cortar os cabelos da garota meses antes —, e cortou as cordas que prendiam Gabbe ao altar.

— Parem, senão eu o mato! — gritou Sophia para os anjos, segurando um punhado de setas estelares e pulando em cima de Cam. Mantendo-o preso sob suas pernas, levantou as setas prateadas acima da cabeça dele.

Os cabelos negros de Cam estavam oleosos e sem vida. As mãos, pálidas e trêmulas. A Srta. Sophia observava tais detalhes com um sorriso malicioso.

— Como eu adoro ver um anjo *morrendo*! — riu, mantendo as setas estelares suspensas. — E este aqui é mesmo um anjo muito arrogante. — Olhou para Cam. — A morte dele será algo lindo de se contemplar.

— Vá em frente. — A voz de Cam soou firme desta vez, baixa e uniforme. Luce quase gritou quando o ouviu dizer: — Nunca pedi para ter um final feliz.

Luce tinha visto Sophia matar Penn com as próprias mãos e sem remorso algum. Não iria deixar que acontecesse novamente.

— *Não!* — gritou Luce, lutando para se libertar dos braços de Daniel e arrastando-o com ela para dentro da capela.

Lentamente, a Srta. Sophia virou o corpo em direção a Luce e Daniel, segurando as setas estelares com força. Seus olhos tinham um brilho prateado e os lábios se contorciam num sorriso tenebroso enquanto Luce arrastava Daniel, lutando contra seu aperto implacável.

— Temos de impedi-la, Daniel!

— Não, Luce, é perigoso demais.

— Ah, aí está você, querida! — celebrou a Srta. Sophia. — E Daniel Grigori! Que ótimo. Estava mesmo esperando por vocês.

Então ela piscou e ergueu as setas estelares acima da cabeça, arremessando-as num feixe denso diretamente contra Daniel e Luce.

DOZE

ÁGUA PROFANA

Tudo aconteceu em uma fração de segundo:

Roland atracou-se com a Srta. Sophia e a derrubou no chão. Porém, fez isso um milésimo atrasado.

Cinco setas estelares percorreram silenciosamente o espaço vazio da capela. O grupo se separou no meio do voo, e as setas pareceram suspensas no ar por um instante durante a trajetória em direção a Luce e Daniel.

Daniel.

Luce se atirou para trás, para pressionar o próprio corpo de encontro ao peito de Daniel. Ele teve o instinto oposto: seus braços empurraram Luce com força para o chão.

Dois grandes pares de asas cruzaram o espaço em frente a Luce, vindo com ímpeto da esquerda e da direita. Um dos pares era de um tom de ouro vermelho, o outro era de um prateado puro, quase branco. Elas encheram o ar diante de Luce e Daniel, como enormes telas de penas — e depois sumiram num piscar de olhos.

Algo zuniu na orelha esquerda de Luce. Ela se virou e viu uma única seta estelar ricochetear contra a parede acinzentada de pedras e cair no chão. As demais setas haviam sumido.

Uma poeira fina e iridescente começou a baixar ao redor de Luce.

Piscando em meio à poeira, Luce começou a examinar o aposento: Daniel estava agachado ao lado dela. Dee, agora recobrada, estava em cima da Srta. Sophia, que se debatia. Annabelle estava de pé diante das outras duas Anciãs, que jaziam sem vida no chão. Ariane, segurando pedaços de corda solta numa das mãos e o canivete suíço na outra, ambas trêmulas. Cam, ainda preso ao altar, perplexo.

Gabbe e Molly, que haviam acabado de ser libertadas de seus altares por Ariane...

Desapareceram.

E os corpos de Luce e Daniel estavam cobertos por uma fina camada de poeira.

Não.

— Gabbe... Molly... — Luce ficou de joelhos. Estendeu as mãos, examinando-as como se nunca as tivesse visto. A luz das velas iluminava os rostos de ambas, dando à poeira uma coloração dourada, depois prateada, enquanto Luce virava as mãos para observar suas palmas. — Não, não, não, não, não, não.

Olhou para trás, mirando bem dentro dos olhos de Daniel. O rosto dele estava empoeirado, os olhos com um brilho violeta tão denso que era difícil permanecer olhando para eles.

O que se tornou ainda mais difícil quando a visão de Luce ficou embaçada pelas lágrimas.

— Por que elas...?

Por um momento, tudo permaneceu quieto.

Então o rugido de um animal preencheu o ambiente.

Cam esforçou-se para libertar a perna direita das cordas que o prendiam, machucando o tornozelo no processo. Debateu-se para libertar os pulsos, urrou enquanto libertava a mão direita das amarras, rasgando a asa que estava presa na coluna de ferro, e deslocando o ombro. O braço dele oscilava de forma terrível, frouxo, como se tivesse sido quase rasgado para fora do corpo. Mancou do altar em direção a Sophia, empurrando Dee para o lado. A força daquele movimento arremessou os três ao chão. Cam caiu em cima de Sophia, fazendo pressão em um dos lados do corpo dela, tentando esmagá-la sob seu peso. Ela soltou um grunhido abafado, levando os braços sem força para diante do rosto enquanto as mãos de Cam buscavam o pescoço dela.

— Estrangular é a maneira mais íntima de se matar alguém — disse Cam, como se estivesse dando aula de Introdução à Violência. — Agora vamos ver a beleza de sua morte.

Mas a luta da Srta. Sophia foi bem feia. Ela grunhiu e engasgou em busca de ar. Os dedos de Cam apertaram mais ainda, e bateu a cabeça dela contra o chão repetidas vezes. Começou a sair sangue da boca da mulher, mais escuro que seu batom.

As mãos de Daniel tocaram o queixo de Luce, virando o rosto dela para fitar o dele. Segurou-a pelos ombros. Olharam no fundo dos olhos um do outro, procurando uma forma de ignorar os últimos grunhidos de Sophia.

— Gabbe e Molly sabiam o que estavam fazendo — sussurrou Daniel.

— Sabiam que iriam morrer? — disse Luce.

Atrás deles, Sophia choramingou, soando quase como se tivesse aceitado que aquela seria a maneira como iria morrer.

— Sabiam que impedir Lúcifer é mais importante que a vida isolada de cada um — disse Daniel. — Mais que qualquer outra coisa que aconteceu, deixe que isso a convença do quanto a nossa tarefa aqui é urgente.

O silêncio ao redor deles era grande agora. Não se ouvia mais a tosse engasgada da Srta. Sophia. Luce não precisou olhar para saber o que aquilo significava.

Um braço envolveu-lhe a cintura. Um tufo de cabelos negros pousou sobre seus ombros.

— Venham — disse Ariane. — Vamos limpar vocês dois.

Daniel entregou Luce a Ariane e Annabelle.

— Vão em frente vocês, garotas.

Luce seguiu os anjos, entorpecida. Elas guiaram Luce até a parte de trás da capela, abrindo diversos armários até encontrarem o que estavam procurando: uma pequena porta laqueada de preto que dava para um aposento circular e sem janelas.

Annabelle acendeu o candelabro que jazia numa mesa próxima à porta, então acendeu outro numa alcova de pedra. O quarto de tijolos vermelhos era do tamanho de uma despensa grande e não tinha móveis, a não ser por uma banheira batismal suspensa. O interior da banheira era feito de mosaicos verdes e azuis; o exterior, de mármore entalhado com um friso mostrando anjos descendo à Terra.

Luce sentia-se infeliz e morta por dentro. Até mesmo a banheira batismal parecia zombar dela. Ali estava ela — a garota cuja alma amaldiçoada era importante de alguma forma, disponível para qualquer um porque não havia sido batizada quando criança —, prestes a lavar a poeira de dois anjos mortos. Será que salvar Luce e Daniel tinha valido suas almas? Como? Esse "batismo" partiu um pouco mais o coração já despedaçado de Luce.

— Não se preocupe — disse Ariane, lendo a mente da amiga. — Isso não irá contar.

Annabelle encontrou uma pia no canto do quarto, atrás da fonte batismal. Jogou um balde atrás do outro de água fumegante dentro da banheira. Ariane permaneceu ao lado de Luce, sem olhar para ela, apenas segurando-lhe a mão. Quando a banheira estava cheia e refletindo um azul esverdeado por causa do mosaico, Annabelle e Ariane içaram Luce acima da superfície da água. Ela ainda vestia a calça jeans e o suéter. Os anjos não haviam pensado em despi-la, mas então perceberam suas botas.

— Ops! — disse Annabelle suavemente, abrindo o zíper de uma bota de cada vez e colocando-as de lado. Ariane tirou o colar prateado do pescoço de Luce e o pousou dentro de uma das botas. As asas tremulavam enquanto saíam do chão para pousar Luce dentro da água morna.

Luce fechou os olhos, mergulhou na banheira e permaneceu embaixo d'água durante alguns instantes. Se chorasse, não sentiria as lágrimas enquanto permanecesse submersa. Ela não queria senti-las. Era como se Penn tivesse morrido novamente, uma nova dor expondo outra mais antiga ainda fresca no peito de Luce. Depois do que pareceu um longo tempo, sentiu mãos deslizando por baixo de seus braços e puxando-a para cima. A superfície da água se tornara um filme de poeira cinza. Não tinha mais brilho.

Luce não tirou os olhos da água até que Annabelle começou a retirar-lhe o suéter pela cabeça. Ela sentiu o suéter sendo despido, seguido pela camiseta que vestia por baixo. Annabelle se atrapalhou um pouco com o botão da calça. Há quantos dias estava usando aquela roupa? Era estranho se livrar dela — era como livrar-se de uma camada de pele e olhar para ela caída no chão.

Correu as mãos pelos cabelos molhados para afastá-los do rosto. Não tinha percebido o quanto estavam repugnantes. Então se sentou no banco na parte de trás da banheira, apoiou-se numa das bordas e começou a tremer. Annabelle colocou mais água quente, mas isso não fez com que os tremores de Luce cessassem.

— Se eu tivesse permanecido nas escadas, como Dee pediu...

— Então Cam estaria morto — disse Ariane. — Ou mais alguém. Sophia e seu clã iriam produzir poeira esta noite de um jeito ou de outro. Nós sabíamos disso quando viemos até aqui, mas você não — suspirou ela. — Por isso, sair das escadas e tentar salvar Cam foi muito corajoso, Luce.

— Mas *Gabbe*...

— Ela sabia o que estava fazendo.

— Foi o que Daniel disse. Mas por que iria se sacrificar para salvar...

❧ 211 ❧

— Porque apostou que você, Daniel e o restante de nós iríamos conseguir. — Ariane descansou o queixo no braço, na borda da banheira. Colocou um dedo na água, espalhando a poeira na superfície. — Mas saber disto não torna as coisas mais fáceis. Todos nós a amávamos muito.

— Ela não pode ter ido embora.

— Ela *se foi*. Desapareceu do mais elevado altar da Criação.

— O quê? — Não tinha sido isso que Luce havia tentado dizer. Ela quis dizer que Gabbe era sua amiga.

A testa de Ariane se enrugou.

— Gabbe era o Arcanjo de nível mais alto... Você não sabia? Sua alma valia... nem sei dizer quantas outras. Sua alma valia muito.

Luce jamais havia pensado antes na forma como seus amigos eram classificados no Céu, mas agora pensou nas vezes em que Gabbe tomou conta dela, deu-lhe comida e a aconselhou. Havia sido a mãe celestial de Luce.

— E o que a morte dela significa?

— Há muito tempo, Lúcifer foi classificado como o mais importante — explicou Annabelle. Após uma pausa, olhou para Luce, registrando o choque da outra. — Ele estava logo ali, ao lado de todo o poder. Então se rebelou e Gabbe ocupou o lugar dele.

— Muito embora estar no patamar mais próximo ao Trono seja uma bênção mesclada — murmurou Ariane. — Pergunte ao seu velho amigo Bill.

Luce teve vontade de perguntar quem vinha em segundo lugar na classificação depois de Gabbe, mas algo a impediu. Talvez um dia tivesse sido Daniel, mas o lugar dele no Céu estava em risco porque continuava escolhendo Luce.

— E Molly? — perguntou Luce finalmente. — A morte dela... compensa a de Gabbe? Em termos do equilíbrio de forças entre o Céu e o Inferno? — Ela se sentiu insensível falando sobre os amigos como se fossem bens materiais... Mas também sabia que neste momento a resposta era muito importante.

— Molly também era importante, muito embora estivesse num nível mais baixo — respondeu Annabelle. — Isso foi antes da Queda, é claro, quando ela ficou do lado do exército de Lúcifer. Sei que não devemos falar mal daqueles que viraram pó, mas Molly costumava me incomodar bastante. Toda aquela negatividade.

Lucy assentiu, sentindo-se culpada.

— Porém, algo havia mudado nela recentemente. Era como se tivesse despertado. — Annabelle olhou para Luce. — Respondendo à sua pergunta, o equilíbrio entre o Céu e o Inferno ainda pode ser afetado. Apenas temos de ver como as coisas vão se desenrolar. Um monte de coisas que são importantes neste momento se tornarão irrelevantes se Lúcifer vencer.

Luce olhou em direção a Ariane, que havia desaparecido atrás da porta e espirrara três vezes seguidas.

— Olá, queridas! — Quando reapareceu, ela trazia nas mãos uma toalha branca e um grande roupão de banho. — Terá de servir por agora. Encontraremos uma muda de roupa para você antes de deixarmos Jerusalém.

Quando Luce não se moveu de dentro da banheira, Ariane estalou a língua como se estivesse tangendo um cavalo para fora do estábulo e estendeu a toalha para que Luce pisasse. Ela se levantou, sentindo-se como uma criança enquanto Ariane a envolvia com a toalha e começava a secá-la. A toalha era fina e áspera, mas o roupão era grosso e morno.

— Precisamos correr antes que a horda de turistas chegue — disse Ariane, recolhendo as botas de Luce.

Quando deixaram o quarto batismal e caminharam de volta à capela, o sol já havia nascido e lançava uma infinidade de cores através dos vitrais que retratavam a Ascensão.

Os corpos da Srta. Sophia e das outras duas Anciãs jaziam sob a janela, amarrados.

Quando as garotas cruzaram rumo à nave da capela principal, Cam, Roland e Daniel estavam sentados no altar central, conversando baixinho. Cam bebia o último refrigerante de seta estelar da mochila de couro preta de Phil. Luce pôde *ver* uma casca se formando sobre o tornozelo ensanguentado de Cam, e então a casca começando a se desfazer. Ele bebeu o último gole e encaixou o ombro de volta com um estalo.

Os rapazes olharam para cima e encontraram Luce de pé entre Annabelle e Ariane. Os três pularam de cima do altar, mas Cam foi o primeiro a andar em direção a Luce.

Ela permaneceu imóvel enquanto ele se aproximava. O coração estava acelerado.

A pele dele parecia pálida, fazendo com que o verde de seus olhos lembrasse esmeraldas. Havia suor em seus cabelos e um pequeno arranhão próximo ao olho esquerdo. A ponta da asa tinha parado de sangrar e estava envolvida num tipo de bandagem.

Sorriu para ela. Pegou suas mãos. As mãos dele estavam mornas e vivas e houve um momento em que Luce pensou que jamais o veria novamente, jamais veria aqueles olhos brilharem, nem aquelas asas douradas se abrirem, ou o modo como seu tom de voz se elevava quando contava uma piada sarcástica... E, embora ela amasse Daniel mais que qualquer outra coisa, mais do que jamais imaginara possível, Luce não podia suportar a ideia de perder Cam. Fora isso que a impulsionara para dentro da capela.

— Obrigado — disse ele.

Luce sentiu os próprios lábios tremerem e os olhos arderem. Antes que pudesse pensar no que estava fazendo, se jogou nos braços de Cam, sentindo as mãos dele abraçarem-na. Quando o queixo dele pousou no topo de sua cabeça, ela começou a chorar.

Ele a deixou chorar. Abraçou-a com força. Sussurrou:

— Você é tão corajosa.

Então os braços de Cam a soltaram e seu peito se afastou lentamente. Por um segundo, ela se sentiu exposta e com frio, mas então outro peito, outro par de braços substituíram os de Cam. E soube, sem precisar abrir os olhos, que era Daniel. Nenhum outro corpo no universo se ajustava tão perfeitamente ao dela.

— Importa-se se eu me intrometer? — perguntou ele baixinho.

— Daniel... — Ela fechou os punhos e o abraçou com força, querendo mandar a dor embora.

— Shhh. — Ele a manteve nos braços por um tempo que poderia ter sido horas, ninando-a levemente, balançando-a nas asas até que as lágrimas secassem e o peso no coração se levantasse, permitindo que respirasse sem fungar.

— Quando um anjo morre — perguntou ela, ainda abraçada a Daniel —, vai para o Céu?

— Não — respondeu ele. — Não há mais nada para um anjo após a morte.

— Como pode ser?

— O Trono jamais previu que algum anjo pudesse se rebelar, muito menos que o anjo caído Azazel passaria séculos numa caverna grega desenvolvendo uma arma capaz de matar anjos.

O peito dela tremeu novamente.

— Mas...

— Shhh — sussurrou ele. — A dor pode sufocá-la. É perigosa, é algo mais para você derrotar.

Ela inspirou profundamente e se afastou o bastante para poder ver o rosto dele. Seus olhos pareciam inchados e exaustos, e a camisa de Daniel estava encharcada pelas lágrimas de Luce, como se o tivesse batizado com sua dor.

Além dos ombros de Daniel, descansando no altar onde Gabbe estivera amarrada, algo prateado brilhava. Era um cálice enorme, a circunferência como a de uma jarra de ponche, mas com formato alongado e feito de prata martelada.

— É isso?

Era essa a relíquia que custara a vida de seus amigos?

Cam caminhou em direção ao objeto e o apanhou.

— Nós o descobrimos na base da ponte Saint Bénézet imediatamente antes de os Anciãos nos capturarem — disse ele, balançando a cabeça. — Espero que essa cuspideira valha todo o esforço.

— Onde está Dee? — Luce olhou em volta em busca da pessoa que provavelmente mais conheceria o significado da relíquia.

— Ela está lá embaixo — explicou Daniel. — A igreja abriu ao público há pouco tempo, por isso Dee desceu para construir uma pequena placa para ocultar os corpos das Anciãs. Neste momento está na base das escadas com um cartaz que diz que aquela ala está fechada para reforma.

— E funcionou? — perguntou Annabelle, impressionada.

— Ninguém tentou passar até o momento. Os turistas religiosos não são uns *hooligans* — zombou Cam. — Chutem as almofadas de oração!

— Como você pode fazer piadas num momento como este? — perguntou Luce.

— Como poderia não fazer? — retrucou Cam. — Preferiria que eu estivesse chorando?

Uma pancada rápida soou na janela do outro lado da capela. Os anjos se prepararam enquanto Cam se dirigiu para abrir a vidraça próxima ao vitral. Ele tensionou a mandíbula.

— Preparem as setas estelares!

— Cam, espere! — gritou Daniel. — Não atire.

Cam parou. Um segundo mais tarde, um garoto trajando um casaco cáqui escorregou pela janela aberta. Assim que ficou de pé, Phil levantou a cabeça raspada e fixou os olhos brancos mortos em Cam.

Cam rosnou.

— Você já era, Pária.

— Eles estão do nosso lado agora, Cam. — Daniel apontou para o sinal feito com a própria asa enfiado na lapela de Phil.

Cam engoliu, cruzando os braços.

— Desculpe. Eu não sabia disso. — Pigarreou, completando: — Isso explica por que os Párias que vimos na ponte em Avignon estavam lutando contra os Anciãos quando chegamos. Não tiveram a chance de se explicar antes de todos serem...

216

— Mortos — completou Phil. — Sim. Os Párias se sacrificaram em nome da sua causa.

— O Universo é a causa de todo mundo — disse Daniel, e Phil assentiu brevemente.

Luce abaixou a cabeça. Toda aquela poeira na ponte. Não havia lhe ocorrido que aquilo pudesse ter sido por causa dos Párias. Ela estivera preocupada demais com Gabbe, Molly e Cam.

— Estes últimos dias foram um golpe pesado sobre os Párias — disse Phil. A voz o traía revelando uma nuance de tristeza. — Muitos foram capturados pelos anjos da Balança em Viena. Outros tantos sucumbiram aos Anciãos em Avignon. Restam apenas quatro de nós. Posso deixá-los entrar?

— Claro — respondeu Daniel.

Phil estendeu a mão em direção à janela e mais três casacos cáqui escorregaram para dentro do quarto: uma garota que Luce não reconhecia, a quem Phil apresentou como Phresia; Vincent, um dos Párias que montou guarda para Luce e Daniel no monte Sinai, e Olianna, a garota pálida do topo do palácio em Viena. Luce sorriu para ela, um sorriso que sabia que a Pária não conseguia ver. Mas Luce esperava que pudesse senti-lo, porque estava feliz de ver que ela havia sarado. Todos os Párias pareciam irmãos, simples, belos e extremamente pálidos.

Phil apontou para os Anciãos mortos sob a janela.

— Parece que precisam de assistência para se desfazer desses corpos. Será que os Párias podem tirá-los de suas mãos?

Daniel soltou uma risada surpresa.

— Por favor.

— Apenas certifiquem-se de não prestar nenhuma homenagem a esses assassinos geriátricos — completou Cam.

— Phresia. — Phil assentiu para a garota, que se ajoelhou diante dos corpos, colocou-os sobre os ombros, abriu as asas marrons e saiu voando pela janela. Luce a observou cruzar o céu, levando embora a última visão que teria da Srta. Sophia.

— O que é isso na mochila de pano? — apontou Cam para a bolsa de tecido azul-marinho atravessada no torso de Vincent.

Phil fez um sinal para que Vincent pousasse a mochila no centro do altar. Ele a pôs no chão com um ruído pesado.

— Em Veneza, Daniel Grigori me perguntou se eu tinha alguma comida para Lucinda Price. Eu tenho me culpado por não ter podido oferecer nada além de lanches pouco saudáveis, o tipo de comida que minhas amigas modelos italianas preferem. Desta vez, perguntei a uma mortal israelense que tipo de comida gostava. Ela me levou a algo chamado barraca de falafel. — Phil ergueu os ombros e a voz assumiu uma entonação de pergunta no final.

— Você está me dizendo que isso que está na sacola é um grande pedaço de falafel? — Roland ergueu as sobrancelhas em dúvida, olhando para a sacola de Vincent.

—Ah, não — respondeu Vincent. — Os Párias também compraram humus, pão árabe, picles e um pote de algo chamado tabule, salada de pepino e suco fresco de romã. Você está com fome, Lucinda Price?

Era uma quantidade absurda de comida deliciosa. De certa forma parecia errado comer nos altares, por isso espalharam a comida no chão para todos — Párias, anjos, mortais — comerem com vontade. O humor era sombrio, mas a comida estava satisfatória e quente, e algo do qual todos pareciam precisar. Luce mostrou para Olianna e Vincent como montar um sanduíche de falafel; Cam até pediu para Phil lhe passar o humus. Em determinado momento, Ariane voou pela janela para procurar algumas roupas para Luce. Retornou com um par de jeans desbotados, uma camiseta e uma jaqueta do exército israelense com um emblema retratando uma chama amarelo-alaranjada.

— Tive de beijar um soldado para conseguir isto — disse, mas a voz não mostrava a mesma suavidade que teria se estivesse brincando também com Gabbe e Molly.

Quando nenhum deles conseguia mais comer, Dee apareceu à porta. Cumprimentou os Párias educadamente e pousou uma das mãos no ombro de Daniel.

— Você está com a relíquia, querido?

Antes que Daniel pudesse responder, os olhos de Dee encontraram o cálice. Ela o ergueu e o virou nas mãos, examinando-o cuidadosamente de todos os lados.

— A Asa de Prata — sussurrou ela. — Olá, velha amiga.

— Pelo visto sabe o que fazer com aquela coisa — disse Cam.

— Ela sabe — respondeu Luce.

Dee apontou para um prato de latão que havia sido forjado em um dos lados do cálice e falou algo em voz baixa, como se estivesse lendo. Correu os dedos sobre uma imagem talhada ali. Luce se inclinou para a frente para poder ver melhor. A ilustração parecia com as asas de um anjo em queda livre.

Finalmente, Dee levantou o rosto e os encarou com uma estranha expressão.

— Muito bem, agora tudo faz sentido.

— O que faz sentido? — quis saber Luce.

— Minha vida. Meu propósito. Aonde precisamos ir. O que precisamos fazer. É chegada a hora.

— Hora de quê? — perguntou Luce. Eles haviam conseguido todos os artefatos agora, mas ainda não entendia o que ainda lhes restava fazer.

— É hora do ato final, querida — disse Dee alegremente. — Não se preocupe, irei guiá-los durante todo o processo, passo a passo.

— Até o monte Sinai? — Daniel se levantou e ajudou Luce a ficar de pé.

— Chegou perto. — Dee fechou os olhos e inspirou profundamente, como se para resgatar a lembrança do fundo dos pulmões. — Há um par de árvores nas montanhas a cerca de mil e quinhentos metros acima do Monastério de Santa Catarina. Gostaria que nos encontrássemos lá. É chamado *Qayom Malak*.

— *Qayom Malak... Qayom Malak* — repetiu Daniel. A palavra soava como *kayome malaka*. — Está no meu livro. — Ele abriu o zíper da mochila e folheou a obra, falando baixinho consigo. Finalmente ergueu o volume para Dee ver. Luce deu um passo adiante para poder ver também. No pé da página, mais ou menos na página cem, o dedo de Daniel apontava para uma nota meio apagada escrita numa língua que Luce não reconhecia. Próximo à nota, havia escrito o mesmo grupo de letras três vezes:

QYWM' ML'K'. QYWM' ML'K'. QYWM' ML'K'.

— Muito bem, Daniel — sorriu Dee. — Você sabia o tempo todo. Muito embora *Qayom Malak* seja muito mais fácil para as línguas modernas pronunciarem do que... — pronunciou um conjunto de sons guturais complicados que Luce seria incapaz de repetir.

— Eu nunca soube o que significava — disse Daniel.

Dee olhou pela janela aberta, para o céu da tarde da cidade sagrada.

— Você logo saberá, meu garoto. Muito em breve você saberá.

TREZE

A ESCAVAÇÃO

O bater de asas acima.

O roçar de nuvens na pele.

Luce estava voando na escuridão, afundada no túnel inebriante de mais um voo. Era leve como o vento.

Uma única estrela estava no centro do céu azul-escuro, quilômetros acima do colorido horizonte.

Luzes piscavam no chão escuro, parecendo impossivelmente distantes. Luce estava em outro mundo, subindo em direção ao infinito, iluminada pelo brilho de asas prateadas.

Elas batiam novamente, impulsionando para a frente, então para trás, carregando-a mais para o alto... mais alto...

O mundo era silencioso lá em cima, como se existisse só para ela.

Mais alto... mais alto...

Não importava o quão alto, estava sempre resguardada pelo brilho das asas prateadas acima dela.

Estendeu a mão para tocar Daniel, como se para dividir aquela paz, acariciar a mão dele no mesmo local onde sempre repousava: ao redor da cintura de Luce.

A mão dela encontrou apenas a própria pele. A mão dele não estava lá.

Daniel não estava lá.

Havia apenas o corpo de Luce e o horizonte cada vez mais escuro, além de uma única estrela distante.

Ela acordou do sonho. No alto, desperta, encontrou novamente as mãos de Daniel — uma delas lhe segurava a cintura, a outra estava mais acima, atravessada sobre o peito. No lugar onde sempre repousavam.

Era final de tarde — e não noite. Ela, Daniel e os outros escalavam uma escada de nuvens macias que obscurecia as estrelas.

Apenas um sonho.

Um sonho no qual era *Luce* quem estava voando. Todos têm esse tipo de sonho. Você deve acordar logo antes de cair no chão. Mas Luce, que na vida real voava todos os dias, havia acordado quando percebeu que estava voando por conta própria. Por que não havia olhado para cima, para ver como eram as suas asas, para ver se eram maravilhosas e suntuosas?

Fechou os olhos, esperando voltar para aquele céu mais calmo, onde Lúcifer não estava trovejando em direção a eles, onde Gabbe e Molly não haviam morrido.

— Não sei se consigo fazer isso — disse Daniel.

Os olhos de Luce se abriram, voltando à realidade. Abaixo deles, os picos de granito vermelho da península do Sinai eram tão recortados que pareciam feitos de pedaços de vidro quebrado.

— O que você não consegue fazer? — perguntou Luce. — Encontrar o local da Queda? Dee irá nos ajudar, Daniel. Acho que ela sabe exatamente como encontrá-lo.

— Claro — disse ele sem convicção. — Dee é ótima. Temos muita sorte de tê-la ao nosso lado. Mas mesmo se encontrarmos o local da Queda, não sei como conseguiremos deter Lúcifer. E se não conseguirmos... — O peito dele inflou atrás das costas de Luce. — Não suportarei mais sete mil anos sem você.

Durante todas as suas vidas, Luce vira Daniel deprimido, frustrado, preocupado, apaixonado, deprimido novamente, carinhoso, desconfiado, desesperadamente triste. Mas jamais o vira derrotado. A resignação triste em sua voz a cortava, súbita e profundamente, da mesma forma que uma seta estelar rasgava a carne dos anjos.

— Você não vai ter que fazer isso.

— Fico imaginando o que acontecerá se Lúcifer vencer. — Ele ficou sutilmente na retaguarda do grupo; Cam e Dee ocupavam a dianteira, Ariane, Roland e Annabelle logo atrás, os Párias espalhados ao redor de todos eles. — É demais para aguentar, Luce. É por isso que os anjos escolhem um lado, é por isso que as pessoas se juntam a um grupo. Não fazer isso tem um preço muito alto; é pesado demais resistir a tudo sozinho.

Houve um tempo em que Luce teria instintivamente ficado introspectiva, insegura pela dúvida de Daniel, como se aquilo sugerisse uma fraqueza no relacionamento deles. Mas agora ela estava armada das lições do passado de ambos. Sabia, quando Daniel estava cansado demais para se lembrar, do tamanho do amor dele.

— Não quero ter que passar por tudo isso novamente. Todo esse tempo sem você, sempre esperando, meu otimismo tolo me dizendo que algum dia será diferente...

— Seu otimismo foi justificado! Olhe para mim. Olhe para nós! Isto é diferente. Eu sei que é, Daniel. Eu nos vi em Helston, no Tibete e no Taiti. Estávamos apaixonados, é claro, mas não era nada parecido com o que temos agora.

Eles estavam agora bem afastados, longe dos ouvidos dos amigos. Eram apenas Luce e Daniel, dois namorados conversando no céu.

— Continuo aqui — disse Luce. — Estou aqui porque você acreditou em nós. Você acreditou em mim.

— Eu acreditei... Eu acredito em você.

— Eu acredito em você também. — Ela ouviu um sorriso invadir a própria voz. — Eu sempre acreditei.

Eles *não iriam* falhar.

※

Pousaram em meio a uma tempestade de areia.

Ela pairava sobre o deserto como um grande manto, como se mãos enormes tivessem espalhado todo o Saara no ar. Dentro da espessa nuvem amarelo-tostada, os anjos e tudo o que os cercava tornou-se indistinto: o solo estava encoberto por redemoinhos de areia; o horizonte havia sido apagado por lençóis amarronzados. Tudo parecia pixelado, banhado em poeira estática, como um ruído branco corrosivo, uma amostra do que estaria por vir caso Lúcifer vencesse.

O nariz e a boca de Luce ficaram cheios de areia. Ela entrou na roupa e arranhava a pele. Era muito mais áspera que a poeira fina deixada após a morte de Gabbe e Molly, uma triste lembrança de algo pior e mais belo.

Luce perdeu completamente a noção do que a rodeava. Não fazia ideia de quão perto estavam de pousar até que seus pés roçaram o invisível chão rochoso. Ela sentiu que havia grandes pedras, talvez montanhas, à esquerda, contudo não conseguia enxergar mais do que alguns metros adiante. Apenas o brilho das asas dos anjos, opaco pelas ondas de areia e vento, sinalizava onde os outros estavam.

Quando Daniel a pousou na rocha acidentada, Luce levantou a gola do casaco até as orelhas, tentando proteger o rosto da areia áspera. Eles estavam reunidos num círculo, as asas dos anjos formando um halo de luz num caminho pedregoso no sopé da montanha: Phil e os outros três Párias restantes, Ariane, Annabelle, Cam, Roland, Luce, Daniel e Dee no centro, como se fosse a guia de um museu liderando uma excursão.

— Não se preocupem, geralmente é assim durante a tarde! — gritou Dee sobre um vento tão forte que agitava as asas dos anjos. Usava as mãos como um visor, colocando-as na altura das sobrancelhas. — Isso vai terminar logo! Assim que atingirmos o local de *Qayom Malak*, juntaremos as três relíquias. Elas nos contarão a verdadeira história da Queda.

— E *onde é* exatamente o *Qayom Malak*? — gritou Daniel.

— Teremos que escalar a montanha. — Dee apontou para trás de si, para o promontório quase invisível, cujo sopé havia sido o local de pouso dos anjos. O pouco que Luce conseguia enxergar da montanha parecia extremamente íngreme, impenetrável.

— Você quer dizer que voaremos até o topo, não é? — perguntou Ariane enquanto batia os saltos de seus sapatos. — Nunca fui boa em escaladas.

Dee balançou a cabeça. Estendeu a mão para pegar a sacola de pano que Phil estivera segurando, abriu o zíper e pegou um par de pesadas botas de caminhada.

— Ainda bem que vocês estão usando sapatos adequados. — Ela tirou os sapatos de salto alto, colocou-os dentro da sacola e começou a amarrar as botas. — Não será uma escalada fácil, mas nessas condições, o caminho até o Qayom Malak é mais facilmente atingido a pé. Podem usar as asas para se equilibrarem contra os ventos.

— Por que não esperamos a tempestade de areia passar? — sugeriu Luce, os olhos lacrimejando sob o vento empoeirado.

— Não, querida. — Dee passou a alça preta da sacola sobre os ombros estreitos de Phil. — Não temos tempo. Precisa ser agora.

Sendo assim, formaram uma fila atrás de Dee, confiando novamente a ela a responsabilidade de liderá-los. A mão de Daniel encontrou a de Luce. Ele ainda parecia taciturno após a conversa dos dois, mas nunca deixava de segurar sua mão.

— Bem, adeus, foi bom conhecer vocês! — brincou Ariane enquanto os outros começavam a escalada.

— Se procurarem por mim, perguntem para a areia — disse Cam em resposta.

A rota de Dee os levou em direção ao topo da montanha, ao longo de um caminho rochoso que ficava cada vez mais estreito e íngreme. Estava coberto por rochas que Luce não conseguia enxergar até tropeçar nelas. O sol poente parecia a lua, a luz pálida filtrada pela cortina pesada do vento.

Luce tossia, engasgada pela areia, a garganta ainda doía por causa da batalha em Viena. Ziguezagueava para a esquerda e para a direita, sem ver para onde ia, tendo apenas uma vaga sensação de que estavam sempre subindo. Ela focou no cardigã amarelo de Dee, que balançava no corpinho da velha mulher como uma bandeira. Mantinha a mão sempre agarrada à de Daniel.

Aqui e ali a tempestade de areia se atenuava ao redor de algum grande bloco de pedra, formando breves bolsões de visibilidade. Em um desses momentos, Luce viu uma manchinha verde-claro à distância. Estava numa clareira a centenas de metros acima e muito mais à direita de onde se encontravam agora. Aquele pontinho de cor era a única coisa que quebrava os quilômetros de paisagem sépia sem graça. Luce ficou observando-o como se fosse uma miragem, até que a mão de Dee deu um leve tapinha em seu ombro.

— É para lá que estamos indo, querida. É bom manter os olhos no prêmio.

Então a tempestade conseguiu passar pelo bloco de rocha e a areia entrou cobrindo tudo, ocultando o pontinho verde. O mundo voltou a ser a massa de grânulos de areia.

Imagens de Bill pareciam se formar na areia esvoaçante: a maneira como ele havia gargalhado na primeira vez em que se encontraram, transformando-se de um falso Daniel num ser repugnante; sua expressão inescrutável quando ela encontrara Shakespeare no Globe. As imagens ajudavam Luce a se endireitar quando tropeçava no caminho. Não iria desistir até conseguir derrotar o diabo.

Imagens de Gabbe e Molly também davam força a Luce. Um clarão de asas, dois arcos dourados e prateados, passou novamente diante dos olhos da garota.

"Você não está cansada", disse ela para si mesma. "Não está com fome."

Finalmente eles conseguiram chegar a uma grande rocha com o formato da ponta de uma lança, apontada em direção ao céu. Dee gesticulou para que se encostassem a ela, de frente para a montanha, e ali o vento finalmente parou.

Era o entardecer. As montanhas tinham uma coloração cinza-escuro. Ficaram sobre um planalto mais ou menos do tamanho da sala de estar de Luce. Exceto por uma pequena entrada onde o caminho terminava, a pequena extensão redonda era cercada por um despenhadeiro de pedras vermelhas, formando um espaço que poderia ter sido usado como um anfiteatro natural. Ele os abrigava mais do que simplesmente do vento: mesmo se não houvesse uma tempestade de areia, grande parte do planalto era escondido pela pedra em formato de flecha e pelas grandes rochas ao redor.

Ali, ninguém que estivesse subindo o caminho poderia vê-los. Qualquer anjo da Balança a persegui-los só poderia conseguir seu intento se por sorte voasse diretamente acima deles. Aquele degrau oculto era uma espécie de santuário.

— Eu gostaria de dizer que estou *alto* — falou Cam.

— Essa caminhada teria *arruinado* John Denver — concordou Roland.

Marcas de rios que não existiam mais deixavam veias no chão coberto de poeira. A entrada íngreme de uma caverna se abria na base da parede de pedra à esquerda da rocha em formato de ponta de lança.

Na parte mais distante do planalto, um pouco à direita de onde estavam, uma avalanche viera descansar contra a montanha. A pilha resultante era formada por pedras que variavam de tamanho, desde pequenas, como um seixo, até maiores que uma geladeira. O líquen crescia nos intervalos entre elas, parecendo manter as pedras grudadas no declive.

Uma oliveira verde-claro e uma figueira anã se esforçavam para crescer diagonalmente ao redor das rochas. Provavelmente eram o pontinho verde que Luce vira à distância quando estava lá embaixo. Dee disse que era para lá que estavam indo, mas Luce não conseguia acreditar que haviam conseguido escalar tudo aquilo em meio à tempestade de areia.

As asas de todos eles se pareciam com as dos Párias, marrons e cheias de areia, emitindo um brilho fraco. E as asas dos Párias pareciam ainda mais frágeis que o normal, como teias de aranha. Dee usou a manga do suéter, que tinha sido alargado pelo vento, para limpar a areia do rosto. Correu as unhas pintadas de vermelho pelos cabelos ruivos emaranhados. De alguma forma a velha senhora ainda estava elegante. Luce nem quis pensar na própria aparência.

— Tédio jamais! — A voz de Dee soou atrás dela enquanto desaparecia para o interior da caverna.

Eles a seguiram, parando após alguns passos, quando a luz fraca se transformou em escuridão. Luce se apoiou contra uma fria pedra marrom-avermelhada próxima a Daniel. A cabeça dele quase tocava no teto baixo. Todos os anjos tiveram que fechar as asas para se acomodarem na caverna apertada.

Luce ouviu o som de algo arranhando e então a sombra de Dee apareceu na parte iluminada da entrada da caverna. Empurrava com a ponta de sua bota de caminhada um grande baú de madeira na direção deles.

Cam e Roland se apressaram a ajudá-la, o brilho opaco das asas cobertas de areia alterando a escuridão da caverna. Cada um levantou um dos lados do baú e então o levaram até uma alcova natural indicada por Dee. Diante de seu aceno de cabeça, pousaram o baú contra a parede.

— Obrigada, cavalheiros. — Dee percorreu os dedos pela quina de ferro do baú. — Parece que foi ontem que deixei isto aqui, mas deve ter sido há quase duzentos anos. — Seu rosto se contraiu numa careta de nostalgia. — Bem, a vida de uma pessoa não passa de um dia. Gabbe me ajudou, embora jamais tivesse se lembrado da localização exata por causa da tempestade de areia. Ela era um anjo que sabia o valor de se preparar com antecedência. Sabia que este dia chegaria.

Dee puxou uma elegante chave prateada do bolso de seu cardigã e a enfiou na fechadura do baú. Quando a velha arca se abriu, Luce se aproximou, esperando que algo mágico — ou ao menos histórico — fosse revelado. Em vez disso, Dee pegou seis cantis comuns, três pequenas lamparinas de bronze, um pacote pesado de cobertores e toalhas, e vários pés-de-cabra, picaretas e pás.

— Bebam se tiverem sede. Primeiro Lucinda. — Ela distribuiu os cantis, que estavam cheios de água fresca e deliciosa. Luce sorveu o conteúdo de seu cantil e enxugou a boca com as costas da mão. Quando lambeu os lábios, estavam irritadiços por causa da areia seca.

— Melhor assim, não? — sorriu Dee. Abriu uma caixa de fósforos e acendeu uma vela em cada uma das lamparinas. A luz bruxuleava, refletindo sombras nas paredes enquanto os anjos se debruçavam uns sobre os outros, limpando-se.

Ariane e Annabelle limparam as asas usando as toalhas secas. Daniel, Roland e Cam preferiram sacudir as suas, batendo-as contra as pedras até que o suave som de *sssss*, da areia caindo sobre as pedras, parasse. Os Párias pareciam felizes de continuar sujos. Logo a caverna estava completamente iluminada pelo brilho angelical, como se alguém tivesse acendido uma fogueira.

— E agora? — perguntou Roland, tirando areia de uma de suas botas de couro.

Dee havia se dirigido para a entrada, ficando de costas para os outros. Ela caminhou em direção ao planalto lá fora e esperou que a seguissem.

Todos se reuniram num pequeno semicírculo, de frente para a pilha de pedras, a oliveira e a figueira.

— Precisamos *entrar* — disse Dee.

— Entrar aonde? — Luce olhou para trás de si. A caverna que acabaram de deixar era a única opção de lugar para "entrar" que Luce conseguia ver. Lá fora, havia apenas o chão do planalto e as pedras encostadas na parede.

— Santuários são construídos no topo de santuários que são construídos no topo de santuários — disse Dee. — O primeiro da Terra ficava bem aqui, sob esta pedra caída. Dentro dele, está o pedaço final da antiga história dos anjos caídos. Esse é o *Qayom Malak*. Após a destruição do primeiro santuário, muitos outros ocuparam o seu lugar, mas o *Qayom Malak* sempre permaneceu dentro deles.

— Você quer dizer que os mortais também usaram o *Qayom Malak*? — perguntou Luce.

— Sem pensar muito bem e sem o compreender. Com o passar dos anos foi ficando cada vez mais mal interpretado por cada grupo que construiu seu templo aqui. Este local tem sido considerado de mau agouro por muitas pessoas. — Ela olhou para Ariane, que apoiou o peso na outra perna. — Mas isso não é culpa de ninguém. Foi há muito tempo. Hoje à noite iremos desenterrar o que um dia se perdeu.

— Você se refere ao conhecimento da nossa Queda? — Roland caminhava pela rampa de pedras. — É isso o que o *Qayom Malak* irá nos revelar?

Dee sorriu de maneira enigmática.

— Essas palavras são aramaico. Elas significam... Bem, vai ser melhor se vocês simplesmente virem por si mesmos.

Ao lado deles, Ariane mastigava ruidosamente uma mecha de seus cabelos, com as mãos enfiadas nos bolsos do casaco e as asas imóveis. Olhava para a oliveira e a figueira, como se estivesse em transe.

Nesse momento, Luce percebeu o que as árvores tinham de estranho. O motivo pelo qual pareciam crescer diagonalmente para fora das pedras: era porque seus troncos estavam enterrados.

— As árvores — disse ela.

— Sim, elas já estiveram completamente expostas. — Dee se abaixou para acariciar as folhas murchas da pequena figueira. — Assim como o *Qayom Malak*. — Ela se levantou e deu um tapinha no topo das rochas. — Todo este planalto já foi muito mais extenso. Um lugar adorável, às vezes vibrante, embora isso seja difícil de imaginar agora.

— E o que aconteceu com ele? — perguntou Luce. — Como o santuário foi destruído?

— O mais recente deles foi coberto por esta rocha caída. Isso foi há cerca de setecentos anos, após um terremoto particularmente forte. Mas mesmo antes disso, a lista de calamidades que ocorreram aqui é sem precedentes... inundações, incêndios, assassinatos, guerras, explosões. — Ela parou, olhando para a pilha de rochas como se fossem bolas de cristal. — Ainda assim, a única parte importante permanece intacta. Ao menos espero que ainda esteja assim. E é por isso que precisamos entrar.

Cam caminhou lentamente em direção a uma das maiores rochas e se encostou nela com os braços cruzados.

— Sou ótimo em muitas coisas, Dee, e uma delas é rock que, como vocês sabem, também significa rocha... Mas passar *entre* as rochas não é um dos meus pontos fortes.

Dee bateu palmas.

— É exatamente por isso que coloquei as pás no baú todos aqueles anos atrás. Teremos que mover as rochas de lugar — explicou ela. — Estamos em busca do que está lá embaixo.

— Você está dizendo que iremos escavar o *Qayom Malak*? — perguntou Annabelle, roendo as unhas cor-de-rosa.

Dee tocou um caminho de musgo no centro do monte de pedras bem antes do início do rochedo íngreme.

— Eu começaria por aqui, se fosse vocês!

Quando perceberam que Dee estava falando sério sobre desmantelar a torre, Roland distribuiu as ferramentas que a senhora havia retirado do baú de madeira. E todos lançaram mãos à obra.

— Enquanto movem as pedras, deixem esta área livre. — Dee gesticulou em direção ao espaço aberto entre a pilha de rochas caídas e a trilha que os havia levado até ali, demarcando uma área de mais ou menos um metro quadrado. — Vamos precisar dela.

Luce pegou uma picareta e bateu-a contra a rocha, meio desajeitada.

— Você sabe como é o tal *Qayom Malak*? — perguntou ela a Daniel, cujo pé de cabra estava apoiado numa rocha atrás da figueira. — Como iremos reconhecê-lo quando o encontrarmos?

— Meu livro não traz nenhuma ilustração para isso. — Daniel partiu a rocha facilmente com um golpe. Os músculos dos seus braços tremiam enquanto levantava as metades de pedra, cada uma do tamanho de uma mala grande. Ele as colocou atrás de si, tendo cuidado para não deixar que caíssem na área que Dee havia demarcado. — Temos que confiar que Dee irá se lembrar.

Luce andou em direção ao espaço aberto deixado pela rocha que Daniel havia acabado de retirar. A oliveira e a figueira estavam completamente expostas, até os troncos — que agora pareciam quase planos, por causa do peso das rochas caídas. O olhar de Luce percorreu a enorme pilha de pedras que ainda teriam de remover. Tinha uns seis metros de altura, fácil. Será que alguma coisa resistiria ao seu peso?

— Não se preocupe — disse Dee, como se lesse a mente de Luce. — Está aí em algum lugar, tão a salvo quanto a sua primeira lembrança amorosa.

Os Párias haviam voado até o topo da pilha de rochas. Phil mostrou aos outros onde colocar as pedras que já haviam partido, e então eles voltaram a bater na pilha, fazendo a rocha se quebrar e rolar pelos lados.

— Ei! Estou vendo tijolos amarelos bastante antigos aqui. — As asas de Annabelle bateram acima do ponto mais alto da pilha, no local onde se encostava contra a parede vertical da montanha. Afastou alguns fragmentos com a pá. — Acho que pode ser uma das paredes do santuário.

— Uma parede, querida? Muito bem — disse Dee. — Deve haver mais três delas, é a maneira como as paredes são construídas. Continuem cavando.

Ela estava distraída, observando o pedaço que havia demarcado no planalto, mas notando o progresso da escavação. Parecia contar alguma coisa. O olhar, fixo no chão. Luce observou Dee por alguns instantes e percebeu que a velha senhora estava contando seus passos, como se estivesse delimitando uma área de jogo.

Levantou a cabeça e percebeu Luce olhando para ela.

— Venha comigo.

Luce olhou para Daniel, para a pele brilhante de suor. Ele estava ocupado com uma pedra grande. Ela se virou e seguiu Dee para dentro da caverna.

A lamparina de Dee balançava enquanto ela caminhava, iluminando os cantos escuros. O lugar era infinitamente mais sombrio e mais frio sem o brilho das asas dos anjos. Dee remexeu seu baú por alguns instantes.

— Onde está aquela maldita vassoura? — perguntou Dee.

Luce se inclinou por cima de Dee, segurando outra lamparina para ajudar a iluminar a arca. Enfiou a mão no grande baú e sentiu a aspereza do cabo.

— Aqui está.

— Maravilha. As coisas sempre estão no último lugar que procuramos, especialmente quando não conseguimos enxergar — falou Dee, colocando a vassoura sobre os ombros. — Quero lhe mostrar uma coisa enquanto os outros continuam a escavação.

Andaram de volta ao planalto, onde o barulho de metal batendo contra a pedra era alto e forte. Dee parou no canto da pedra caída, de frente para o local que havia pedido para os anjos deixarem livre. Começou a arrastar a vassoura rapidamente, com movimentos retos. Luce havia pensado que o planalto era todo feito da mesma rocha vermelha, mas à medida que Dee varria, Luce notava que havia uma plataforma de mármore por baixo dela. E um padrão emergiu: rocha amarelo-claro alternada com pedras brancas, formando um mosaico intrincado.

Finalmente Luce reconheceu um símbolo: uma longa linha de pedra amarela, ladeada por diagonais linhas brancas descendentes com comprimentos decrescentes.

Luce se agachou para poder correr os dedos pela pedra. Parecia a ponta de uma flecha, que apontava na direção oposta ao topo da montanha, na direção de onde os anjos haviam chegado.

— Esta é a plataforma Ponta de Flecha — falou Dee. — Quando tudo estiver pronto, nós a usaremos como um tipo de palco. Cam fez este mosaico há muitos anos, embora eu duvide que se lembre disso. Passou por coisas demais desde então. A desilusão amorosa é uma forma particular de amnésia.

— Você sabe algo sobre a mulher que partiu o coração de Cam? — sussurrou Luce, lembrando-se de que Daniel havia dito a ela para jamais tocar no assunto.

Dee fez uma careta, assentiu e apontou para a flecha amarela nos blocos de mármore.

— O que você acha do desenho?

— Acho lindo — respondeu Luce.

— Eu também — falou Dee. — Tenho um desenho igual a este tatuado sobre meu coração.

Sorrindo, desabotoou os primeiros dois botões de seu cardigã, revelando uma combinação amarela. Afastou o colarinho alguns centímetros, expondo a pele alva do peito. Finalmente, apontou para uma tatuagem preta sobre ele. Tinha precisamente as mesmas linhas que a pedra amarela no chão.

— O que significa? — quis saber Luce.

Dee bateu de leve na pele sobre a tatuagem e ajeitou a combinação.

— Mal posso esperar para contar a você — sorriu ela, virando-se para encarar o bloco de rocha atrás delas —, mas vamos começar do início. Veja como eles estão indo bem!

Os anjos e os Párias haviam limpado uma parte do exterior da pilha. O canto direito de duas antigas paredes de tijolos se estendia por diversos metros entre os escombros. Estavam bastante danificadas, janelas não planejadas apareciam aqui e ali. O teto já não existia mais. Alguns dos blocos estavam escurecidos por causa de algum incêndio acontecido há muitos anos. Outros pareciam úmidos, como se esti-

234

vessem se recuperando de uma enchente pré-histórica. No entanto, o formato retangular do antigo templo estava começando a ficar claro.

— Dee — chamou Roland, acenando para que a mulher fosse até a parede norte para inspecionar o progresso de suas escavações.

Luce retornou para o lado de Daniel. Enquanto estivera com Dee, ele havia limpado um amontoado de pedras, empilhando-as organizadamente à direita da rampa. Luce sentiu-se mal por quase não ajudar Pegou a picareta de novo.

Trabalharam durante horas. Já passava da meia-noite quando haviam limpado metade da rampa. As lamparinas de Dee iluminavam o planalto, mas Luce gostava de ficar perto de Daniel, usando como iluminação o brilho ímpar de suas asas. As mandíbulas dela doíam por causa da tensão no rosto. Os ombros estavam doloridos e os olhos ardiam, mas não parou. Não reclamou.

Continuou escavando com a picareta. Ergueu a ferramenta para bater contra um bloco de pedra rosa exposto por uma grande rocha arredondada que Daniel tinha acabado de remover, esperando que a ponta da picareta batesse contra matéria sólida. Mas, em vez disso, ela cortou algo mole. Luce largou a picareta e começou a cavar com as mãos através de um caminho surpreendentemente argiloso. Havia atingido uma camada de arenito tão desagregada que esfarelava com o toque de um dedo. Luce aproximou a lamparina para ver melhor enquanto arrancava torrões grandes. Após cavar vários centímetros na argila, sentiu algo liso e duro.

— Encontrei alguma coisa!

Os outros circundavam a pedra enquanto Luce limpava as mãos nos jeans e usava os dedos para raspar um quadrado de pedra de cerca de meio metro. Em algum momento, aquilo devia ter sido completamente adornado, mas agora a única coisa visível era o débil contorno de um homem com um halo sobre a cabeça.

— É isto que procuramos? — perguntou ela, excitada.

Os ombros de Dee roçaram os de Luce. Ela tocou o bloco com o polegar.

— Receio que não, querida. Esta é apenas uma imagem de nosso amigo Jesus. Temos de continuar cavando através dele.

— Através? — perguntou Luce.

— Para dentro da pedra. — Dee bateu no bloco com os dedos. — Esta é a fachada do santuário mais recente, um monastério medieval para monges particularmente antissociais. Precisamos cavar até encontrar a estrutura original, atrás desta parede.

Ela percebeu que Luce hesitava.

— Não tema destruir uma iconografia antiga — falou Dee. — Isso precisa ser feito para atingirmos o que é antigo *de verdade*. — Ela olhou para o céu, como se procurasse pelo sol, mas ele tinha há muito mergulhado no horizonte atrás deles. As estrelas estavam no céu. — Ai, ai. O tempo voa, não é mesmo? Continuem cavando! Vocês estão indo bem!

Finalmente, Phil deu um passo à frente com seu pé de cabra e golpeou o bloco com a imagem de Jesus. Conseguiu abrir um buraco. O espaço atrás da imagem era vazio, escuro e tinha um cheiro estranho, almiscarado e velho.

Os Párias saltaram sobre o bloco quebrado, aumentando a fenda para que pudessem cavar mais fundo. Eram trabalhadores esforçados, eficientes. Descobriram que, sem um teto sobre o santuário, as pedras caídas da avalanche haviam tomado também o interior daquele templo. Os Párias se revezaram quebrando a parede e colocando de lado os blocos que se separavam da estrutura.

Ariane estava afastada do grupo, num canto escuro do platô, chutando uma pilha de pedras como se tentasse ligar o motor de um cortador de grama. Luce caminhou até ela.

— Ei! — disse Luce. — Está tudo bem?

Ariane levantou os olhos, dedilhando as alças do macacão. Um sorriso estranho tomou conta do rosto dela.

— Lembra-se de quando fomos suspensas? E nos fizeram limpar o cemitério da Sword & Cross? Quando ficamos juntas esfregando aquele anjo?

— Claro! — O dia de Luce havia sido terrível naquela ocasião: repreendida por Molly, ansiosa por estar apaixonada por Daniel e, pensando bem, em dúvida se Ariane gostava dela ou se apenas sentia pena.

— Foi divertido, não? — A voz de Ariane pareceu distante. — Sempre vou me lembrar daquele dia.

— Ariane — disse Luce —, não é sobre isto que você está pensando de verdade, é? O que tem neste lugar que está fazendo você se esconder aqui?

Ariane permaneceu parada, apoiando-se na pá e balançando o corpo para a frente e para trás. Ela observava os Párias e os outros anjos escavando uma coluna interior alta. Finalmente, fechou os olhos e desabafou:

— Sou o motivo pelo qual este santuário não existe mais. O motivo de ele trazer má sorte.

— Mas... Dee falou que não havia sido culpa de ninguém. O que aconteceu?

— Após a Queda — começou ela —, eu estava recuperando minhas forças, procurando um abrigo, uma forma de curar minhas asas. Não havia ainda retornado ao Trono. E nem sabia como fazer isso. Não me lembrava do que eu era. Estava sozinha, vi este lugar e...

— Você entrou no santuário que costumava ficar aqui — disse Luce, lembrando-se do que Daniel havia contado sobre o motivo pelo qual os anjos caídos não se aproximavam de igrejas. Todos haviam ficado receosos na Igreja do Santo Sepulcro. Não se aproximaram da capela na ponte Saint Bénézet.

— Eu não sabia! — O peito de Ariane tremia quando respirava.

— Claro que não. — Luce passou o braço sobre o ombro de Ariane. Ela era toda pele, osso e asas. O anjo pousou a cabeça sobre o ombro de Luce. — Ele explodiu?

Ariane assentiu.

— Da mesma maneira como você explode em chamas... Não — corrigiu-se ela. — Da maneira como você *explodia em chamas* nas suas vi-

‖ 237 ‖

das passadas. Puf. O templo inteiro incendiado. Só que não foi, desculpe dizer isso, tipo tragicamente belo ou romântico. Foi preto no branco e *absoluto*. Como uma porta se fechando na minha cara. Foi quando soube que realmente havia sido expulsa do Céu. — Ela se virou para Luce, seus olhos azuis mais inocentes do que Luce se lembrava de ter visto. — Eu nunca tive intenção de ir embora. Foi um acidente, vários de nós simplesmente acabaram envolvidos... na batalha de outra pessoa. — Ela deu de ombros e sorriu com uma expressão ardilosa. — Talvez eu tenha ficado acostumada demais a ser uma rejeitada. Isso me cai bem, você não acha? — Ela fez uma pistola com os dedos e a disparou em direção a Cam. — Acho que não me incomodo de andar por aí com esse grupo de foras da lei. — Então o rosto de Ariane mudou, qualquer traço de humor desapareceu. Pegou Luce pelos ombros e sussurrou: — Pronto.

— O quê? — Luce deu meia-volta.

Os anjos e os Párias haviam afastado diversas toneladas de pedra. Estavam agora de pé sobre o local onde antes ficava a pilha de rochas. Haviam cavado até quase o amanhecer. Ao redor deles se erguia o santuário escondido que Dee prometera que iriam encontrar. A velha e elegante senhora era mesmo de palavra.

Restavam apenas duas paredes frágeis, formando uma quina à direita, mas as pedras cinzas no chão indicavam que o formato original se estendia por aproximadamente seis metros quadrados. Grandes blocos de mármore formavam as bases das paredes, onde antes havia um teto de arenito. Frisos desgastados pelo tempo decoravam partes da estrutura — criaturas aladas tão antigas e apagadas que quase sumiam na pedra. Um incêndio havia chamuscado pedaços das cornijas decorativas próximas ao topo das paredes.

A figueira e a oliveira, completamente descobertas, marcavam a barreira entre a pedra em forma de ponta de lança que Dee varrera e o santuário escavado. As duas paredes que faltavam deixavam o restante da estrutura para ser completado na imaginação de Luce, que pensou em antigos peregrinos se ajoelhando para rezar ali. Estava bastante claro onde eles se ajoelhariam.

238

Quatro colunas jônicas de mármore com bases caneladas e capitel com volutas haviam sido construídas ao redor de uma plataforma suspensa no centro do piso de cerâmica. E, nessa plataforma, existia um enorme altar retangular feito de pedra clara.

Parecia familiar, mas ao mesmo tempo diferente de qualquer coisa que Luce já havia visto. Estava repleto de pedras e sujeira, e Luce pôde visualizar os contornos da decoração incrustada no topo: dois anjos de pedra frente a frente, cada um deles do tamanho de um boneco grande. Parecia que outrora tinham sido folheados a ouro, mas agora havia apenas salpicos do seu antigo brilho. Os anjos de pedra estavam ajoelhados, orando, as cabeças baixas, sem halos, com asas cheias de belos detalhes, curvadas de maneira que as pontas se tocavam.

— Sim. — Dee inspirou profundamente. — É isso. *Qayom Malak*. Significa "O Inspetor dos Anjos". Ou como eu gosto de chamar, "O Assistente dos Anjos". Ele guarda um segredo que alma alguma jamais decifrou: a chave para o local onde os Caídos caíram na Terra. Você se lembra, Ariane?

— Acho que sim. — Ariane parecia nervosa ao se aproximar da escultura. Quando chegou à plataforma, permaneceu parada por um bom tempo diante dos anjos de pedra ajoelhados. Então também se ajoelhou. Tocou as pontas das asas deles, o lugar onde os dois anjos se conectavam. Estremeceu. — Vi por apenas um segundo antes de...

— Sim — falou Dee. — Você foi arremessada para fora do santuário. A força da explosão causou a primeira avalanche que enterrou o *Qayom Malak*, mas a figueira e a oliveira permaneceram expostas, um guia para os outros santuários que foram construídos nos anos seguintes. Os cristãos estiveram aqui, os gregos, os judeus, os mouros. Os santuários deles também pereceram, por avalanches, incêndios, escândalos ou medo, criando uma parede impenetrável ao redor do *Qayom Malak*. Precisava de mim para ajudá-la a reencontrá-lo. E não conseguiria me encontrar até que *realmente* precisasse de mim.

— E o que acontece agora? — perguntou Cam. — Não me diga que precisamos rezar.

239

Os olhos de Dee não abandonaram o *Qayom Malak*, nem mesmo quando entregou a Cam a toalha que trazia sobre os ombros.

— Ah, é bem pior que isso, Cam. Agora vocês precisam limpá-lo. Polir os anjos, especialmente suas asas. Poli-los até que brilhem. Precisaremos que a luz da lua brilhe sobre eles da forma correta.

CATORZE

AR APARENTE

*B*um.

Soou como se fosse um trovão, a preparação de um tornado escuro. Luce acordou com um pulo dentro da caverna, onde havia dormido no ombro de Daniel. Não pretendia cair no sono, mas Dee insistiu para que descansassem antes de explicar o propósito do *Qayom Malak*. Arrancada do sono agora, Luce sentia que muitas horas preciosas haviam se passado. Ela suava em seu saco de dormir aflanelado. O colar de prata estava quente contra o peito.

Daniel estava deitado bastante quieto, os olhos focados na entrada da caverna. O tremor parou.

Luce se apoiou nos cotovelos, percebeu Dee ao seu lado, adormecida em posição fetal, remexer-se levemente, os cabelos vermelhos soltos e emaranhados. Do lado esquerdo de Dee jaziam os sacos de dormir vazios dos Párias; as estranhas criaturas estavam de pé, alertas, amontoadas na parte de trás daquele espaço pequeno, as asas escuras sobrepostas. À direita, Annabelle e Ariane dormiam, ou pelo menos descansavam, suas asas prateadas entrelaçadas desinibidamente, como irmãs.

A caverna estava quieta. Luce devia ter sonhado com o ronco. Ainda estava cansada.

Quando rolou para o outro lado, aninhando as costas no peito de Daniel de maneira que ele a embalasse com a asa direita, suas pálpebras se fecharam. Depois, se abriram.

Estava cara a cara com Cam.

A poucos centímetros de distância, a cabeça apoiada sobre a mão, com os olhos verdes presos aos dela como num transe, ele abriu a boca, prestes a dizer algo...

BUM.

A caverna tremeu como uma folha. Por um momento, o ar pareceu assumir uma estranha transparência. O corpo de Cam tremulou, estando ali e *não* estando ao mesmo tempo, a própria existência parecendo bruxulear.

— Tempomoto — disse Daniel.

— Infalível como uma mãezona rastreando os filhos — concordou Cam.

Luce se levantou, sentindo falta do próprio corpo no saco de dormir, da mão de Daniel em seu joelho, de Ariane, cuja voz abafada dizia "não fui eu" até que as asas de Annabelle batessem nela para acordá-la. Todos estavam *bruxuleando* diante dos olhos uns dos outros. Concretamente presentes num momento, e sem substância, como fantasmas, no seguinte.

O tempomoto havia liberado de repente uma dimensão em que eles nem mesmo estavam *ali*.

A caverna ao redor estremeceu. Areia se desprendeu das paredes. Mas, ao contrário de Luce e seus amigos, as propriedades físicas da rocha vermelha permaneceram imutáveis, como se para provar que apenas pessoas — *almas* — corriam o risco de serem apagadas.

242

— O *Qayom Malak*! — disse Phil. — Uma pedra caída iria soterrá-lo novamente.

Luce observou, incomodada, enquanto as asas pálidas do Pária estremeciam à medida que ele cambaleava freneticamente em direção à entrada da caverna.

— Isto é um abalo sísmico na realidade, Phillip, não um terremoto — falou Dee, detendo Phil. A voz dela soava como se alguém estivesse aumentando e diminuindo seu volume. — Agradeço a preocupação, mas teremos de aguentar firmes.

E então houve um último e grande "bum", um rugido longo e terrível, durante o qual Luce não pôde ver *ninguém*, e depois eles estavam de volta, sólidos, novamente *reais*. Houve um silêncio súbito, tão absoluto que Luce pôde ouvir o próprio coração batendo dentro do peito.

— Isso, tudo bem — disse Dee. — O pior já passou.

— Todos estão bem? — perguntou Daniel.

— Sim, querido. Estamos bem — respondeu Dee. — Embora tenha sido uma experiência desagradável. — Ela se levantou e caminhou, a voz seguindo logo atrás. — Pelo menos foi um dos últimos deslocamentos sísmicos que alguém terá que vivenciar.

Trocando olhares, os outros a seguiram para fora da caverna.

— O que você quer dizer com isso? — perguntou Luce. — Lúcifer já está assim tão próximo? — Seu cérebro estava a toda, contando amanhecer, anoitecer, amanhecer, anoitecer. As lembranças se emaranhavam, uma corrente de frenesi, pânico e asas voando no céu.

Era de manhã quando Luce adormecera...

Eles pararam em frente ao *Qayom Malak*. Luce permaneceu no bloco em forma de ponta de flecha, encarando a escultura dos dois anjos. Roland e Cam elevaram-se no céu e pairaram a cerca de 15 metros do chão. Olharam em direção ao horizonte, próximos um do outro para poderem conversar em particular. Suas enormes asas bloqueavam a luz do sol — que, Luce notou, estava baixo no horizonte.

— Já é a tarde do sexto dia desde que Lúcifer começou sua Queda solitária — disse Dee calmamente.

— Nós dormimos o dia todo? — perguntou Luce, apavorada. — Perdemos tempo demais...

— Nada foi perdido — disse Dee. — Tenho uma longa noite pela frente. E, pensando bem, você também. Logo estará grata por ter descansado.

— Vamos começar antes que outra alteração se inicie, antes que tenhamos de lutar contra a Balança — disse Cam, enquanto ele e Roland voltavam para o chão. As asas de ambos se chocaram levemente por causa da força do pouso.

— Cam está certo. Não temos tempo a perder. — Daniel pegou a mochila preta, que continha o halo que Luce havia roubado da igreja submersa em Veneza. Então pegou a sacola de pano, que trazia uma protuberância no centro, bem onde ele colocara o cálice de prata. Ele pôs as duas bolsas fechadas diante de Dee, de maneira que os três artefatos ficassem enfileirados.

Dee não se moveu.

— Dee? — chamou Daniel. — O que temos de fazer?

Dee não respondeu.

Roland deu um passo à frente, tocando as costas dela.

— Cam e eu vimos sinais de mais anjos da Balança no horizonte. Eles ainda não conhecem nossa localização, mas não estão muito longe. Seria melhor se começássemos.

Dee franziu a testa.

— Temo que isso seja impossível.

— Mas você disse... — Luce começou a falar enquanto Dee a observava placidamente. — A tatuagem. O símbolo no chão...

— Eu ficaria feliz em *explicar* — falou Dee. — Mas não podemos apressar a obra.

Ela olhou em volta do círculo de anjos, Párias e Luce. Quando teve certeza de que tinha a atenção de todos, começou a falar:

— Conforme já sabemos, o começo da história dos que caíram jamais foi escrita. Embora possam não se lembrar com clareza — o olhar caiu sobre os anjos —, vocês gravaram seu primeiro dia na Terra com *objetos*. Até hoje, os elementos essenciais de sua sabedoria pré-histórica estão codificados em diferentes artefatos, que são, para os olhos comuns, uma coisa completamente diferente.

Dee pegou o halo e segurou-o contra a luz do sol.

— Vejam — disse ela, correndo o dedo por uma série de rachaduras no vidro que Luce não havia notado antes. — Este halo de vidro é também uma lente. — Dee o manteve erguido para que todos pudessem olhar através dele. Atrás, seu rosto estava levemente distorcido pela curvatura convexa do vidro, fazendo com que seus olhos dourados ficassem enormes.

Abaixou o halo, pegou a sacola de pano e tirou dela o cálice de prata, que brilhou com os últimos raios de sol do dia enquanto Dee deslizava a mão suavemente por seu interior.

— Assim como este cálice — disse ela, apontando para a ilustração martelada na prata, as asas que Luce havia notado em Jerusalém —, carrega o registro do êxodo do local da Queda, a primeira Diáspora dos anjos. Para retornarem para sua primeira casa na Terra, vocês precisam encher esse cálice. — Ela fez uma pausa, olhando para dentro do cálice de prata. — Quando estiver cheio, iremos esvaziá-lo no chão de mosaico, que contém a imagem de como o mundo já foi um dia.

— Quando o cálice estiver cheio? — repetiu Luce. — Cheio de quê?

— Primeiro, as primeiras coisas. — Dee caminhou para a margem da plataforma de pedra e varreu alguns sedimentos. Então se curvou para colocar o cálice diretamente no topo do símbolo amarelo na pedra. — Creio que isto deva ficar aqui.

Luce permaneceu ao lado de Daniel, extasiada, enquanto observavam Dee subir e descer lentamente a plataforma. Finalmente, ela pegou o halo outra vez e o carregou até o *Qayom Malak*. Em determinado momento, havia tirado as botas de caminhada e calçara novamente seus sapatos de salto alto, e agora os saltos tamborilavam no mármore. Os cabelos despenteados desciam até a cintura. Ela inspirou profundamente e expirou.

☙ 245 ❧

Com ambas as mãos, ergueu o halo acima da própria cabeça, sussurrou algumas palavras de oração e então, com muito cuidado, baixou-o diretamente no espaço formado pelas asas das esculturas dos anjos rezando. Coube como um anel.

— Eu *não* esperava por isso — disse Ariane para Luce.

Luce também não — embora estivesse certa de que a mulher estava envolvida em algo poderoso, sagrado.

Quando se virou para encarar Luce e os anjos, Dee parecia prestes a dizer alguma coisa. Em vez disso, caiu de joelhos e se deitou de costas no chão, aos pés do *Qayom Malak*. Daniel se apressou em direção a ela, pronto para ajudá-la, mas ela sinalizou com a mão para que ele se afastasse. A ponta de seus sapatos descansava no peito do *Qayom Malak*; os braços delgados se estendiam acima da cabeça, de forma que as pontas dos dedos roçassem levemente o cálice de prata. Seu corpo ocupava o espaço com precisão.

Ela fechou os olhos e permaneceu imóvel por vários minutos.

Quando Luce estava começando a se perguntar se ela havia adormecido, Dee falou:

— Foi bom que eu tenha parado de crescer há duzentos anos.

Então ela se levantou, apoiando-se em Roland, e limpou a poeira da própria roupa.

— Está tudo certo. Quando a lua iluminar bem ali. — Apontou em direção ao céu, a leste, logo acima das rochas.

— A lua? — Cam olhou para Daniel.

— Sim, a lua. Ela precisa brilhar exatamente aqui. — Dee bateu de leve no centro do halo de vidro, onde uma rachadura ficara mais visível do que minutos atrás. — Se bem conheço a lua, e eu conheço — após todos esses anos, uma pessoa desenvolve com seus companheiros um relacionamento íntimo — ela deve iluminar exatamente onde precisamos que ilumine à meia-noite de hoje. O que vem a calhar realmente, já que a meia-noite é a minha hora favorita do dia. A hora das bruxas...

— E o que acontecerá então? — perguntou Luce. — À meia-noite, quando a lua estiver onde tem de estar?

≈ 246 ≈

Dee andou mais devagar e fechou as mãos em concha na altura das bochechas de Luce.

— Tudo, querida.

— E o que precisamos fazer nesse meio-tempo? — perguntou Daniel.

Dee enfiou a mão no bolso do cardigã e puxou um grande relógio de ouro.

— Algumas coisas ainda precisam ser feitas.

Seguiram as instruções de Dee nos mínimos detalhes. Cada um dos artefatos foi limpo, polido, espanado por diversos pares de mãos. Já era noite alta quando Luce pôde visualizar o que Dee tinha em mente para a cerimônia.

— Mais duas lamparinas, por favor — instruiu Dee. — Isso totalizará três, uma para cada relíquia. — Era estranha a maneira como Dee se referia às relíquias, como se não fosse uma delas. Era ainda mais estranha a forma como andava de um lado para o outro do planalto, como uma anfitriã preparando um jantar, certificando-se de que tudo estava perfeito.

O quarteto de Párias acendeu as lamparinas ritualisticamente. Suas cabeças raspadas orbitavam sobre as pedras como planetas. A primeira lamparina iluminou o *Qayom Malak*.

A segunda lançou luz sobre o cálice de prata, que ainda estava onde Dee o deixara, sobre a pedra dourada em forma de ponta de lança, distante exatamente à altura de Dee — meros um metro e meio — do *Qayom Malak*. Antes, os anjos haviam providenciado um arco em formato de meia-lua, com pedras como bancos, dispondo-as do lado direito e do lado esquerdo da placa, de maneira a lembrar um palco. Isso fez o espaço parecer-se ainda mais com um anfiteatro. Annabelle limpava as rochas como um lanterninha preparando os assentos para uma plateia iminente.

— O que Dee vai fazer com tudo isto? — sussurrou Luce para Daniel.

Os olhos violeta de Daniel estavam pesados com algo que ele não conseguia verbalizar e, antes que Luce pudesse implorar para que tentasse fazê-lo, as mãos de Dee encontraram os ombros de Luce.

— Por favor, vistam estes robes. Acho que vestes cerimoniais ajudam a manter o foco na tarefa a ser feita. Daniel, acho que este deve servir em você. — Ela colocou um manto marrom-escuro nas mãos dele. — E aqui está um para a bela Ariane. — Passou o robe para o anjo. — Falta você, Luce. Há robes menores no fundo do meu baú, logo ali. Pegue minha lamparina e procure.

Luce pegou o lampião e começou a guiar Daniel em direção à caverna onde haviam passado a noite anterior, mas Dee segurou o braço do anjo.

— Posso falar com você?

Daniel assentiu para que Luce prosseguisse sozinha, então ela o fez, imaginando o que Dee não queria falar na sua frente. Apoiou o cabo da lamparina no antebraço, fazendo a luz balançar enquanto caminhava para a entrada da caverna.

Luce abriu a tampa do baú e enfiou a mão dentro dele. A única coisa ali era um longo manto marrom, que pegou. Era feito de uma lã grossa, espesso como um casaco de inverno e de cheiro adocicado, como tabaco. Quando o ergueu acima do corpo, pareceu ser cerca de um metro mais longo que ela. Agora estava ainda mais curiosa para saber o motivo pelo qual Dee a havia afastado de Daniel. Colocou a lanterna no chão e puxou o robe desajeitadamente por cima da cabeça.

— Precisa de ajuda?

Cam havia entrado na caverna tão silenciosamente quanto uma nuvem. De pé atrás dela, pegou uma parte da sobra de tecido e a enfiou embaixo do cinto de pano do manto. Ele o amarrou de forma que agora a roupa chegasse até os tornozelos de Luce, cabendo perfeitamente, como se tivesse sido feita para ela.

Luce se virou para encará-lo. A luz da lanterna tremulava em seu rosto. Ele permaneceu imóvel, da maneira como apenas Cam sabia fazer.

Luce correu os dedos por baixo do cinto que ele havia amarrado.

— Obrigada — disse ela, voltando em direção à entrada da caverna.

— Luce, espere...

248

Ela parou. Cam baixou o olhar para o bico da bota, chutando a lateral do baú. Luce observou também. Estava se perguntando como não o havia ouvido entrar na caverna, como tinham acabado ficando sozinhos.

— Você ainda não acredita que estou do seu lado.

— Não importa mais, Cam. — Ela sentiu um nó impossivelmente apertado na garganta.

— *Escute*. — Cam deu um passo na direção dela, de maneira que ficaram a apenas alguns centímetros de distância um do outro. Ela pensou que fosse tomá-la nos braços, mas ele não o fez. Nem mesmo tentou tocá-la; apenas ficou bem perto dela, imóvel. — As coisas eram diferentes. Olhe para mim. — Ela obedeceu, nervosa. — Posso trazer o dourado de Lúcifer em minhas asas agora, mas não foi sempre assim. Você me conheceu antes de eu tomar esse caminho, Lucinda, e nós éramos amigos.

— Bem, como você mesmo disse, as coisas mudam.

Cam deixou escapar um rosnado frustrado.

— É *impossível* se desculpar para uma garota cuja memória é tão convenientemente seletiva. Permita que eu tente: à medida que desperta para o seu verdadeiro eu, começa a recobrar todo tipo de lembranças suntuosas nas quais você e Daniel se apaixonam, Daniel fala uma linda frase, Daniel se vira em direção a silhuetas que acariciavam as pontas das estrelas no horizonte...

— E por que não deveria? Pertencemos um ao outro. Daniel é meu tudo. E você é...

— O que ele diz a meu respeito? — Os olhos de Cam se estreitaram.

Luce estalou os dedos e se lembrou da maneira como, mais cedo na Sword & Cross, as mãos de Daniel haviam deslizado sobre as dela para que parasse com aquela mania. O toque dele havia sido familiar desde o começo.

— Ele diz que confia em você.

Uma pausa se seguiu, mas Luce se recusou a preenchê-la. Queria ir embora. E se Daniel chegasse e a visse nessa caverna escura com Cam? Estavam discutindo, mas Daniel não seria capaz de perceber isso a distância. Com o que se pareciam, ela e Cam? Quando ergueu o olhar, os olhos dele estavam límpidos, verdes e profundamente tristes.

— *Você* confia em mim? — perguntou ele.

— Por que isto importa agora se...

Os olhos dele se arregalaram, ferozes e excitados.

— *Tudo importa agora.* Todos os outros momentos foram apenas ensaios para o que ocorre agora. E, para que faça o que tem que fazer, não pode me ver como um inimigo. Você não faz ideia de onde se meteu.

— Do que você está falando?

— Luce. — Era a voz de Dee. Ela e Daniel estavam parados na entrada da caverna. Dee era a única a sorrir. — Estamos prontos para você!

— Eu?

— Você.

Luce sentiu medo de repente.

— O que preciso fazer?

— Por que não me acompanha e descobre?

As mãos de Dee estavam estendidas, mas Luce achou difícil se mover. Olhou para Cam, mas ele olhava para Daniel, que ainda estava olhando para ela, seus olhos ardendo como faziam quando estava prestes a pegá-la nos braços e beijá-la apaixonadamente. Mas ele não se mexeu e isso fez com que os poucos metros que os afastavam parecessem milhares de quilômetros.

— Eu fiz algo errado? — perguntou ela.

— Você está prestes a fazer algo maravilhoso — disse Dee, ainda estendendo as mãos para ela. — Não vamos desperdiçar o pouco tempo que temos.

Luce pegou a mão dela, que estava tão fria que a assustou. Estudou Dee, que parecia mais pálida, mais frágil e mais velha do que na biblioteca em Viena. Mas, de alguma forma, por baixo da pele fina e dos ossos proeminentes, algo ainda brilhava de forma efervescente, vindo de seu interior.

— Eu pareço bem, querida? Você está me encarando.

— Claro — disse Luce. — É que...

— Minha alma? Está brilhando, não é?

Luce assentiu.

— Ótimo.

Cam e Daniel não se falaram quando passaram um pelo outro: Cam saindo da caverna e Daniel dando a volta atrás de Luce, segurando a lamparina.

— Dee? — Luce se virou para a mulher, cuja mão gélida estava tentando esquentar com a sua. — Não quero ir até lá. Tenho medo e não sei por quê.

— Isso é como deveria ser. Mas essa tarefa não pode ser de outra pessoa.

— Será que alguém poderia por favor me dizer o que está acontecendo?

— Sim — respondeu Dee, dando um puxão firme, mas encorajador na mão de Luce. — Assim que formos lá para fora.

Enquanto rodeavam a pedra em formato de ponta de lança que encobria parcialmente a entrada da pequena caverna, o vento frio caía sobre eles, inclemente. Luce ficou para trás, protegendo o rosto do súbito jato de areia com a mão livre. Dee e Daniel a ajudaram a seguir pela trilha que haviam percorrido na noite anterior, no trecho onde estavam mais expostos ao vento.

Luce descobriu que os picos ao redor do planalto formavam barreiras contra as rajadas revoltas, permitindo que enxergasse e escutasse novamente. Embora conseguisse ouvir a tempestade de areia diária uivando além do planalto, tudo o que estava dentro da rocha curvada parecia subitamente quieto e claro.

Duas lamparinas brilhavam no bloco de mármore — uma diante do *Qayom Malak* e outra atrás do cálice de prata. Ambas atraíam alguns mosquitos, que se chocavam contra o vidro das lanternas, estranhamente acalmando Luce. Pelo menos ainda estava num mundo onde as luzes atraíam mosquitos. Ainda estava em um mundo que conhecia.

A lamparina iluminou os dois anjos dourados ajoelhados em oração. A luz tocou as bordas do pesado halo de vidro rachado, que Dee havia retornado ao seu lugar de direito, aninhado nas asas dos anjos.

No despenhadeiro que se elevava sobre o platô, quatro Párias estavam empoleirados nas bordas da rocha, cada um encarando um dos pontos cardeais. As asas dos Párias, guardadas de lado, mal pareciam visíveis, mas o facho de luz do lampião de Daniel mostrava as setas estelares em cada um de seus arcos prateados, como se aguardassem a chegada dos anjos da Balança a qualquer momento.

Os quatro anjos caídos que Luce conhecia melhor ocupavam os assentos de pedra ao redor das relíquias, dispostas de forma ritualística. Ariane e Annabelle estavam sentadas de um lado, as costas eretas, as asas ocultas. Do outro lado estavam Cam e Roland... com um assento vazio entre eles.

Seria para Luce ou Daniel?

— Muito bem, todos estão aqui, exceto a lua — falou Dee, olhando para o céu. — Mais cinco minutos. Daniel, poderia se sentar no seu lugar?

Daniel entregou a lanterna para Dee e caminhou pela placa de mármore. Parou diante do *Qayom Malak*. Luce quis ir até ele, mas antes que pudesse se inclinar em sua direção, Dee segurou a mão dela com mais força.

— Fique comigo, querida.

Daniel se sentou entre Roland e Cam, e encarou Luce com olhos inexpressivos.

— Permita-me que explique — ecoou nas paredes de pedra vermelha a voz calma e clara de Dee, e todos os anjos se aprumaram para ouvir. — Conforme falei mais cedo, precisamos que a lua apareça, e agora, daqui a alguns instantes, ela virá nos visitar acima deste pico. Irá brilhar através da lente do halo. Temos sorte de o céu estar limpo esta noite, sem nada para obscurecer as sombras das adoráveis crateras da lua quando se encaixarem nas rachaduras do vidro do halo. Juntos, irão projetar os contornos dos continentes e as linhas dos países, que, com a ajuda dos entalhes do cálice, irão abranger o mapa da Simula-cra Terra Prima. Bem aqui. — Ela apontou para um espaço vazio no degrau de mármore, onde havia se deitado na noite anterior, ao medir a distância entre o *Qayom Malak* e o cálice de prata. — Vocês verão uma representação do mundo quando os anjos caíram na Terra. Sim — suspirou ela —, só mais um momento. Ali.

A crista da lua apareceu sobre o penhasco que se sobressaía por trás do *Qayom Malak*. E, embora estivesse pálida e minguante, bri-lhou tão clara como o amanhecer. Os anjos, os Párias, Luce e Dee permaneceram quietos durante vários minutos, observando a lua su-bir, observando enquanto ela brilhava debilmente, depois mais forte, através da superfície translúcida do halo. A placa de mármore além dele ficou branca, depois enevoada e então, subitamente, a projeção tornou-se clara, bem visível e real. As linhas projetadas, as intersec-ções — *continentes* —, fronteiras, terras e mares.

Parecia parcialmente completo. Algumas linhas levavam a lugar algum; algumas fronteiras jamais se fecharam. Mas estava claro que era o mapa da Terra, pensou Luce, como devia ter sido quando Daniel caiu ali por causa dela. Aquilo remexeu algo no fundo de sua memó-ria. Parecia familiar.

— Você está vendo a pedra amarela ali no centro? — perguntou Dee.

Luce comprimiu os olhos para enxergar uma cerâmica da mesma pedra amarela, levemente mais escura que aquela onde o cálice havia sido colocado.

— Aquilo somos nós, logo ali, no centro de tudo.

— Como uma seta dizendo: "Você está aqui" — disse Luce.

— Isso mesmo, querida. — Dee se virou para Luce. — E agora, minha Lucinda querida, já conseguiu entender qual é o seu papel nesta cerimônia?

Luce se aborreceu. O que queriam dela? Era a história deles, não dela. Depois de toda aquela confusão, era apenas uma garota como outra qualquer, arrebatada pela promessa do amor. Daniel a havia encontrado na Terra após ter caído do Céu; alguém deveria perguntar a *ele* o que estava acontecendo.

— Sinto muito. Eu não sei.

— Vou dar uma dica — disse Dee. — Está vendo o lugar onde os anjos caíram marcado neste mapa?

Luce suspirou, ansiosa para conseguir logo uma explicação.

— Não.

— Foi determinado há muitos milênios que o local neste mapa seria apenas revelado com sangue. O sangue que corre pelas nossas veias sabe muito mais que nós. Observe atentamente. Vê as ranhuras no mármore? São as linhas que fecham as fronteiras da Terra angélico-pré-lapsariana. Elas devem se tornar claras depois que o sangue for derramado. O sangue fará uma poça em um lugar de importância vital. O conhecimento, querida, está no sangue.

— O local da Queda — disse um dos anjos, reverentemente. Luce não conseguiu determinar se foi Ariane ou Annabelle.

— Mais ou menos como um mapa do tesouro numa história de aventura, o local do impacto, o local da Queda, será marcado com uma estrela de sangue de cinco pontas. Agora...

Dee estava falando, porém Luce não conseguia mais ouvir o que dizia. Então era isso que teria de ser feito para deter Lúcifer. Era isso que Cam quis dizer que ela precisaria fazer. Era por isso que Daniel não olhava para Luce. Sentia como se sua garganta estivesse fechada. Quando abriu a boca, soou como se estivesse embaixo d'água.

— Você precisa... — Ela engoliu em seco. — Do meu sangue.

Dee engasgou de rir e pressionou uma mão fria contra o rosto de Luce.

— Meu Deus, não, querida! Fique com seu sangue. Eu lhe darei o meu.

— O quê?

— Isso mesmo. Enquanto eu estiver deixando este mundo, você irá encher o cálice de prata com meu sangue. Irá derramá-lo nesta depressão a leste da marca da seta dourada. — Ela indicou uma falha à esquerda do cálice, depois balançou as mãos dramaticamente em direção ao mapa. — Então irá observá-lo preencher as falhas aqui e ali, aqui e ali, até encontrar a estrela. Aí você saberá onde encontrar Lúcifer e acabar com o plano dele.

Luce estalou os dedos. Como Dee podia falar sobre a própria morte de maneira tão casual?

— Por que você faria isso?

— Ora, foi para isso que fui criada. Os anjos foram criados para adorar e eu também tenho um propósito.

Então Dee puxou de um dos bolsos mais fundos de seu manto marrom um longo punhal de prata.

— Mas este é...

O punhal que a Srta. Sofia tinha utilizado para matar Penn. O mesmo que ela havia utilizado em Jerusalém quando prendeu os anjos.

— Sim, eu o peguei no Gólgota — explicou Dee, admirando o belo punhal. A lâmina brilhava como se tivesse acabado de ser afiada. — Este punhal possui uma história sombria. É hora de fazer bom uso dele, querida. — Ela estendeu o punhal, a lâmina pousada na palma de sua mão, o cabo apontando na direção de Luce. — Significaria muito para mim se fosse você a pessoa a derramar o meu sangue, querida. Não apenas porque *é* querida para mim, mas também porque *precisa* ser você.

— Eu?

— Sim, você. Precisa me matar, Lucinda.

QUINZE

A DÁDIVA

— Não posso!
— Sim, pode — falou Dee. — E irá fazê-lo. Ninguém mais pode.
— Por quê?
Dee olhou por sobre os ombros, em direção a Daniel. Ele permanecia sentado, olhando para Luce, mas não parecia enxergá-la. Nenhum dos anjos se levantou para ajudá-la.
Dee sussurrou:
— Se está, como diz estar, completamente determinada a quebrar sua maldição...
— *Você sabe que estou.*
— Então precisa usar o meu sangue para isso.
Não. Como poderia a maldição dela estar relacionada a derramar o sangue de outra pessoa? Dee os trouxera até ali, até o *Qayom Malak*, para revelar o local da Queda dos anjos. Esse era o seu papel enquanto desideratum. Isso não tinha nada a ver com a maldição de Luce.

Ou tinha?

Quebrar a maldição. Claro que Luce queria fazer isso; era tudo o que ela queria.

Poderia ela quebrá-la, ali e agora? Como seria capaz de viver tranquilamente com sua consciência caso matasse Dee? Luce olhou para a senhora, que lhe segurou as mãos.

— Não quer saber a verdade sobre sua primeira vida?

— Claro que quero. Mas por que matar alguém revelaria meu passado?

— Vai revelar todo tipo de coisas.

— Não compreendo.

— Ah, querida. — Dee suspirou, olhando para além de Luce, para os outros. — Estes anjos fizeram um bom trabalho para protegê-la, mas também a protegeram ao ponto da complacência. Chegou a hora de você despertar, Lucinda, e para isso, precisa *agir*.

Luce virou-se para não fitá-la. A expressão nos olhos dourados de Dee era apelativa demais, intensa demais.

— Já vi mortes o suficiente — disse Luce.

Um anjo se ergueu da escuridão do círculo que haviam formado ao redor do *Qayom Malak*.

— Se ela não pode fazer isso, eu posso.

— Cale a boca, Cam — repreendeu Ariane. — Sente-se aí.

Cam deu um passo adiante, aproximando-se de Luce. Seu corpo magro lançou uma sombra pela plataforma.

— Chegamos longe demais. Não dá para dizer que não tentamos de tudo. — Ele se virou para encarar os outros. — Mas talvez ela não seja mesmo capaz disso. Toda pessoa tem um limite. Não seria a primeira jovenzinha em quem alguém apostou uma fortuna e perdeu. E se ela for a última?

O tom do anjo não combinava com suas palavras, nem com seus olhos, que diziam com sinceridade desesperada: "Você pode fazer isso. Você precisa fazer."

Luce sentiu o peso do punhal na mão. Já vira aquela mesma lâmina ceifar a vida de Penn. Sentira-a na pele quando Sophia tentou matá-la na capela da Sword & Cross. O único motivo pelo qual Luce não estava morta agora era porque Daniel tinha entrado pela janela rosada para salvá-la. O único motivo pelo qual não guardava nenhuma cicatriz era por causa do toque curador de Gabbe. Eles haviam salvado a vida dela por causa deste momento. Para que pudesse tirar outra vida.

Dee percebeu o quanto o medo havia tomado conta de Luce. Fez sinal para que Cam se sentasse.

— Talvez fosse melhor, querida, se não encarasse isso como tirar a minha vida. Você estaria me dando a maior dádiva de todas, Lucinda. Não vê que estou pronta para seguir adiante? — Ela apertou os lábios num sorriso. — Sei que é difícil entender, mas chega um momento na jornada de um corpo mortal em que ele busca morrer do modo mais vantajoso possível. Os antigos chamavam a isso de "boa morte". É hora de eu partir e, se me der a dádiva dessa morte *muito* boa, prometo que não vai se arrepender.

Com os olhos ardendo em lágrimas, Luce olhou para além de Dee.

— Dan...

— Não posso ajudar você, Luce — disse Daniel, antes mesmo de terminar de pronunciar seu nome. — Precisa fazer isso sozinha.

Roland se levantou e examinou o mapa. Olhou para a lua a leste.

— Se for mesmo feito, então melhor que seja rápido.

— Não temos muito tempo — explicou Dee, apoiando a mão frágil sobre o ombro de Luce.

As mãos de Luce tremiam, suando sobre o cabo pesado do punhal, o que tornava difícil segurá-lo. Atrás de Dee, via a plataforma com o mapa semidesenhado, e, mais adiante, o *Qayom Malak*, no qual o halo de vidro estava apoiado. O cálice de prata repousava aos pés de Dee.

Luce havia passado por um sacrifício antes: em Chichén Itzá, quando se clivara ao seu eu do passado de nome Ix Cuat. Aquele ritual não tinha feito nenhum sentido para Luce. Por que alguém querido deveria morrer para que outras coisas queridas pudessem continuar vivendo? Será que quem havia criado tais regras não achava que isso merecia uma explicação? Era como Abraão, a quem foi pedido que sacrificasse o filho Isaac. Teria Deus criado o amor para fazer com que o sentimento de dor fosse ainda pior?

— Fará isso por mim? — pediu Dee.

Quebrar a maldição.

— Fará isso por si?

Luce segurou o punhal entre as palmas abertas.

— O que eu devo fazer?

— Vou orientar você no processo.

A mão esquerda de Dee se fechou ao redor da direita de Luce, que cerrou ao redor do punhal. O cabo estava escorregadio pelo suor das mãos.

Com a mão direita livre, Dee desamarrou seu manto e o retirou, ficando diante de Luce vestida com uma longa túnica branca. A parte de cima de seu peito estava nua, revelando a tatuagem de ponta de flecha.

Luce gemeu ao ver aquilo.

— Por favor, não se preocupe, querida. Sou uma raça especial, e este momento sempre foi o meu destino. Um rápido golpe em meu coração será o bastante para me libertar.

Era o que Luce precisava ouvir. O punhal tremia enquanto Dee o guiava na direção da tatuagem. A senhora só podia ajudar Luce até certo ponto, porém; Luce sabia que em breve teria de segurar a lâmina sozinha.

— Você está se saindo bem.

— Espere! — gritou Luce quando a lâmina cortou a carne de Dee. Uma gota vermelha de sangue desabrochou na pele da senhora, bem acima da barra da túnica. — O que irá acontecer com você depois que morrer?

Dee sorriu tão tranquilamente que Luce não teve dúvidas de que aquilo era para o bem dela.

— Ora, querida, deslizarei para a obra-prima.

— Você vai para o Céu, não é?

— Lucinda, não vamos falar sobre...

— Por favor. Não posso mandar você para outra vida a menos que saiba como será. Eu irei vê-la novamente? Você irá embora como um anjo?

— Oh, não, minha morte será uma vida secreta, como o sono — disse Dee. — Melhor que o sono, na verdade, porque pela primeira vez serei capaz de sonhar. Em vida, os transeternos jamais sonham. Eu irei sonhar com o Dr. Otto. Faz tanto tempo que não vejo o meu amor, Lucinda. Com certeza, você deve ser capaz de entender, não é?

Luce sentiu vontade de chorar. Ela entendia. Claro, claro que aquilo ela entendia.

Tremendo ainda mais, ela levou o punhal de volta até a tatuagem no peito de Dee. A velha apertou de leve as mãos de Luce.

— Abençoada seja, criança. Abençoada seja abundantemente. Depressa, agora. — Ansiosa, Dee olhou para o céu, piscando para a lua. — Para dentro.

Luce gemeu ao enfiar o punhal no peito da senhora. A lâmina atravessou carne, ossos e músculos — e depois chegou ao belo coração, enterrada quase até o punho. Os rostos de Luce e de Dee praticamente se tocavam. As nuvens que as respirações de ambas formavam se misturaram no ar.

Dee rangeu os dentes e segurou a mão de Luce ao dar à lâmina um giro rápido para a esquerda. Os olhos dourados se arregalaram, depois se congelaram de dor ou espanto. Luce queria desviar o olhar, mas não conseguiu. Procurou o grito dentro de si mesma.

— Retire a lâmina — sussurrou Dee. — Despeje meu sangue no cálice de prata.

Recuando, Luce arrancou o punhal. Sentiu algo se partir no interior do corpo de Dee. A ferida era uma caverna negra aberta. O sangue fluía para a superfície. Era aterrorizante ver os olhos dourados de Dee se nublando. A senhora desabou no platô iluminado pelo luar.

À distância, ouviu-se o grito agudo de um anjo da Balança. Os anjos olharam para cima.

— Luce, precisamos que ande depressa — disse Daniel com calma forçada, que a deixou mais alarmada do que se estivesse em pânico.

Ela ainda segurava o punhal, que estava vermelho, pegajoso e pingava com o sangue da transeterna. Ela o atirou no chão e o punhal caiu com um tilintar minúsculo que a deixou furiosa, pois mais parecia um brinquedo do que a poderosa arma que matara duas almas amadas por Luce.

Limpou as mãos no manto e lutou para conseguir respirar. Teria desabado de joelhos caso Daniel não a segurasse.

— Desculpe, Luce. — Ele a beijou, os olhos irradiando sua costumeira ternura.

— Pelo quê?

— Por eu não ter podido ajudar.

— Por que não pôde?

— Você fez o que nenhum de nós poderia fazer. E fez sozinha. — Segurando-a pelos ombros, Daniel virou Luce na direção da visão que ela não queria ver.

— Não. Por favor, não me faça...

— Olhe.

Dee estava se sentando, aninhando o cálice de prata de modo que a borda pressionasse o seio. O sangue fluía livremente de seu coração, irrompendo a cada batida poderosa, como se não fosse sangue e sim algo mágico e estranho, de outro mundo. Luce supôs que fosse mesmo. Os olhos de Dee estavam fechados, mas ela sorria, com o rosto erguido para cima, iluminado pela lua. Não parecia sentir dor alguma.

Quando o cálice estava cheio, Luce deu um passo adiante, dobrou o corpo para apanhá-lo e colocou-o de volta na flecha amarela da plataforma. Quando tirou o cálice de prata de Dee, a velha senhora tentou se levantar. As mãos ensanguentadas se apoiaram no chão para ajudar no impulso. Os joelhos tremeram quando lutou para se apoiar sobre um dos pés, depois o outro. Inclinou-se para a frente, o corpo sofreu uma ligeira convulsão enquanto ela segurava o manto negro. Estava tentando colocá-lo novamente ao redor dos ombros, percebeu Luce, para que a ferida ficasse coberta. Ariane deu um passo à frente para ajudá-la, mas não adiantou. Mais sangue inundou o manto.

Os olhos dourados de Dee estavam mais pálidos; a pele, quase translúcida. Tudo nela parecia desbotado e suave, como se ela já estivesse em algum outro lugar. Um novo soluço subiu ao peito de Luce enquanto Dee dava um passo, mancando em sua direção.

— Dee! — Luce cruzou o espaço entre elas, estendendo os braços para segurar o corpo da mulher que morria. Parecia uma sombra do que tinha sido antes de Luce atravessá-lo com o punhal.

— Shhh — pediu Dee. — Só queria agradecer a você, querida. E te dar este pequeno presente de despedida. — Enfiou a mão dentro do manto e, ao retirá-la, seu polegar estava escuro de sangue. — O presente do autoconhecimento. Você precisa se lembrar de como sonhar com aquilo que já conhece. Agora chegou a hora de eu dormir e de você despertar.

Os olhos de Dee percorreram o rosto de Luce, e parecia que era capaz de enxergar tudo o que havia para ver nele — todo o passado e o futuro da garota. Por fim, pressionou a testa de Luce com seu polegar ensanguentado.

— Faça bom proveito, querida.

Então ela caiu.

— Dee! — Luce atirou-se sobre ela, mas a mulher estava morta. —*Não!*

Atrás de Luce, Daniel a segurou pelos ombros, oferecendo-lhe toda a força que podia. Não era o bastante. Não poderia trazer Dee de volta ou mudar o fato de que Lucinda a matara. Nada poderia.

Lágrimas turvaram a visão de Luce. O vento soprava com força do oeste e assobiava sobre as curvas dos montes, trazendo consigo outro grito esganiçado de um anjo da Balança. Parecia que cada centímetro do mundo estava no caos, e nada jamais se assentaria. Ela tocou a marca de polegar sobre a testa...

262

Uma luz branca irradiou ao redor de Luce. Suas entranhas arderam. Ela cambaleou, estendendo os braços na frente do corpo e balançando o corpo cheio de...

Luz.

— Luce? — A voz de Daniel parecia distante.

Estaria ela morrendo?

Sentiu-se subitamente galvanizada, como se a marca em sua testa fosse uma ignição e Dee tivesse lhe acendido a alma.

— Isto é outro tempomoto? — perguntou, embora o céu não estivesse cinzento e sim de um tom branco brilhante. Tão brilhante que não conseguia enxergar Daniel nem nenhum outro anjo ao redor da plataforma.

— Não. — Era a voz de Roland. — É ela.

— É você, Luce. — A voz de Daniel tremia.

Os pés dela deslizavam na rocha enquanto seu corpo se erguia em um esplendor de leveza. Por um instante, o mundo zumbiu com harmonia incandescente.

Agora chegou a hora de você despertar.

O ar ao redor de Luce pareceu estremecer, transformando-se de branco em cinza borrado. Depois, muito ao longe, ela avistou o rosto gargalhante de Bill. As asas negras estavam abertas e eram mais largas que o céu, mais amplas que mil galáxias, enchendo a mente dela, preenchendo cada reentrância do universo, engolfando Luce com fúria infinita.

Dessa vez eu irei vencer.

A voz dele era como cacos de vidro arrastando-se sobre pele nua.

Quão perto estaria agora?

Os pés de Luce bateram no chão do planalto. A luz sumiu.

Ela caiu de joelhos, aterrissando perto de Dee, que havia se deitado de lado, apoiando a cabeça em um dos braços, os longos cabelos ruivos espalhados ao redor como sangue. Os olhos estavam fechados e o rosto, sereno, tão diferente do rosto que vinha atormentando Luce naquela semana. A garota tentou se levantar, mas se sentiu desajeitada.

263

Daniel caiu de joelhos ao seu lado. Sentando na plataforma, a abraçou. O cheiro dos cabelos e o toque das mãos dele a acalmaram. Ele sussurrou:

— Estou aqui, Luce, está tudo bem.

Ela não queria dizer a ele que não parava de ver Bill. Sentia vontade de voltar para aquela luz. Tocou a marca na testa, mas nada aconteceu. O sangue de Dee havia secado.

Daniel estava encarando Luce, os lábios apertados. Tirou o cabelo dos olhos dela e pressionou a palma da mão contra sua testa.

— Você está queimando.

— Estou bem.

Realmente sentia-se febril, mas não havia tempo para se preocupar com isso. Aquele era o momento que Dee dissera para aguardarem, o momento no qual sua morte valeria a pena.

— Luce. Daniel. — Era a voz de Roland. — É melhor vocês verem isto.

Ele segurava o cálice inclinado e estava derramando a última gota de sangue de Dee na depressão situada na base do mapa. Quando Luce e Daniel se juntaram aos outros, o sangue já havia fluído para o interior da maioria das linhas quebradas do mármore. Embora Dee tivesse dito que a Terra era diferente na época da Queda, o mapa diante deles parecia cada vez mais semelhante ao do mundo contemporâneo.

A América do Sul estava um pouco mais próxima da África, o canto nordeste da América do Norte roçava a Europa, mas basicamente o mapa era igual. Havia um trecho de água onde o Golfo de Suez separava o Egito da península do Sinai e, no meio da península, uma pedra amarela demarcava o platô onde estavam naquele momento. Ao norte situava-se o Mediterrâneo, pontilhado com mil ilhazinhas — e do outro lado de seu cinturão estreito, no ponto onde a Ásia se encontrava com a Europa, havia uma poça rasa de sangue que, aos poucos, tomava a forma de uma estrela.

Luce ouviu Daniel engolir em seco ao lado. Todos os anjos olhavam estupefatos enquanto o sangue de Dee preenchia as pontas da estrela, indicando o local da Turquia moderna, mais especificamente...

— Troia — disse Daniel por fim, balançando a cabeça, atônito. — Quem teria adivinhado...

— *De novo* esse lugar — murmurou Roland. O tom de voz desvelava uma história torturante com aquela cidade.

— Sempre tive a impressão de que era um lugar condenado. — Ariane estremeceu. — Mas eu...

— Nunca soube por que — completou Annabelle.

— Cam? — disse Daniel, e os outros afastaram o olhar do mapa para encarar o demônio.

— Eu irei — falou Cam rapidamente. — Está tudo bem comigo.

— Então é isso — disse Daniel, como se não pudesse acreditar. — Philip — chamou ele, olhando para cima.

Phil e os três Párias se levantaram de seus poleiros na ponta dos montes acima.

— Alerte os outros.

"Que outros? Quem mais restara a essa altura?", pensou Luce.

— O que digo a eles? — perguntou Phil.

— Diga que sabemos o local da Queda, que estamos partindo agora mesmo para Troia.

— Não. — A voz de Luce interrompeu o movimento dos Párias. — Não podemos ir ainda. E Dee?

❧❦

No fim, não foi nenhuma surpresa que Dee tivesse cuidado de todas as providências, até os mínimos detalhes para o seu memorial. Annabelle as encontrou enfiadas em um sarrafo na tampa do baú de madeira, que, conforme a carta de Dee explicava, se virava de boca para baixo para formar um altar fúnebre. O sol estava baixo no horizonte quando começaram a construir o memorial. Era o término do sétimo dia; a carta de Dee lhes garantia que aquilo não seria uma perda de tempo.

Roland, Cam e Daniel transportaram o baú até o centro da plataforma de mármore. Cobriram o mapa completamente, para que, quando os anjos da Balança descessem ali, vissem um funeral, e não o local da Queda dos anjos.

Annabelle e Ariane levaram o corpo de Dee para trás do pedestal improvisado. Colocaram-na cuidadosamente no centro dele, de modo que seu coração ficasse bem acima da estrela formada pelo seu sangue. Luce se lembrou do que Dee dissera: santuários são construídos em cima de santuários. O corpo dela formaria um santuário para o mapa que escondia.

Cam enrolou o manto de Dee ao redor do corpo dela, mas deixou seu rosto exposto fitando o céu. Em seu local de descanso final, Dee, a desideratum, parecia pequenina, mas poderosa. Parecia em paz. Luce queria acreditar que Dee estava vagando em sonhos com o Dr. Otto.

— Ela quer que Luce a abençoe — leu Annabelle na carta.

Daniel apertou a mão dela, como se dissesse: "Está tudo bem com você?"

Luce nunca tinha feito nada do tipo. Esperava sentir-se estranha, culpada por falar no funeral de alguém que havia matado, mas no lugar daquelas emoções existia um sentimento de honra e reverência.

Ela foi até o catafalco. Permitiu-se alguns segundos para reunir os pensamentos.

— Dee foi nossa desideratum — começou Luce. — Mas ela foi mais do que um objeto desejado.

Luce suspirou e percebeu que não estava abençoando apenas Dee, mas também Gabbe e Molly, cujos corpos viraram ar — e Penn, a cujo funeral não pôde comparecer. Tudo aquilo era demais. Sua visão rodopiou e as palavras sumiram, e tudo o que sabia era que Dee havia espalhado sangue sacrificial em sua testa.

Era a dádiva de Dee para Luce.

Você precisa se lembrar de como sonhar com aquilo que já conhece.

O sangue pulsava nas têmporas de Luce, com força. A cabeça e o coração estavam tomados por calor, mas as mãos pareciam geladas quando as passou acima do corpo de Dee.

— Algo está acontecendo. — Luce segurou o rosto dela entre as mãos, os cabelos espalhados ao redor do corpo. Fechou os olhos e viu uma luz branca brilhante nos fundos das pálpebras de Dee.

— Luce...

Quando Luce abriu os olhos, os anjos haviam atirado seus mantos para longe e aberto as asas. O planalto estava inundado de luz. Uma grande massa de anjos da Balança pairava em algum lugar logo acima.

— O que está acontecendo? — perguntou Luce, protegendo os olhos com as mãos.

— Precisamos correr, Daniel — berrou Roland lá de cima. Teriam os outros anjos decolado? Qual era a fonte daquela luz?

Os braços de Daniel envolveram a cintura de Luce e a apertaram com força. A sensação era boa, mas ela ainda estava com medo.

— Estou aqui ao seu lado, Lucinda. Eu amo você, não importa o que aconteça.

Ela sabia que seus pés estavam flutuando, que seu corpo alçava voo. Sabia que estava com Daniel. Mas mal tinha consciência da passagem deles pelo céu ardente, mal tinha consciência de qualquer outra coisa que não o estranho e novo latejar em sua alma.

DEZESSEIS

APOCALIPSE

Em algum ponto no meio do caminho começou a chover.

Gotas de chuva tamborilaram nas asas de Daniel. Trovões ribombavam no céu à frente deles. Relâmpagos cruzavam a noite. Luce estivera dormindo, em um estado pesado de algo semelhante ao sono, pois, quando veio a tempestade, despertou para uma semiconsciência sonhadora.

O vento era brutal e incessante, emplastando Luce ao corpo de Daniel. Os anjos voavam através dele com uma velocidade tremenda; a cada batida de asas atravessavam cidades inteiras, cordilheiras inteiras. Sobrevoavam nuvens que pareciam icebergs gigantes, passando por elas num piscar de olhos.

Luce não sabia onde eles estavam, nem há quanto tempo viajavam. E não tinha vontade de perguntar.

Estava escuro de novo. Quanto tempo restava ainda? Não conseguia se lembrar. Contar parecia impossível, embora Luce um dia tivesse adorado resolver contas de cálculo complexas. Quase riu ao pensar em si sentada à carteira de madeira na aula de cálculo, mordiscando uma borracha ao lado de vinte adolescentes mortais. Será que aquilo realmente já havia acontecido com ela?

A temperatura caiu. A chuva se intensificou quando os anjos voaram para dentro de uma tempestade que se estendia para além dos limites da visão. Agora o som das gotas de chuva caindo sobre as asas de Daniel parecia o de granizo atirado na neve.

A tempestade vinha de lado e de cima. As roupas de Luce ficaram encharcadas. Sentia calor em um momento e frio no seguinte. As mãos de Daniel ao redor de seu corpo afagaram a pele arrepiada de seus braços. Ela via água descendo pelas pontas de suas botas pretas em direção ao chão, situado a milhares de metros abaixo.

Visões surgiam na escuridão, através da tempestade. Via Dee soltando os cabelos ruivos que rodeavam-lhe o corpo. A senhora sussurrava: "Quebre a maldição". Seus cabelos viravam tentáculos ensanguentados que a envolviam como as ataduras de uma múmia, depois como um casulo de lagarta... até seu corpo se transformar em uma enorme coluna de sangue espesso e gotejante.

Através da neblina, uma luz dourada aumentou de intensidade. As asas de Cam se enfiaram no espaço entre os pés de Luce e o trecho de terra que ela estava observando.

— É aí? — gritou Cam por cima do vento.

— Não sei — respondeu Daniel.

— E como *iremos* saber?

— Simplesmente iremos.

— Daniel. O tempo...

— Não me apresse. Precisamos levá-la ao lugar certo.

— Ela está dormindo?

— Está febril. Não sei. Shhh.

Um grunhido de frustração acompanhou o desaparecimento do brilho de Cam de volta ao interior da neblina.

As pálpebras de Luce tremeram. Ela *estava* dormindo? O céu parecia chover pesadelos. Agora via a Srta. Sophia, com os olhos negros cintilando à luz refletida pelas gotas de chuva. Ela levantou o punhal, e as pulseiras de pérola chacoalharam quando desceu a lâmina no coração de Luce. Suas palavras — *A confiança é uma busca negligente* — ecoavam sem parar na mente de Luce, até ela sentir vontade de gritar. Então a visão da Srta. Sophia tremeluziu e rodopiou, escurecendo-se para formar a gárgula na qual Luce *havia* confiado de modo tão negligente.

O pequeno Bill, que se passara por amigo, durante todo o tempo escondera algo vasto e aterrorizante. Talvez, para o diabo, aquilo fosse a amizade: amor tingido de maldade, sempre. O corpo da gárgula era uma casca para forças obscuramente poderosas.

Na visão de Luce, Bill arreganhava presas negras apodrecidas e exalava nuvens de bolor. Rugia, mas em silêncio, um silêncio que era pior que qualquer coisa que ele já pudesse ter dito, pois a imaginação dela completava o vazio. Ele consumia o plano de visão de Luce na pele de Lúcifer, como o Mal, como o Fim.

Ela abriu os olhos de repente. Apertou os braços de Daniel que a envolviam enquanto os dois voavam pela tempestade interminável.

Você não está com medo, jurou em silêncio em meio à chuva. Era a coisa mais difícil da qual já tivera de se convencer naquela jornada.

Quando você enfrentá-lo novamente, não terá medo.

⚜

— Gente — chamou Ariane, aparecendo à direita das asas de Daniel. — Vejam.

As nuvens se afinavam à medida que eles seguiam em frente. Abaixo estava um vale, um amplo trecho de plantação rochosa que se encontrava com um estreito de mar a oeste. Um cavalo de madeira gigantesco assomava absurdamente na paisagem desértica, monumento a um passado de sombras. Luce pôde ver ruínas de pedra perto dele, um teatro romano, um estacionamento contemporâneo.

Os anjos seguiram voando. O vale se espalhava abaixo, escuro, a não ser pela única luz à distância: um abajur elétrico que brilhava pela janela de uma pequenina cabana no meio da encosta.

— Voem em direção à casa — ordenou Daniel aos demais.

Luce estivera observando uma fileira de bodes se espalhar pelos campos encharcados e se reunir em um bosque de pés de damasco. Seu estômago se revirou quando Daniel se inclinou para baixo de repente. Quando tocaram o chão, Luce e os anjos estavam a cerca de quinhentos metros da cabana branca.

— Vamos entrar. — Daniel pegou a mão de Luce. — Eles devem estar nos esperando.

Luce caminhou ao lado de Daniel embaixo da chuva. Seu cabelo estava espalhado no rosto, o casaco emprestado ensopado com o que pareciam quinhentos litros de gotas de chuva.

Estavam subindo uma trilha enlameada e sinuosa quando uma grande gota d'água se prendeu aos cílios de Luce e caiu dentro do seu olho. Quando o esfregou e piscou, a Terra havia mudado completamente.

Uma imagem cintilou como um clarão diante de seus olhos, uma lembrança há tempos esquecida que voltava à vida:

O chão molhado sob os pés passou de verde para preto tostado em alguns pontos, e cinza-claro em outros. O vale ao redor estava pontuado por crateras profundas e fumegantes. Luce sentiu o cheiro de carniça, carne queimada e podre, um cheiro tão espesso e pungente que se prendeu ao céu da boca e fez suas narinas arderem. As crateras fervilhavam, emitindo um som como o de cascavéis, quando passou por elas. Poeira — poeira angelical — estava espalhada por todos os lados; flutuava pelo ar, cobria o chão e as pedras, caía como flocos de neve sobre seu rosto.

Havia algo prateado em sua visão periférica. Pareciam pedaços quebrados de um espelho, só que era fosforescente — cintilando, quase vivo. Luce soltou a mão de Daniel, caiu de joelhos e rastejou pelo chão lamacento na direção do vidro prateado estilhaçado.

Não sabia por que fazia isso. Só sabia que precisava tocar aquilo.

Estendeu a mão na direção de um pedaço grande, gemendo por causa do esforço. Segurou-o com força...

E depois piscou e não havia nada em suas mãos além de um punhado de lama macia.

Olhou para Daniel, com os olhos cheios de lágrimas.

— O que está acontecendo?

Ele olhou para Ariane.

— Leve Luce para dentro.

Ela sentiu os próprios braços serem levantados.

— Você vai ficar bem, menina — disse Ariane. — Prometo.

A porta de madeira escura da cabana se abriu e uma luz suave derramou-se do interior. Olhando para os anjos molhados estava o rosto calmo e contido de Steven Filmore, o professor preferido de Luce em Shoreline.

— Que bom que você conseguiu chegar — falou Daniel.

— Digo o mesmo. — A voz de Steven era firme e professoral, exatamente como Luce se recordava. De algum modo, era reconfortante.

— Está tudo bem com ela? — perguntou Steven.

Não. Ela estava ficando louca.

— Sim. — A confiança de Daniel pegou Luce de surpresa.

— O que aconteceu com o pescoço dela?

— Trombamos com alguns anjos da Balança em Viena.

Luce estava alucinando. Não se sentia nem um pouco bem. Trêmula, olhou nos olhos de Steven, que eram firmes, confortadores.

Você está bem. Tem de estar. Por Daniel.

Steven ficou segurando a porta aberta para eles entrarem. Na pequena cabana de chão sujo e teto de palha havia um monte de cobertores e tapetes em um canto, um fogão grosseiro perto da lareira e quatro cadeiras de balanço dispostas em quadrado no meio da sala.

272

De pé, na frente das cadeiras, estava Francesca — a esposa de Steven e a outra professora Nefilim de Shoreline. Phil e os três outros Párias aguardavam em estado de alerta na parede oposta. Annabelle, Roland, Ariane e Luce se apertavam ao redor da lareira do casebre.

— E agora, o que vai ser, Daniel? — perguntou Francesca, com tom profissional e direto.

— Nada — respondeu Daniel rapidamente. — Nada ainda.

Por que não? Lá estavam eles nos campos de Troia, perto do lugar onde era esperado o pouso de Lúcifer. Haviam corrido até ali para impedi-lo. Por que passar por tudo o que passaram naquela semana só para ficar sentados dentro de uma cabana, esperando?

— Daniel — disse Luce. — Eu bem que gostaria de uma explicação.

Porém Daniel olhava apenas para Steven.

— Por favor, sentem-se. — Steven conduziu Luce até uma das cadeiras de balanço. Ela afundou ali e assentiu agradecida quando ele lhe estendeu uma xícara de metal com chá turco de maçã com especiarias. Steven fez um gesto para a cabana. — Não é grande coisa, mas estamos protegidos da chuva e da maior parte do vento, e vocês sabem o que dizem...

— Localização, localização, localização — concluiu Roland, inclinando-se no braço da cadeira de balanço, no ponto onde Ariane havia se aninhado, em frente a Luce.

Annabelle olhou ao redor, para a chuva batendo à janela, para a sala apertada.

— Então foi *aqui* o local da Queda? Quero dizer, meio que consigo sentir isso, mas não sei se é porque é verdade ou porque estou sugestionada. Que coisa mais *estranha*.

Steven, que estava limpando seus óculos no suéter de lã, tornou a deslizá-los pelo nariz e retomou o tom professoral.

— O local da Queda é bastante grande, Annabelle. Pense na área necessária para cento e cinquenta milhões, oitocentos e vinte e sete mil e oitocentos e sessenta e um...

— Você quer dizer cento e cinquenta milhões, oitocentos e vinte e sete mil e *setecentos e quarenta e seis*... — interrompeu Francesca.

— Claro, existem discrepâncias. — Steven sempre divertia a bela e combativa esposa. — A questão é que muitos anjos caíram e, assim, o impacto foi amplo. — Olhou brevemente para Luce. — Mas, sim, vocês estão sentados em um dos trechos do local onde os anjos caíram sobre a Terra.

— Seguimos o mapa da velha — disse Cam, atiçando o fogo do fogão, que havia se transformado em cinzas. Seu toque, porém, o fez rugir de volta à vida. — Mas ainda me pergunto como vamos saber com certeza se foi aqui mesmo. Não temos mais muito tempo. Como vamos *saber*?

Porque estou tendo visões a respeito, a mente de Luce gritou de repente. *Porque, de algum modo, eu estava aqui.*

— Que bom que você perguntou. — Francesca abriu um rolo de pergaminho no chão entre as cadeiras de balanço. — A biblioteca Nefilim de Shoreline possui um mapa do local da Queda. O mapa foi desenhado numa escala tão próxima do real que, até alguém determinar uma localização geográfica, poderia ter sido em qualquer lugar.

— Podia muito bem indicar uma fazenda de formigas — acrescentou Steven. — Estávamos aguardando o sinal de Daniel desde que Luce retornou dos Anunciadores, rastreando o progresso de vocês, tentando ficar ao seu alcance para quando precisassem de nós.

— Os Párias nos encontraram em nossa casa de inverno no Cairo logo depois da meia-noite — disse Francesca, dando de ombros como se estivesse afastando um arrepio. — Por sorte, este aqui trazia o emblema de amizade, senão talvez tivéssemos...

— Ele se chama Phillip. Os Párias estão do nosso lado agora — interrompeu Daniel.

Era estranho que Phil se tivesse feito passar por aluno em Shoreline durante meses e Francesca não o houvesse reconhecido. Bem, mas tinha o fato de a esnobe professora anjo só prestar atenção aos alunos "talentosos" da escola.

— Eu estava torcendo para que vocês conseguissem chegar a tempo — continuou Daniel. — Como estavam as coisas em Shoreline quando partiram?

— Não muito boas — respondeu Francesca. — Vocês enfrentaram coisa pior, tenho certeza, mas mesmo assim não foi fácil para nós. Os anjos da Balança chegaram a Shoreline na segunda-feira.

Daniel tensionou a mandíbula.

— Não.

— Miles e Shelby... — disse Luce, num arfar. — Eles estão bem?

— Está tudo certo com seus amigos. A Balança não conseguiu encontrar nada para nos acusar...

— Isso mesmo — disse Steven, cheio de orgulho. — Minha esposa é uma ótima comandante. Acima de qualquer repreensão.

— Mesmo assim... — continuou Francesca. — Os alunos ficaram bastante assustados. Alguns de nossos maiores patrocinadores tiraram seus filhos da escola. — Ela fez uma pausa. — Espero que isso tudo valha a pena.

Ariane se pôs de pé num salto.

— Pode apostar seu rico dinheirinho que vale!

Roland se levantou com rapidez e empurrou Ariane para baixo, para que tornasse a se sentar. Steven segurou o braço de Francesca e levou-a até a janela. Logo todos estavam cochichando e Luce não teve mais forças para ouvir nada além da frase "Tenho uma grande doação de verbas para ela bem aqui!" dita em voz alta por Ariane.

Lá fora, uma faixa finíssima de luz avermelhada abraçava as montanhas. Luce ficou olhando para aquilo, com o estômago revirado, sabendo que indicava o nascer do sol do oitavo dia, o último dia completo antes de...

A mão de Daniel foi parar sobre seu ombro, cálida e forte.

— Como você está?

— Tudo certo. — Ela se sentou mais ereta, fingindo estar alerta. — O que precisamos fazer agora?

— Dormir.

275

Endireitou os ombros.

— Não, não estou cansada. O sol está nascendo, e Lúcifer...

Daniel se inclinou sobre a cadeira de balanço e beijou a testa de Luce.

— O resultado vai ser melhor se você estiver descansada.

Francesca olhou para eles, desviando o olhar da conversa com Steven.

— Você acha que é uma boa ideia?

— Se ela está cansada, precisa dormir. Umas horinhas a mais não vão machucar ninguém. Já estamos aqui.

— Mas *não estou* cansada! — protestou Luce. Era óbvio, porém, que estava mentindo.

Francesca engoliu em seco.

— Bem, creio que você tem razão. Ou vai acontecer ou não vai.

— O que ela quis dizer com isto? — perguntou Luce a Daniel.

— Nada — respondeu ele suavemente. Em seguida, virando-se para Francesca, disse bem baixo: — *Vai* acontecer. — Ele levantou Luce o bastante para poder deslizar o próprio corpo para a cadeira de balanço e ficar ao lado dela. Envolveu os braços ao redor da cintura dela. A última coisa que Luce sentiu foi um beijo em sua têmpora e o sussurro ao pé do ouvido: — Que ela durma pela última vez.

⁂

— Pronta?

Luce estava de pé ao lado de Daniel em um terreno não cultivado do lado de fora da cabana branca. A névoa subia do solo, e o ceu exibia o tom azul pungente do início de uma tempestade pesada. Havia neve nos morros a leste, mas as planícies ondulantes do vale transpiravam calor primaveril. Flores desabrochavam nas margens do campo. Borboletas se espalhavam por toda parte, brancas, cor-de-rosa e douradas.

— Sim.

Luce havia acordado num instante quando sentiu a mão de Daniel levantá-la da cadeira de balanço e levá-la para fora da cabana silenciosa. Devia tê-la abraçado a noite inteira.

— Espere — pediu ela. — Pronta para o quê?

Os outros a observavam, reunidos em um círculo como se estivessem esperando, os anjos e os Párias de asas abertas.

Uma nuvem de cegonhas cruzou o céu, com as asas de pontas negras bem abertas como frondes de palmeiras. O voo delas escureceu o sol por um instante, lançando sombras sobre as asas dos anjos, antes de seguirem adiante.

— Diga quem sou — pediu Daniel simplesmente.

Era o único anjo cujas asas estavam escondidas sob as roupas. Deu um passo para longe dela, virou os ombros para trás, fechou os olhos e abriu as asas.

Elas se desenrolaram com rapidez e suprema elegância, desabrochando nas laterais do corpo e lançando uma rajada de vento que balançou as copas dos damasqueiros.

As asas de Daniel assomavam sobre o corpo dele, radiantes e maravilhosas, tornando-o impossivelmente lindo. Brilhava como um sol: não apenas as asas, o corpo inteiro, e mais do que isso. O que os anjos chamavam de sua glória se irradiava de Daniel. Luce não conseguia desviar os olhos.

— Você é um anjo.

Ele abriu seus olhos cor de violeta.

— Continue.

— Você... você é Daniel Grigori — continuou Luce. — É o anjo que me ama há milhares de anos. O garoto que amei desde o primeiro momento... não, *em todos os momentos* que o vi pela primeira vez. — Ela observou o sol brincar sobre a brancura das asas, ansiou para senti-las envolvendo seu corpo. — Você é a alma que se encaixa na minha.

— Ótimo — disse Daniel. — Agora me diga quem *você* é.

— Bem... eu sou Lucinda Price. Sou a garota por quem você se apaixona.

277

Uma tensão imóvel se espalhou ao redor de todos eles. Todos os anjos pareceram estar com a respiração suspensa.

Os olhos de Daniel se encheram de lágrimas.

— Mais.

— Isto não é o suficiente?

Ele fez que não.

— Daniel?

— Lucinda.

O modo como ele pronunciou o nome dela — com tanta gravidade — fez seu estômago doer. O que ele queria dela?

Ela piscou, e o som pareceu uma trovoada... E então a planície troiana se escureceu como tinha escurecido na noite anterior. A terra se viu marcada por rachaduras tortas. No lugar do campo, havia crateras fumegantes. Poeira, cinzas e morte em toda parte. As árvores estavam em chamas ao longo do horizonte, e um fedor horrendo de podridão se enovelava pelo vento. Era como se a alma dela tivesse sido arrastada pelos milênios. Havia neve sobre as montanhas, nenhuma cabana branca bonitinha à frente, nenhum círculo de rostos preocupados de anjos.

Mas havia Daniel.

As asas dele brilhavam através do ar empoeirado. A pele nua era perfeita, orvalhada, rósea. Os olhos cintilavam com o mesmo tom intoxicante de violeta, mas ele não estava olhando para ela. Olhava para o céu. Não parecia perceber que Luce estava perto dele.

Antes que pudesse acompanhar o olhar dele para cima, o mundo começou a girar. O cheiro no ar mudou de podridão para poeira árida. Ela estava de volta ao Antigo Egito, ao túmulo escuro onde fora trancafiada e quase perdera sua alma. Aquela cena se desenrolou diante de seus olhos: a seta estelar, quente dentro de seu vestido, o pânico óbvio em seu rosto do passado, o beijo que a trouxera de volta — e Bill esvoaçando pelo sarcófago do faraó, já armando seu esquema mais ambicioso. Nos ouvidos dela, a risada rouca dele ainda ecoava.

Mas daí a risada sumiu. A visão do Egito se metamorfoseou em outra: uma Lucinda de um passado ainda mais distante estava debruçada

278

sobre um campo de flores altas. Usava um vestido de pele de veado e segurava um dente-de-leão sobre o rosto, puxando suas pétalas uma a uma. A última tremeu no vento e ela pensou: *Bem-me-quer*. O sol cegava, mas então algo atravessou na frente dele: o rosto de Daniel, os olhos cintilando violeta, o cabelo louro esculpindo um halo a partir dos raios do astro.

Ele sorriu.

Depois o rosto desapareceu. Uma nova visão, uma outra vida: o calor de uma fogueira na pele dela, o desejo ardendo em seu peito. Havia música alta e estranha; gente rindo; amigos e familiares em volta. Luce se viu com Daniel, dançando como louca ao redor das chamas. Podia sentir o ritmo dos movimentos dentro de si mesma, até quando a música sumiu e as chamas que lambiam o céu se transformaram de vermelho quente em prata suave...

Uma cachoeira. Um grande rio gelado descia por um penhasco de calcário. Luce estava embaixo dele, separando uma nuvem de lírios d'água com suas braçadas. Seu cabelo comprido e molhado se reuniu ao redor dos ombros quando saiu da água, depois tornou a mergulhar. Ela apareceu do outro lado da cachoeira, numa lagoa de pedra úmida. E lá estava Daniel, esperando, como se estivesse esperando por ela toda a sua vida.

Ele mergulhou de uma rocha, molhando Luce quando o corpo atingiu a superfície da água. Nadou até ela, puxou-a para si, um braço em volta de suas costas e o outro aninhado sob seus joelhos. Ela enlaçou o pescoço dele e deixou que a beijasse. Fechou os olhos...

Bum.

De novo o trovão. Luce estava de volta à planície troiana. Mas, dessa vez, presa em uma das crateras, seu corpo preso embaixo de uma plataforma rochosa. Ela não conseguia mexer nem a perna nem o braço esquerdos. Lutava para se soltar, gritava, vendo manchas vermelhas e cacos de algo que parecia um espelho quebrado. A cabeça girava com a dor mais intensa que ela já havia sentido.

— Socorro!

E então, Daniel apareceu pairando acima dela, os olhos violeta esquadrinhando seu corpo com horror fixo. *"O que aconteceu com você?"*

Luce não sabia responder — não sabia onde estava nem como havia chegado lá. A Lucinda de suas lembranças nem sequer reconhecia Daniel. Mas ela, sim.

De repente, se deu conta de que aquela foi a primeira vez que ela e Daniel se encontraram na Terra. Aquele era o momento pelo qual tanto suplicara, o momento a respeito do qual Daniel jamais quis falar.

Nenhum dos dois reconheceu o outro. Já estavam instantaneamente apaixonados.

Como *aquele* poderia ser o local de seu primeiro encontro? Aquela planície escura e flagelada fedia a imundície e morte. Seu eu do passado parecia derrotado, ensanguentado... como se tivesse sido estilhaçado em mil pedaços.

Como se tivesse caído de uma altura impossível.

Luce olhou para o céu. Havia algo ali — uma massa de faíscas infinitesimais, como se o Céu tivesse sido eletrocutado e ondas de choque ondulassem de lá de cima até o fim dos tempos.

Só que as faíscas se aproximavam. Formas escuras delineadas por luz rolavam do infinito acima. Deviam ser um milhão delas, reunidas em um bando amorfo e caótico ao longo do céu, claras e escuras, suspensas e caindo simultaneamente, como se estivessem além do alcance da gravidade.

Será que Luce estivera ali em cima? Tinha quase a sensação de que sim.

Então compreendeu uma coisa: *Aqueles eram os anjos. Aquela era a Queda.*

A lembrança de testemunhar a queda deles sobre a Terra fez Luce sentir-se agoniada. Era como observar todas as estrelas caindo do céu noturno.

Quanto mais longe eles caíam, mais dispersa a formação desajeitada se tornava. Entidades separadas tornaram-se visíveis, autônomas.

Ela não conseguia imaginar nenhum dos anjos, seus amigos, daquele modo. Mais perdidos e sem controle do que o mais desamparado dos mortais no pior dia de sua vida. Estaria Ariane ali? Cam?

Seu olhar acompanhou uma esfera de luz descendo diretamente em cima dela. O ponto aumentava e tornava-se mais iluminado à medida que se aproximava.

Daniel também olhou para cima. Luce percebeu que ele também não reconhecia as formas que caíam. Seu impacto na Terra o havia estremecido tanto que apagara de sua memória a lembrança de quem era, de onde tinha vindo, o quanto fora magnífico. Ele observava os céus com terror profundo no olhar.

Em um segundo, um punhado de anjos caindo estava a centenas de pés acima da cabeça dos dois... depois, perto o bastante para Luce distinguir os corpos estranhos e escuros dentro daqueles recipientes de luz. Não se mexiam, mas pareciam inegavelmente vivos.

Agora estavam ainda mais perto, quase em cima de Luce, até que ela gritou — e a grande massa de claridade e escuridão desabou no campo ao lado.

Uma explosão de fogo e fumaça negra arremessou Daniel para longe de Luce. E mais explosões vieram em seguida. Mais um milhão viria em seguida. Elas transformariam a Terra e todos os seres vivos em uma polpa. Luce mergulhou, protegeu os olhos e abriu a boca para gritar novamente.

O som que saiu, porém, não foi um grito...

Porque sua lembrança mudou para algo ainda mais remoto. Mais remoto que a Queda?

Luce já não estava no campo de crateras fumegantes e anjos meteóricos.

Estava de pé numa paisagem de pura luz. Naquele lugar não havia espaço para terror em sua voz, não poderia *existir*, e isso era algo que ela ao mesmo tempo sabia e não sabia. Tinha noção de onde estava, mas não podia ser real.

Um acorde forte e intenso de música corria de sua alma, tão lindo que deixava tudo branco ao redor. A cratera havia desaparecido. A Terra havia desaparecido. Seu corpo estava...

Ela não sabia. Não conseguia vê-lo. Não conseguia ver nada a não ser aquele fantástico brilho branco tingido de prateado. O brilho se desenrolou como um embrulho até Luce ser capaz de distinguir um prado branco e amplo espalhado à sua frente. Bosques esplêndidos de árvores brancas alinhavam-se nas laterais do campo.

À distância, via-se uma saliência prateada ondulante. Luce sentiu que aquilo era importante. Depois viu que havia mais sete daquelas, formando um grande arco no ar ao redor de algo tão intenso que Luce não conseguia olhar.

Ela se concentrou na saliência, a terceira a partir da esquerda. Não conseguia tirar os olhos dela. Por quê?

Porque... e agora sua lembrança voltava no tempo com força... Porque...

Aquela saliência pertencia a ela.

Tempos atrás, costumava se sentar ali, ao lado de... quem? Isso parecia ter importância.

A visão de Luce rodopiou e sumiu, e a saliência prateada se dissolveu. A brancura remanescente entrou em foco, separando as formas, virando...

Rostos. Corpos. Asas. O fundo de céu azul.

Isso não era uma lembrança. Estava de volta ao presente, à vida real e final. A seu redor estavam seus professores Francesca e Steven; seus aliados Párias; seus amigos Roland, Ariane, Annabelle e Cam. E seu amor, Daniel. Olhou cada um deles e os achou tão lindos. Eles a observavam com alegria tola no rosto. E também choravam.

"A dádiva do autoconhecimento", dissera Dee. "Você precisa se lembrar de como sonhar com aquilo que já conhece."

Tudo aquilo estivera dentro dela o tempo inteiro, em cada instante de cada uma de suas vidas. Porém, apenas agora Luce se sentia desperta além da sua capacidade de imaginar o que significava estar desperta

Uma leve brisa passou por sua pele e ela pôde *sentir* o mar distante, carregado pelo sopro do Mediterrâneo, dizendo-lhe que ela continuava em Troia. Sua visão, também, estava mais clara do que já estivera. Via os pontinhos brilhantes de pigmento que formavam as asas das borboletas douradas que passavam. Respirou o ar frio, sentiu-o encher os pulmões, cheirou o zinco do solo argiloso que o tornaria fértil na primavera.

— Eu estava lá — sussurrou ela. — Eu estava no...

Céu.

Mas não conseguiu dizer. Sabia demais para negar — e, entretanto, não o bastante para dizer com todas as letras. Daniel. Ele iria ajudá-la.

Continue, imploravam os olhos dele.

Por onde havia começado? Tocou o medalhão com a fotografia tirada quando ela e Daniel moraram em Milão.

— Quando visitei a minha vida passada em Helston — começou ela —, aprendi que nosso amor era mais profundo que aquilo que éramos em cada vida do passado isolada...

— Sim — disse Daniel. — Nosso amor transcende tudo.

— E... quando visitei o Tibete, aprendi que um único toque ou beijo não era o estopim da minha maldição.

— O toque, não. — Era a voz de Roland. Ele sorria, de pé ao lado de Daniel com as mãos cruzadas às costas. — O toque, não, e sim a consciência de si. Era um nível para o qual você ainda não estava preparada... até agora.

— Sim. — Luce tocou a própria testa. Havia mais, muito mais. — Versalhes. — Ela começou a falar mais depressa. — Fui condenada a me casar com um homem que eu não amava. E seu beijo me libertou, e minha morte foi gloriosa porque sempre voltaríamos a nos encontrar novamente. Sempre.

— Juntos para sempre, faça chuva ou faça sol — cantarolou Ariane, enxugando os olhos úmidos na manga de Roland.

Agora a garganta de Luce estava tão apertada que era difícil falar. Mas já não doía.

— Só em Londres percebi que a sua maldição era muito pior que a minha — disse ela a Daniel. — O que você precisava passar, ao me perder...

— Isso jamais importou — murmurou Annabelle, as asas zunindo tanto que seus pés estavam a centímetros do chão. — Ele sempre esperaria por você.

— Chichén Itzá. — Luce fechou os olhos. — Aprendi que a glória de um anjo pode ser fatal para os mortais.

— Sim — disse Steven. — No entanto, você continua aqui.

— Continue, Luce. — A voz de Francesca era mais encorajadora do que já tinha sido em Shoreline.

— China antiga. — Ela fez uma pausa. A importância dessa vida era diferente das outras. — Você me mostrou que nosso amor valia mais que qualquer guerra arbitrária.

Ninguém falou. Daniel assentiu de modo muito leve.

E foi então que Luce entendeu não apenas quem ela era — mas o que tudo aquilo significava. Houve outra vida na sua viagem com os Anunciadores que Luce sentiu que precisava mencionar. Ela respirou profundamente.

"Não pense em Bill", disse a si. "Você não está com medo."

— Quando fui trancada naquela tumba no Egito, soube de uma vez por todas que eu sempre escolheria o seu amor.

Foi então que os anjos caíram sobre um dos joelhos, olhando para ela cheios de expectativa — todos eles, menos Daniel. Os olhos dele cintilavam com o tom mais potente de violeta que já vira. Ele estendeu a mão para ela, mas antes que as mãos de ambos se encontrassem...

— *Argh!* — Luce gritou quando uma dor aguda atravessou suas costas. Seu corpo se convulsionou com uma sensação estranha e perfurante. Seus olhos se encheram de lágrimas. Os ouvidos zuniram. Pensou que pudesse estar tonta por causa da dor, mas aos poucos, aquilo se concentrou: de uma agonia aguda espalhada pelas costas para dois cortes pequeninos sobre suas escápulas.

Estaria ela sangrando? Estendeu as mãos para trás, por cima de um dos ombros. A ferida parecia dolorida, mas também dava a sensação de que algo estava sendo arrancado de dentro dela. Não doía, mas era desnorteante. Em pânico, virou a cabeça ao redor, mas não conseguiu ver nada, só conseguiu ouvir o som da pele deslizando e sendo esticada, o rasgão que soava como se músculos novos estivessem sendo gerados.

Então veio uma sensação súbita de peso, como se tivessem amarrado pedras em seus ombros.

E então... com a visão periférica, testemunhou amplas extensões de branco oscilando ao vento nas laterais de seu corpo enquanto os anjos soltavam um murmúrio de espanto coletivo.

— Oh, Lucinda — sussurrou Daniel, cobrindo a boca com as mãos.

Foi fácil assim: ela abriu as asas.

Eram luminosas, flutuantes, impossivelmente leves, feitas da matéria mais reflexiva e empírea. De ponta a ponta, sua envergadura era talvez de nove metros, mas parecia vasta, interminável. Já não sentia dor. Quando seus dedos se fecharam ao redor da base, atrás dos ombros, as asas tinham vários centímetros de espessura e maciez. Eram prateadas, mas também não eram, como a superfície de um espelho. Eram inconcebíveis, eram inevitáveis.

Eram suas asas.

Continham cada grama de força e poder que ela reunira ao longo dos milênios que vivera. E, ao menor pensamento, as asas começaram a bater.

Sua primeira reflexão: "Posso fazer tudo, agora."

Sem palavras, ela e Daniel se deram as mãos. As pontas das asas arquearam para a frente em uma espécie de beijo, como as asas dos anjos do *Qayom Malak*. Choravam e riam, e logo se beijaram.

— E então? — perguntou ele.

Ela estava atônita e maravilhada — e mais feliz do que já estivera. Não podia ser real, pensou... a menos que ela dissesse a verdade em alto e bom som, para Daniel e o restante dos anjos caídos que estavam ali testemunharem.

— Sou Lucinda — disse ela. — Sou o seu anjo.

285

DEZESSETE

A INVENÇÃO DO AMOR

Voar era como nadar, e Luce era boa em ambos.

Seus pés se ergueram do solo. Não foi preciso reflexão ou preparação. As asas batiam com intuição súbita. O vento zunia contra as fibras das asas, transportando-a pelo róseo céu diáfano. Em voo, sentia o peso do seu corpo, especialmente nos pés, mas maior que isso era aquela alegria nova e inimaginável. Ela deslizou acima de grupos baixos de nuvens provocando uma levíssima rachadura, como uma brisa passando por um carrilhão.

Olhava de uma ponta de asa para a outra, examinando o brilho prata-perolado, maravilhada com todas as mudanças. Era como se o restante de seu corpo se submetesse às asas agora. Reagiam à primeira insinuação de desejo, batidas elegantes que geravam velocidade tremenda. Achatavam-se como um aerofólio para apenas deslizar por um momento, depois se retesavam em formato de coração atrás dos ombros quando ela rotacionava pelo ar.

Seu primeiro voo.

Só que... não era. O que Luce sabia agora, tão intensamente quanto suas asas sabiam voar, era que algo monumental acontecera *antes*. Antes de Lucinda Price, antes de sua alma ter visto a curvatura da Terra. Pois em todas as suas vidas terrestres que presenciara pelos Anunciadores, em todos os corpos que habitara, Luce mal havia arranhado a superfície de quem era, de quem tinha sido. Havia uma história mais antiga que a história durante a qual ela batia aquelas asas.

Via os outros observando-a do chão. O rosto de Daniel brilhava com as lágrimas. Ele sabia o tempo todo. Esperara por ela. Queria tocá-lo, queria que ele alçasse voo e se lançasse pelos ares com ela... mas então, de repente, não conseguia mais vê-lo.

A luz abriu caminho para a total escuridão...

De outra lembrança chegando.

Luce fechou os olhos e se rendeu a ela, deixando que a transportasse pelo passado. De algum modo sabia que era sua lembrança mais antiga, o momento que estava nas imediações mais remotas da alma. Lucinda estivera ali desde o princípio dos princípios.

A Bíblia tinha deixado essa parte de fora:

Antes de haver luz, havia anjos. Num instante, escuridão; no seguinte, a sensação cálida de ser trazido à existência por uma mão gentil e magnífica.

Deus criara a legião celestial de anjos — trezentos e dezoito milhões deles — num único e cintilante momento. Lucinda estava lá, e Daniel, Roland, Annabelle e Cam, além de outros milhões, todos perfeitos, todos gloriosos, todos designados a adorar o seu Criador.

Seus corpos eram feitos da mesma substância que compunha o firmamento. Não eram carne e sangue, mas matéria empírea, a matéria da luz em si — forte, indestrutível, linda de se contemplar. Seus ombros, braços e pernas cintilaram ao vir à existência, prenúncio a formas que os mortais tomariam após a própria criação. Todos os an-

287

jos descobriram suas asas simultaneamente; cada par era ligeiramente distinto, refletindo a alma de seu dono.

Tão antigas quanto a gênese dos anjos, as asas de Lucinda eram de um tom prateado reflexivo, a cor da luz das estrelas. Brilhavam em sua glória singular desde a aurora da aurora dos tempos.

A Criação ocorreu na velocidade da vontade de Deus, mas se desenrolou na lembrança de Luce como uma história, outra das criações iniciais de Deus, um produto do tempo. Num momento, não havia nada; no outro, o Céu estava repleto de anjos. Naqueles tempos, o Céu era ilimitado, seu chão coberto por um piso nebuloso, uma substância branca e macia que parecia nuvens e que cobria os pés e as pontas das asas dos anjos quando eles andavam.

Havia camadas infinitas no Céu, cada nível repleto de alcovas e trilhas sinuosas que seguiam em todas as direções sob um firmamento cor de mel. O ar era perfumado com o néctar de delicadas flores que desabrochavam em deliciosos bosques. Seus brotos redondos pontilhavam o Céu de alto a baixo, parecendo ancestrais das peônias brancas.

Pomares de árvores prateadas frutificavam as mais saborosas frutas que já existiram. Os anjos se banqueteavam e agradeciam pelo seu primeiro e único lar. Suas vozes se uniam em adoração a seu Criador, formando um som uníssono que na garganta dos seres humanos mais tarde seria conhecido como harmonia.

Um prado veio à existência, dividindo o pomar em dois. E, quando tudo o mais no Céu estava pronto, Deus colocou um estonteante Trono na frente do campo, pulsante de luz divina.

— Venham diante de mim — ordenou Deus, acomodando-se no assento profundo com satisfação merecida. — Daqui em diante vocês irão me conhecer como Trono.

Os anjos se reuniram no prado celestial e se aproximaram do Trono com alegria. Flutuaram naturalmente em uma linha reta, colocando-se em hierarquia de modo instantâneo e eterno. Quando atingiram a extremidade do prado, Lucinda recordou que não conseguia enxergar o Trono com clareza: ele cintilava demais para que a visão dos anjos suportasse mirá-lo. Também recordou que fora o terceiro anjo da fila: o terceiro anjo mais próximo de Deus.

Um, dois, três.

Suas asas se esticaram e encorparam com aquela honra.

No ar ao redor do Trono, oito saliências feitas de prata ondulada se dispunham em arco, protegendo-o como uma abóbada. Deus chamou os primeiros oito anjos da fila para tomar aqueles assentos e se tornar os Arcanjos divinos. Lucinda tomou seu lugar no terceiro assento à esquerda. Ele se encaixava com precisão a seu corpo, pois tinha sido criado apenas para ela. Era o seu lugar de direito. Adoração fluía de sua alma, fluía para Deus.

Era perfeito.

Não durou.

Deus tinha mais planos para o Universo. Outra lembrança preencheu Lucinda, fazendo-a estremecer.

Deus abandonou os anjos.

Tudo era alegria no Prado, mas então o Trono ficou vazio. Deus atravessou os umbrais do Céu e se afastou para criar as estrelas, a Terra e a lua.

O homem e a mulher estavam prestes a serem criados.

O brilho do Céu diminuiu quando Deus o deixou. Lucinda se sentiu fria e inútil. Foi então, lembrou-se, que os anjos começaram a se ver de modo diferente, a notar as variações de cor das asas uns dos outros. Alguns começaram a fofocar que Deus estava cansado deles e de suas canções harmônicas de glória. Outros disseram que os seres humanos logo tomariam o lugar dos anjos.

Lucinda se lembrou de haver reclinado no seu assento prateado perto do Trono e de notar como parecia tedioso e simples sem a presença animadora de Deus. Ela tentou adorar seu Criador mesmo de longe, mas não conseguiu preencher a solidão. Havia sido criada para adorar Deus em Sua presença, e agora sentia um vazio. O que poderia fazer?

De sua cadeira, olhou para baixo e viu um anjo esvoaçando pelo chão de nuvens. Parecia letárgico, melancólico. Pareceu sentir o olhar dela e olhou para cima. Quando os olhos de ambos se encontraram, ele sorriu. Ela se lembrou de como ele era lindo antes de Deus se afastar...

Eles não pensaram e foram um até o outro. Suas almas se entrelaçaram.

Daniel, pensou Luce, mas não podia ter certeza. O Prado estava assombreado e a lembrança era nublada...

Teria sido esse o momento da primeira conexão dos dois?

Flash.

O Prado voltou a se iluminar. O tempo passou; Deus havia voltado. O Trono cintilava de glória sublime. Lucinda não mais se sentou em sua cadeira de prata ondulante ao lado do Trono; agora, havia sido passada para o Prado lotado de anjos, depois que Deus lhe pediu que fizesse uma escolha.

A lista de chamada. Lucinda esteve presente também. Claro que sim. Sentiu-se acalorada e nervosa sem saber o motivo. Seu corpo corou do modo como costumava corar quando estava dentro de um eu do passado e prestes a morrer. Ela não conseguia sossegar as asas trêmulas.

Ela fizera uma escolha...

Sentiu o estômago revirar. O ar se rarefazer. Ela estava... caindo. Luce piscou e viu o sol recortando as montanhas, e soube então que estava de volta ao presente, a Troia. E caía do céu, seis metros... doze. Seus braços fraquejaram, como se tivesse voltado a ser uma simples garota, como se não pudesse voar.

Abriu as asas, mas era tarde demais.

Aterrissou com um som macio nos braços de Daniel. Seus amigos a rodearam na planície verdejante. Tudo estava como antes: árvores de copa achatada ao redor de uma fazenda enlameada, sem plantações; a cabana abandonada no meio de uma planície árida; montes arroxeados; borboletas. Rostos de anjos caídos observando-a, cheios de preocupação.

— Está tudo bem? — indagou Daniel.

O coração ainda parecia acelerado. Por que não conseguia se lembrar do que acontecera na lista de chamada? Talvez isso não ajudasse a derrotar Lúcifer, mas Luce desejava desesperadamente saber.

— Cheguei tão perto — disse ela. — Quase entendi o que aconteceu.

Daniel pousou-a suavemente no chão e a beijou.

— Você vai chegar lá, Luce. Sei que vai.

Era o anoitecer do oitavo dia da jornada. Enquanto o sol passava pelo estreito de Dardanelos, lançando luz dourada nos campos acidentados sem plantações, Luce desejava que houvesse um jeito de fazer com que o tempo voltasse.

E se um dia não houvesse tempo suficiente?

Luce contraía e relaxava os ombros. Não estava acostumada ao peso das asas, leves como pétalas de rosa no céu, mas pesadas como cortinas de chumbo quando seus pés estavam no chão.

Quando as asas se abriram naquela primeira vez, rasgaram sua camiseta e a jaqueta cáqui militar. As roupas estavam na grama, despedaçadas, uma prova bizarra. Annabelle havia logo surgido da cabana com outra camiseta para Luce. Era de um tom azul-vivo com uma imagem em serigrafia de Marlene Dietrich no peito e pequeninas aberturas sutis para as asas instaladas nas costas.

— Em vez de pensar em tudo o que você não lembra ainda — sugeriu Francesca —, reconheça aquilo de que você se *lembrou*.

— Bem. — Luce caminhava de um lado a outro no campo, experimentando a nova sensação de suas asas balançando atrás de si. — Sei que a maldição me impediu de conhecer minha verdadeira natureza de anjo, fez com que eu morresse sempre que chegava perto de me lembrar do meu passado. É por isto que nenhum de vocês podia me dizer quem sou.

— Você precisava caminhar por esse vale solitário sozinha — disse Cam.

— E o motivo que fez você levar todo esse **tempo**, até essa vida, também fazia parte da maldição — completou Daniel.

— Dessa vez eu fui criada sem uma religião específica, sem um conjunto único de regras para determinar o meu destino, o que me permite... — Luce fez uma pausa, recordando a lista de chamada. — Escolher por mim.

— Nem todos têm esse luxo — falou Phil, lá da fila dos Párias.

— Era por isso que os Párias me disputavam? — perguntou ela, sabendo de repente que, sim, era verdade. — Mas eu já não havia escolhido Daniel? Não conseguia me lembrar do passado, mas quando Dee me deu a dádiva do conhecimento, tive a impressão de que... — Ela estendeu a mão na direção de Daniel. — De que a escolha sempre esteve pronta dentro de mim.

— Agora você sabe quem é, Luce — disse Daniel. — Sabe o que importa para você. Nada pode estar fora de seu alcance.

As palavras de Daniel calaram fundo nela. Era isso o que era agora — era o que ela *sempre* havia sido.

O olhar de Luce se dirigiu até onde estavam os Párias, distantes do grupo. Luce não sabia o quanto da transformação haviam presenciado, se seus olhos cegos eram capazes de perceber a metamorfose de uma alma. Ela procurou um sinal em Olianna, a Pária que a protegera no teto em Viena. Porém, ao olhá-la, percebeu que Olianna também havia... mudado.

Eu me lembro de você — disse Luce, aproximando-se da garota magra e loira de olhos brancos cavernosos. Ela a conhecia do Céu. — Olianna, você foi um dos doze anjos do Zodíaco. Regia o signo de Leão.

Olianna respirou profundamente, trêmula, e assentiu.

— Sim.

— E você, Phesia. Era uma Luminária. — Luce fechou os olhos, recordando. — Você não foi um dos Quatro que emanaram da Vontade Divina? Eu me lembro das suas asas. Elas eram... — parou, sentindo sua expressão obscurecer ante a visão das asas pardas que a garota tinha agora. — Excepcionais.

Phesia endireitou os ombros caídos, ergueu o rosto pálido e esquelético.

— Ninguém me enxerga de verdade há eras.

Vincent, o mais jovem dos Párias, deu um passo à frente.

— E eu, Lucinda Price? Você se lembra de mim?

Luce estendeu a mão para tocar no ombro do garoto, recordando-se de como ficara mortalmente ferido depois que os anjos da Balança o torturaram. Então, lembrou-se de algo mais profundo que isso.

— Você é Vincent, o Anjo do Vento do Norte.

Os olhos cegos de Vincent nublaram, como se sua alma desejasse chorar, mas seu corpo se recusasse a fazê-lo.

— Phil — disse Luce, olhando por fim para o Pária que ela tanto temeu quando foi buscá-la no quintal na casa de seus pais. Os lábios dele estavam retesados e brancos, nervosos. — Um dos Anjos da Segunda-Feira, não é? Dotado dos Poderes da Lua.

— Obrigado, Lucinda Price. — Phil fez uma reverência hesitante, porém graciosa. — Os Párias confessam que estavam errados em tentar afastá-la da sua alma gêmea e das suas obrigações. Mas sabíamos, conforme acabou de provar, que apenas você poderia nos enxergar como aquilo que fomos um dia. E que apenas você poderia nos restaurar à nossa glória.

— Sim — concordou ela. — Consigo enxergar vocês.

— Os Párias também conseguem enxergá-la — disse Phil. — Você é radiante.

— Sim, é.

Daniel.

Ela se virou para ele. Seu cabelo loiro e seus olhos cor de violeta, o formato forte dos ombros, os lábios fartos que mil vezes a trouxeram de volta à vida. Eles haviam amado um ao outro por mais tempo ainda do que Luce se dera conta. O amor dos dois tinha sido forte desde os primeiros dias do Céu. O relacionamento abarcava toda a história da existência. Ela sabia onde encontrara Daniel pela primeira vez na Terra — bem ali, nos campos tão famosos de Troia, enquanto os anjos caíam —, mas havia uma história anterior. Um início diferente para o amor dos dois.

293

Quando? Como havia sido?

Ela buscou a resposta nos olhos dele, porém sabia que não a encontraria ali. Precisava procurar na própria alma. Fechou os olhos.

As lembranças vinham com maior facilidade agora, como se o abrir das asas tivesse criado uma rede de fissuras que rompiam a muralha existente entre a garota Lucinda e o anjo que havia sido. Seja lá o que fosse que a separara do seu passado, agora era fino e quebradiço como uma casca de ovo.

Flash.

De volta ao Prado, sobre sua saliência prateada, ansiando dolorosamente pelo retorno de Deus. Luce olhou para o anjo louro, aquele do qual ela se lembrava já ter procurado. Recordou seus passos vagarosos e tristes sobre o chão de nuvens. O topo de sua cabeça antes de ele olhar para cima. O Céu parecia silencioso então. Luce e o anjo estavam sozinhos por um raro momento, distantes da harmonia dos demais.

Ele se virou para olhar Lucinda. Tinha rosto quadrado, cabelo ondulado cor de âmbar e olhos azuis da cor do gelo, que se enrugaram ao sorrir para ela. Não o reconheceu.

Não, não é verdade — ela o reconheceu, sabia quem era. Muito antes, Lucinda havia *amado* esse anjo.

Mas ele não era Daniel.

Sem saber por que, Luce desejou se afastar de tal lembrança, fingir que não a vira, piscar de volta e ficar com Daniel nas planícies rochosas de Troia. Porém, sua alma soldou-se à cena. Não era capaz de se afastar daquele anjo que não era Daniel.

Ele estendeu a mão para Lucinda. Suas asas se entrelaçaram. Ele sussurrou ao ouvido dela:

— Nosso amor é infinito. Não pode existir mais nada.

Não.

Por fim, se desvencilhou daquela memória. De volta a Troia. Sem fôlego. Seus olhos deviam tê-la enganado. Ficou irrequieta e em pânico.

294

— O que você viu? — sussurrou Annabelle.

A boca de Luce se abriu, mas as palavras não saíram.

Eu o traí. Seja lá quem ele for. Houve alguém antes de Daniel, e eu...

— Não acabou ainda. — Ela finalmente encontrou sua voz. — A maldição. Embora eu saiba quem sou e saiba que escolho Daniel, há algo mais, não? Alguém. Foi ele quem me amaldiçoou.

Daniel correu os dedos bem de leve pela borda cintilante de suas penas. Ela estremeceu, pois cada toque em suas asas ardia com a paixão de um beijo profundo e acendia algo em seu âmago. Por fim conheceu o prazer que dava a ele quando deixava as mãos acariciarem as asas de Daniel.

— Você chegou muito longe, Lucinda — disse ele. — Mas ainda há muito a percorrer. Busque em seu passado. Já sabe o que está procurando. Encontre-o.

Fechou os olhos, procurando mais uma vez através dos milênios carregados de lembranças.

A Terra se afastou sob seus pés. Um labirinto de cores formou um borrão ao redor de Luce, seu coração batia com força no peito, e tudo ficou branco.

Céu, de novo.

Estava iluminado com o retorno de Deus ao Trono. Brilhava com a cor de uma opala. O chão de nuvens estava espesso naquele dia, tufos brancos chegavam quase à cintura dos anjos. Aquelas espiras altíssimas à direita eram árvores do Bosque da Vida; os brotos prateados em pleno desabrochar à esquerda logo carregariam os frutos do Pomar do Conhecimento. As árvores estavam mais altas agora. Tiveram tempo de crescer desde a última lembrança de Luce.

Ela estava de volta ao Prado, no centro de uma enorme congregação luminosa e cintilante. Os anjos do Céu estavam reunidos diante do Trono, restaurado a uma iluminação tão intensa que Lucinda tremia ao fitá-la.

A saliência prateada que um dia fora de Lúcifer agora tinha sido movida para o fim do Prado. Fora rebaixada a um nível insultante pelo Trono. O restante dos anjos estava unido numa única massa entre Lúcifer e o Trono — mas logo, percebeu Lucinda, seriam divididos em um lado ou no outro.

Ela havia voltado para a lista de chamada. Dessa vez, se obrigaria a se lembrar de como tudo aconteceu.

Todos os filhos e filhas do Céu seriam solicitados a escolher um lado. Deus ou Lúcifer. Bem ou... não, ele não era mau.

O mal ainda não existia.

Juntos daquele jeito, cada anjo era estonteante, distinto, mas de alguma forma indistinto dos demais. Lá estava Daniel, no meio, o brilho mais puro que ela conheceria. Na sua lembrança, Lucinda ia até ele.

Ia de onde?

A voz de Daniel preencheu seus ouvidos: *Busque em seu passado.*

Ela ainda não tinha olhado para Lúcifer. Não queria olhar.

Olhe para onde não deseja olhar.

Quando se virou para a extremidade do Prado, viu a luz ao redor de Lúcifer. Era esplêndida e ostensiva, como se ele desejasse competir com tudo o que havia no Prado — o Pomar, o cântico celestial, o próprio Trono. Lucinda precisou fazer força para focar e conseguir enxergá-lo com clareza.

Ele era... lindo. Os cabelos âmbar desciam pelos seus ombros em ondas brilhantes. O corpo parecia mais grandioso e definido por músculos que o de qualquer mortal jamais poderia ser. Seus frios olhos azuis eram hipnotizantes.

Lucinda não conseguia tirar os olhos dele. Então, entre os compassos do cântico celestial, ela ouviu. Embora não se lembrasse de haver aprendido aquela música, sabia a letra e sempre saberia, do mesmo modo como os mortais se lembravam das canções de ninar ao longo de toda a vida.

De todos os pares que o Trono apoiou
Nenhum brilhou com mais poder
Do que Lúcifer, a Estrela da Manhã
E Lucinda, sua Estrela do Anoitecer

Os versos ecoaram na cabeça de Lucinda, trazendo lembranças consigo; recordações choviam a cada palavra.

Lucinda, sua Estrela do Anoitecer?

A alma de Lucinda rastejou, enojada, rumo a uma compreensão. Lúcifer havia escrito aquela música. Era parte do plano dele.

Ela foi... tinha sido... amante de *Lúcifer?*

No próprio momento em que se perguntou se aquele horror seria possível, Luce soube que era a mais antiga e fria verdade. Estivera errada quanto a tudo. Seu primeiro amor foi Lúcifer, e Lúcifer foi o amor dela. Até seus nomes combinavam. Um dia, foram almas gêmeas. Ela se sentia pervertida, estranha a si, como se tivesse acordado e descoberto que matara alguém durante o sono.

Do outro lado do Prado, Lucinda e Lúcifer se encararam durante a lista de chamada. Os olhos dela se arregalaram, sem acreditar, quando os dele se enrugaram em um sorriso inescrutável.

Flash.

Uma lembrança dentro de outra lembrança. Luce viajou ainda mais fundo pelo túnel da escuridão, em direção ao lugar onde mais odiava ir.

Lúcifer a abraçava, suas asas acariciavam as dela, gerando um prazer incapaz de ser mencionado, à vista, ali na cadeira prateada de Lucinda ao redor do Trono vazio.

Nosso amor é infinito. Não pode existir mais nada.

Quando ele a beijou, Lucinda e Lúcifer se tornaram os primeiros seres a vivenciar o afeto por algo que não fosse Deus. Os beijos eram estranhos e maravilhosos, e Lucinda desejava mais, porém receava o que os outros anjos iriam pensar dos beijos de Lúcifer e dela. Temia que aquele beijo ficasse marcado nos lábios e, mais do que tudo, que Deus descobrisse tudo quando voltasse e retomasse a sua posição no Trono.

— Diga que me adora — implorou Lúcifer.

— A adoração é só para Deus — retrucou Lucinda.

— Não precisa ser — sussurrou Lúcifer. — Imagine como seríamos fortes se pudéssemos declarar nosso amor abertamente diante do Trono, você me adorando, eu adorando você. O Trono é um só. Unidos no amor, poderíamos ser maiores que ele.

— Qual é a diferença entre amor e adoração? — perguntou Lucinda.

— Amar é transferir a adoração que você sente por Deus para alguém que está *aqui*.

— Mas eu não quero ser maior que Deus.

O rosto de Lúcifer se fechou diante das palavras dela. Girou o corpo para longe de Lucinda, e a raiva se enraizou em sua alma. Lucinda sentiu uma mudança estranha dentro dele, mas era tão esquisita que não a reconheceu. Começou a ter medo de Lúcifer. Ele não parecia ter medo de nada, exceto de que um dia ela o abandonasse. Ensinou a ela a canção sobre a grandeza da união dos dois. Fazia com que a cantasse constantemente, até Lucinda se ver como a Estrela do Anoitecer de Lúcifer. Disse a Lucinda que aquilo era amor.

Luce se retorceu com a dor daquela lembrança. A coisa se estendeu por bastante tempo daquele jeito ao lado de Lúcifer. A cada interação, a cada carícia nas asas de Lucinda, ele se tornava mais possessivo, mais ciumento de sua adoração ao Trono, dizendo a Lucinda que, se o amasse de verdade, somente ele, Lúcifer, seria o suficiente.

Houve um dia naquele período negro do qual ela se lembrava: estava chorando no Prado, enterrada até o pescoço no chão de nuvens, sentindo vontade de se afundar para longe de todas as coisas. A sombra de um anjo pairou acima dela.

— Deixe-me em paz! — gritou ela.

Porém, a asa que se enrolou ao redor da dela fez o oposto. Ela a aninhou. O anjo parecia saber melhor do que ela mesma do que precisava. Devagar, Lucinda ergueu a cabeça. Os olhos do anjo eram cor de violeta.

— Daniel. — Ela sabia que ele era o sexto Arcanjo, encarregado de guardar as almas perdidas. — Por que você veio até mim?

— Porque andei observando-a. — Daniel a olhou fundo nos olhos, e Luce soube que até então ninguém jamais tinha visto um anjo chorar. As lágrimas de Lucinda tinham sido as primeiras. — O que está acontecendo com você?

Durante um longo tempo, ela buscou as palavras certas.

— Sinto como se estivesse perdendo minha luz.

A história se derramou dos lábios dela, e Daniel deixou que assim fosse. Ninguém ouvia Lucinda havia muito tempo.

Depois que ela terminou, os olhos de Daniel estavam cheios de lágrimas.

— O que você chama de amor não parece ser muito belo — disse ele lentamente. — Pense no modo como adoramos o Trono. Essa adoração nos transforma nas melhores versões de nós mesmos. Nós nos sentimos encorajados a seguir nossa intuição, não a nos modificar em nome do amor. Se eu fosse seu e você minha, eu desejaria que permanecesse exatamente como é. Jamais eclipsaria você com os meus desejos.

Lucinda segurou a mão forte e cálida de Daniel. Talvez Lúcifer tivesse descoberto o amor, porém aquele anjo ali parecia entender melhor como transformá-lo em algo maravilhoso.

De repente, Lucinda estava beijando Daniel, mostrando como se fazia aquilo, necessitando pela primeira vez entregar sua alma inteiramente a outra. Os dois se abraçaram, e as almas de Daniel e Lucinda cintilaram juntas, duas metades que eram melhores quando unidas em um todo.

Flash.

Claro, Lúcifer tornou a procurá-la. A ira dentro dele havia aumentado tanto que estava duas vezes maior que Lucinda, ao passo que antes eles tinham a mesma altura.

— Não posso mais suportar esta escravidão. Você irá até o Trono comigo para declarar sua lealdade única ao nosso amor?

— Lúcifer, espere... — Lucinda quis lhe contar a respeito de Daniel, mas ele não a teria ouvido, de qualquer maneira.

— Para mim é uma farsa bancar o anjo adorador quando tenho você e não preciso de mais nada. Vamos fazer planos, Lucinda, você e eu. Vamos planejar como alcançar a glória.

— Como isto pode ser amor? — gritou ela. — Você adora os próprios sonhos, sua ambição. Você me ensinou a amar, mas não posso amar uma alma tão sombria que devora a luz das outras.

Ele não acreditou nela, ou fingiu não ouvi-la, pois logo desafiou o Trono a reunir todas as almas no Prado para a lista de chamada. Ele segurava Lucinda quando lançou o desafio, mas quando começou a falar, distraiu-se e ela conseguiu escapar. Caminhou para o Prado e vagou entre almas iluminadas. Viu aquela que estivera buscando todo o tempo.

※ ⧓ ⟨

Lúcifer gritou para os anjos:

— Uma linha foi desenhada no chão de nuvens do Prado. Agora todos vocês estão livres para escolher. Ofereço a vocês igualdade, uma existência sem a hierarquia arbitrária de uma autoridade.

Luce sabia que ele queria dizer que ela só estava livre se fosse para segui-lo. Lúcifer talvez pensasse que a amava, mas o que ele amava era controlá-la com um fascínio sombrio e destrutivo. Era como se Lúcifer achasse que Lucinda era uma característica dele.

Ela se aninhou ao lado de Daniel no Prado, banhando-se do calor de um amor crescente que era puro e saciante, quando o nome de Daniel foi chamado no Prado. Havia sido convocado. Ele se levantou acima da luz caótica dos anjos e disse, com confiança calma:

— Com todo o respeito, não farei isso. Não escolherei o lado de Lúcifer, e não escolherei o lado do Céu.

Um urro se ergueu do vasto campo de anjos, vindo daqueles que estavam ao lado do Trono e, principalmente, de Lúcifer. Lucinda ficou atônita.

— Em vez disso, escolho o *amor* — continuou Daniel. — Escolho o amor e deixo vocês em meio à sua guerra. Você está errado em nos fazer passar por isto — disse Daniel a Lúcifer.

Depois, virando-se, dirigiu-se ao Trono:

— Tudo o que é bom no Céu e na Terra nasce do amor. Talvez esse não tenha sido o Vosso plano quando criaste o Universo; talvez o amor fosse apenas um dos aspectos de um mundo complicado e brutal. Mas o amor foi a melhor coisa que Vós criastes, e tornou-se a única coisa que vale a pena poupar. Esta guerra não é justa. Esta guerra não é boa. O amor é a única coisa pela qual vale a pena lutar.

O Prado caiu em silêncio após as palavras de Daniel. A maioria dos anjos parecia confusa, como se não entendesse o que Daniel queria dizer.

Ainda não era a vez de Lucinda: os nomes dos anjos eram chamados pelas secretárias celestiais de acordo com a hierarquia, e Lucinda era um dos poucos anjos de posição mais elevada que a de Daniel. Não importava. Eram uma dupla. Ela ficou ao lado dele e o defendeu no Prado.

— Jamais deveria ter de haver uma escolha entre Vós e o amor — declarou Lucinda ao Trono. — Talvez um dia Vós encontreis um jeito de reconciliar a adoração com o amor verdadeiro que nos tornastes capaz de sentir Mas, se for forçada a escolher, serei obrigada a ficar ao lado de meu amor. Eu escolho Daniel e o escolherei eternamente.

Então Luce se lembrou da coisa mais difícil que já tivera de fazer. Ela se virou para Lúcifer, seu primeiro amor. Se não fosse sincera com ele, nada daquilo valeria a pena.

— Você me mostrou o poder do amor, e por isso sempre serei grata. Mas o amor se situa em terceiro lugar para você, muito depois do seu orgulho e da sua ira. Você iniciou uma luta que jamais será capaz de vencer.

— Mas estou fazendo tudo isto por você! — berrou Lúcifer.

Era a primeira grande mentira dele, a primeira grande mentira do Universo.

De braços dados com Daniel no meio do Prado, Lucinda fez a única escolha possível. Seu medo não era nada em comparação ao seu amor.

Porém, jamais poderia ter previsto a maldição. Luce se lembrava agora que o castigo tinha vindo dos dois lados. Era isso que fizera da maldição algo tão compulsório: tanto o Trono quanto Lúcifer — por ciúme, despeito ou uma visão impiedosa de justiça — selaram o destino de Daniel e Lucinda por muitos milhares de anos.

No silêncio do Prado, uma coisa estranha aconteceu: *outro* Daniel pairou acima de Lucinda e Daniel. Era um Anacronismo — o Daniel que ela conhecera em Shoreline, o anjo que Luce Price conheceu e amou.

— Vim aqui para implorar clemência — começou o gêmeo de Daniel. — Se devemos ser punidos, e, meu Mestre, não questiono Vossa decisão, por favor ao menos lembrai-vos de que um dos maiores traços de Vosso poder é Vossa misericórdia, que é misteriosa e imensa e supera a todos nós.

Naquela época, Lucinda não havia compreendido aquilo, mas, na lembrança, tudo finalmente fez sentido. Daniel lhe dera a dádiva de uma brecha na maldição, para que algum dia, no futuro distante, ela pudesse liberar o amor dos dois.

A última coisa da qual se lembrou foi de abraçar Daniel com força quando o chão de nuvens começou a fervilhar, enegrecido. O chão se abriu sob eles e os anjos iniciaram a Queda. Daniel e ela se separaram. O corpo dela se fixara na imobilidade. Ela o perdera. Perdera toda a memória. Perdera a si.

Até agora.

Quando Luce abriu os olhos, a noite havia caído. O ar estava tão frio que seus braços tremiam. Os outros se aconchegaram junto a ela, tão silenciosamente que pôde ouvir os grilos cantando na grama. Não sentia vontade de olhar para ninguém.

— Isso tudo foi por minha causa — disse ela. — Durante todo esse tempo achei que você é que estivesse sendo punido, Daniel, mas o castigo era para mim. — Ela fez uma pausa. — Fui eu o motivo da revolta de Lúcifer?

— Não, Luce. — Cam lhe ofereceu um sorriso triste. — Talvez tenha sido a inspiração, mas inspiração é um pretexto para fazer algo que você já sabe que deseja fazer. Lúcifer estava procurando por uma porta para a maldade. Teria encontrado outra maneira.

— Mas eu o traí.

— Não — disse Daniel. — Ele traiu você. Traiu todos nós.

— Sem a rebelião de Lúcifer, será que nós dois teríamos nos apaixonado?

Daniel sorriu.

— Gosto de pensar que teríamos encontrado um caminho. Agora, finalmente, temos uma chance de colocar tudo isso para trás. Temos uma chance de deter Lúcifer, de quebrar a maldição e de nos amar do modo como sempre desejamos fazer. Podemos fazer todos esses anos de sofrimento valerem a pena.

— Vejam — disse Steven, apontando para o céu.

As estrelas estavam agrupadas em bandos. Uma delas, lá longe, parecia particularmente brilhante. Ela tremeluziu, depois pareceu se apagar completamente antes de voltar a brilhar com ainda maior intensidade.

— São eles, não é? — perguntou ela. — A Queda?

— Sim — respondeu Francesca. — São eles. Têm a mesma imagem que os antigos textos dizem que teriam.

— É só que... — Luce franziu a testa, piscando. — Eu só consigo ver se eu me...

— Concentrar — sugeriu Cam.

— O que está acontecendo ali? — perguntou Luce.

— Eles estão entrando neste mundo — explicou Daniel. — Não foi o trânsito físico do Céu para a Terra que levou nove dias. Foi a mudança do âmbito celestial para o terrestre. Quando aterrissamos aqui, nossos corpos estavam... diferentes. Nós nos tornamos diferentes. Isso levou tempo.

303

— Agora o tempo está nos levando — revelou Roland, olhando para o relógio de bolso dourado que Dee provavelmente lhe entregara antes de morrer.

— Então chegou a hora de irmos — disse Daniel para Luce.

— Lá para cima?

— Sim, precisamos voar para encontrá-los. Voaremos diretamente até as fronteiras da Queda, e então você vai...

— Eu preciso impedi-lo?

— Sim.

Ela fechou os olhos, pensou no modo como Lúcifer havia olhado para ela no Prado. Parecia desejar esmagar cada partícula de ternura que existia.

— Acho que sei como fazer isso — disse ela.

— Sabia que iria dizer isto! — berrou Ariane.

Daniel puxou-a para mais perto.

— Tem certeza?

Ela o beijou. Nunca tivera tanta certeza.

— Acabei de conquistar minhas asas de volta, Daniel. Não vou deixar que Lúcifer as leve embora.

Assim, Luce e Daniel se despediram de seus amigos, deram as mãos e dispararam pelos céus no meio da noite. Subiram sem parar, através da camada mais fina da atmosfera, através de um filme de luz situado na orla do espaço.

A lua se tornou imensa, brilhava como um sol do meio-dia. Passaram por galáxias nebulosas e por luas cheias de crateras e planetas estranhos cintilando com gás vermelho e anéis listrados de luz.

O voo não extenuava Luce. Ela começou a entender por que Daniel era capaz de voar durante dias seguidos sem descansar; ela não sentia fome nem sede. Não sentia frio na noite gelada.

Por fim, nos limites do nada, no bolsão escuro do Universo, chegaram ao perímetro. Viram a teia negra do Anunciador de Lúcifer balançando no espaço entre as dimensões. Lá dentro estava a Queda.

Daniel pairou ao lado dela. Suas asas roçaram as de Luce, transmitindo-lhe força.

— Primeiro você terá de atravessar o Anunciador. Não se demore nele. Continue em frente até encontrar Lúcifer na Queda.

— Preciso entrar sozinha, não é?

— Eu seguiria você até os confins da Terra e além. Mas você é a única que pode fazer isso — disse Daniel, segurando sua mão. Beijou-lhe os dedos, a palma. Ele tremia. — Estarei esperando aqui.

Os lábios deles se encontraram uma última vez.

— Eu amo você, Luce — disse Daniel. — Sempre amarei, quer Lúcifer vença ou não...

— Não, não diga isto — interrompeu Luce. — Ele não vai...

— Mas se ele vencer — continuou Daniel —, quero que você saiba que eu faria tudo isto novamente. Escolheria você todas as vezes.

Uma calma tomou conta de Luce. Por ele, não fracassaria. Por si, não fracassaria.

— Não vou demorar.

Ela apertou a mão de Daniel e se virou. Depois mergulhou na escuridão, no interior do Anunciador de Lúcifer.

DEZOITO

APANHAR UMA ESTRELA CADENTE

A escuridão era total.

Luce só havia viajado através de seus próprios Anunciadores, úmidos e frios, até mesmo tranquilos. A entrada para o de Lúcifer era fétida, quente, cheia de fumaça acre — e ensurdecedora. Doces pedidos de misericórdia e soluços cortantes permeavam as paredes internas.

As asas de Luce se eriçaram — uma sensação que nunca tivera — quando se deu conta de que o Anunciador do diabo era as fronteiras do Inferno.

"É apenas uma passagem", disse a si mesma. "É como qualquer outro Anunciador, um portal a se atravessar até outro espaço-tempo."

Ela se impeliu para diante, sufocando com a fumaça. O chão era cheio de algo espinhento que só reconheceu quando tropeçou, caiu de joelhos e sentiu a dor excruciante de cacos de vidro nas mãos que Daniel acabara de soltar.

"Não se demore nele", tinha dito Daniel. "Continue em frente até encontrar Lúcifer."

Inspirou profundamente, endireitou o corpo e se lembrou de quem era. Abriu as asas e o Anunciador se encheu de luz. Agora Luce conseguia ver como era horrível: cada superfície fumegante estava coberta por cacos de vidro de diferentes cores, formas semi-humanas, mortas ou moribundas, em poças viscosas no chão, e, pior de tudo, uma esmagadora sensação de perda.

Luce olhou para as próprias mãos sangrentas, de onde malignos cacos de vidro marrom saíam das palmas. Num instante, elas se curaram. Rangeu os dentes e voou, fazendo o corpo penetrar na parede interna do Anunciador, em direção às profundezas da Queda roubada de Lúcifer.

Ali era vasto. Foi a primeira impressão. Amplo o bastante para ser um universo à parte, e estranhamente silencioso. A Queda era tão brilhante por causa da luz dos anjos que caíam que Luce mal conseguia enxergar. De algum modo, podia senti-los — todos ao redor, seus irmãos e irmãs, mais de cem milhões de anjos da legião celestial decorando o céu como pinturas. Estavam suspensos no ar, congelados no espaço-tempo, cada um preso em um círculo diferente de luz.

Foi assim que ela caíra também. Agora se recordava, dolorosamente. Aqueles nove dias contiveram novecentas eternidades. E, contudo, por mais imóveis que os anjos em queda estivessem, Luce via agora que mudavam constantemente. Suas formas assumiam uma translucidez estranha e amorfa. Aqui e ali, luzes cintilavam embaixo de um par de asas. Um braço começava a piscar de modo nebuloso até assumir sua forma, depois novamente se tornava indistinto. Foi isso o que Daniel quis dizer quando falou na mudança que ocorreu dentro da Queda — a metamorfose das almas, do modo como eram no âmbito celestial para o modo como seriam no âmbito terrestre.

Os anjos estavam se despindo de sua pureza angelical, entrando nas encarnações que assumiriam na Terra.

Luce se aproximou do anjo mais próximo. Ela o reconheceu: Tzadkiel, o anjo da Justiça Divina, seu irmão e amigo. Há eras não via sua alma. Ele não podia vê-la agora, e não poderia ter respondido se pudesse vê-la.

A luz dentro dele trinou, fazendo com que a essência de Tzadkiel cintilasse como uma joia em água lamacenta. Depois, juntou-se em um rosto borrado que Luce não reconheceu. Parecia grotesco — olhos cruamente formados, lábios semiterminados. Não era ele, mas assim que os anjos atingissem o solo imperdoável da Terra, seria.

Quanto mais ela vagava no mar suspenso de almas, mais pesada se sentia. Luce reconheceu todos eles: Saraquel, Alat, Muriel, Chayo. Percebeu horrorizada que, quando suas asas chegavam perto o bastante, conseguia *ouvir* os pensamentos de cada anjo em queda.

Quem vai cuidar da gente? Quem iremos adorar?

Não consigo sentir minhas asas.

Sinto falta de meus pomares. Haverá pomares no Inferno?

Sinto muito. Sinto tanto.

Era doloroso demais permanecer perto de qualquer um deles por mais tempo que o de um único pensamento. Luce se impulsionou para a frente, sem direção, espantada, até que uma luz brilhante e familiar a atraiu.

Gabbe.

Mesmo em meio a uma transição não concluída, Gabbe estava maravilhosa. Suas asas brancas se dobravam como pétalas de rosa ao redor de suas feições em formação; a cortina escura de seus cílios fazia com que parecesse em paz e firme.

Luce foi até o círculo de luz prateada de Gabbe. Por um instante, pensou que pudesse haver um lado bom na Queda de Lúcifer: a volta de Gabbe.

Então a luz dentro de Gabbe lampejou e Luce ouviu o anjo em queda pensar:

Continue em frente. Lucinda. Por favor, continue em frente. Sonhe com aquilo que você já conhece.

Luce pensou em Daniel, que a aguardava do outro lado. Pensou em Lu Xin, a garota que tinha sido na dinastia Shang na China. Ela havia matado um rei, vestido as roupas de um general e se preparado para lutar em uma guerra que não era sua — tudo isso por causa de seu amor por Daniel.

Luce reconhecera a própria alma dentro de Lu Xin assim que a vira. E agora pôde se ver ali também, mesmo com tantas almas brilhando ao redor, como as luzes de uma cidade suspensas no ar.

Ela encontraria a si mesma dentro da Queda.

Era ali, soube naquele exato instante, que encontraria Lúcifer.

Fechou os olhos, bateu as asas de leve, pediu que a sua alma a guiasse. Ela se movimentava entre milhões de seres, deslizando por marés cintilantes de anjos. Aquilo demorou uma pequena eternidade. Durante nove dias ela e seus amigos correram contra o tempo, tendo em mente apenas como localizar a Queda. Agora que a haviam encontrado, quanto tempo demoraria para que Luce achasse a alma que procurava, a agulha naquele palheiro formado por mutações de anjos? Quanto tempo ainda restaria?

Então, no meio de uma galáxia de anjos congelados, Luce parou.

Alguém estava cantando.

Era uma canção tão linda que fez suas asas tremerem.

Ela se apoiou atrás do círculo branco fixo de um anjo em queda chamado Ezekeel e ouviu:

— Meu mar encontrou uma praia... Meu ardor encontrou uma chama...

A alma dela se inflou diante de uma lembrança há tempos esquecida. Olhou ao redor de Ezekeel, o Anjo das Nuvens, para ver quem estava cantando na clareira.

Era um garoto ninando uma garota em seus braços, e a voz de sua serenata era tão doce e suave quanto o mel.

O lento balançar de seus braços era o único movimento em toda a Queda congelada.

Então Luce percebeu que a garota não era simplesmente uma garota. Era um círculo de luz semiformado rodeando um anjo em metamorfose. Era a alma que, antes, costumava ser Lucinda.

O garoto olhou para cima, sentindo uma presença. Tinha rosto quadrado, cabelos ondulados cor de âmbar e olhos da cor do gelo, radiantes de um amor tolo.

Porém, não era um garoto. Era um anjo tão devastadoramente belo que o corpo de Luce se tensionou com uma solidão que não desejava recordar.

Era Lúcifer.

Era essa a aparência que ele tinha no Céu. Entretanto, se movia e estava completamente formado, ao contrário dos milhões de anjos que o rodeavam — e isso fez Luce ter certeza de que ele era o demônio do presente, aquele que lançou seu Anunciador ao redor da Queda para incitar a segunda ligação dos anjos com a Terra. A própria alma em queda de Lúcifer estaria em algum outro lugar dali, tão paralisada quanto o restante dos anjos ficou depois de o Trono expulsá-los do Céu.

Luce estava certa quanto a imaginar que sua alma a levaria até Lúcifer. Depois que ele colocou a Queda em movimento, provavelmente mergulhara para o interior do próprio Anunciador.

E passou aqueles nove dias fazendo o quê? Entoando canções de ninar e a embalando sem parar enquanto o mundo se via na corda bamba e exércitos de anjos corriam pelo mundo para impedi-lo?

Ela sentiu as asas arderem. Sabia que era isso o que ele tinha feito, apenas isso, pois sabia que a amava e que ainda a queria. Tudo aquilo só estava acontecendo porque ela havia traído Lúcifer.

— Quem está aí? — gritou ele.

Luce foi adiante. Não tinha ido até ali para se esconder dele. Além disso, ele já havia sentido o brilho da alma dela atrás de Ezekeel, ouviu o tom irritado de reconhecimento na voz de Lúcifer.

— Ah. É você. — Ele levantou ligeiramente os braços, segurando o eu de Luce que caía. — Já foi apresentada ao meu amor? Acho que irá achá-la... — Lúcifer olhou para cima, procurando a palavra certa. — revigorante.

Luce se aproximou mais, igualmente atraída pelo anjo radiante de coração partido e pela versão estranha e semiformada de si. Era aquele anjo que se tornaria a garota que Luce foi na Terra. Observou o próprio rosto tremeluzir ao se formar, dentro dos braços de Lúcifer. Depois o rosto sumiu.

Pensou em se fundir àquela estranha criatura. Sabia que seria possível fazer isso: tocar a garota e tomar posse de seu corpo mais antigo, sentir o frio na barriga ao se unir ao seu passado, piscar e se ver nos braços de Lúcifer, na mente da Luce em queda, como havia feito tantas vezes antes.

No entanto não precisava mais fazer aquilo. Bill ensinara Luce a se clivar antes de ela saber quem realmente era, antes de ter acesso às lembranças que agora conhecia. Não precisava mais se unir a sua alma em queda para saber o que dizer a Lúcifer. Luce já conhecia a história completa.

Cruzou os braços na frente do corpo. Pensou em Daniel, do outro lado do Anunciador.

— O amor que você sente não é recíproco, Lúcifer.

Ele ofereceu um sorriso brilhante e desafiador para Luce.

— Você tem ideia de como um momento como este é raro?

Sem pensar, Luce se flagrou aproximando-se dele.

— Vocês duas, juntas ao mesmo tempo? Aquela que não pode me abandonar — ele acariciou o corpo que se metamorfoseava em seus braços e olhou para Luce — e aquela que não sabe como ficar longe de mim.

— Nós duas compartilhamos a mesma alma — disse Luce. — E nenhuma de nós o ama mais.

— E ainda dizem que o *meu* coração é que endureceu! — Lúcifer fez uma careta. Toda a doçura desapareceu de seu rosto. O tom de voz baixou vários registros e se tornou mais grave que qualquer coisa que Luce já ouvira na vida. — Você me desapontou no Egito. Não deveria ter feito aquilo, e não deveria estar aqui agora. Depositei você no âmbito externo para que não viesse interferir.

O corpo dele mudou: o rosto jovem e belo se dobrou em rugas que se espalharam pelo corpo em linhas compridas e ásperas. Asas poderosas irromperam de trás dos ombros. Garras se lançaram dos dedos, longas, curvas e amareladas. Luce estremeceu quando se cravaram no corpo semiformado dela mesma em queda.

Os olhos mudaram do tom azul gélido para um vermelho de chumbo derretido, e Lúcifer aumentou dez vezes de tamanho. Luce sabia que aquilo era resultado da raiva que antes ele havia controlado a fim de parecer com seu antigo e belo eu. Preencheu o espaço vazio, diminuindo imediatamente a expansão dos anjos suspensos.

Luce voou até o nível dos olhos dele e suspirou.

— Pode parar agora mesmo — disse ela.

— Ah, então você se tornou tolerante agora, é?

Luce balançou a cabeça e abriu as asas ao máximo. Elas se estenderam por um comprimento que ainda a espantava.

— Eu sei quem eu sou, Lúcifer. Sei o que sou capaz de fazer. Nenhum de nós está restrito a limites mortais. Eu também poderia ficar horrorosa. Mas por que faria isso?

Vapores saíam da cabeça de Lúcifer enquanto ele observava as asas de Luce.

— Suas asas sempre foram de tirar o fôlego — comentou ele. — Mas não se acostume demais com elas. O tempo está quase acabando e então... então...

Ele observou o rosto dela, em busca de medo ou agitação. Ela sabia como ele pensava, de onde retirava a energia e o poder. Os músculos granulosos dele se flexionaram, e Luce observou a luz do próprio corpo em queda se agitar, mas permanecer imóvel, indefeso nos braços dele. Era como ver alguém querido correndo grave perigo — mas Luce não revelaria que isso a perturbava.

— Não tenho medo de você.

O grunhido dele foi uma nuvem de muco e fumaça.

— Mas vai ter, assim como teve antes, assim como na verdade tem agora. O medo é a única maneira de saudar o demônio.

O aumento de tamanho dele cessou. Os olhos se resfriaram de volta àquele tom impressionante de azul-gelo. Os músculos relaxaram e voltaram a formar o corpo magro que certa vez fizera dele o mais maravilhoso dos anjos nas hordas celestiais. Em sua pele branca havia um brilho do qual Luce não se lembrava, até aquele momento.

Lúcifer era mais lindo até do que Daniel.

Ela se deixou recordar. Ela o havia *amado*, sim. Tinha sido seu primeiro amor verdadeiro. Dera a ele todo seu coração. E Lúcifer também a amara.

Quando os olhos dele pousaram sobre ela, toda a história do relacionamento dos dois se desenrolou em seu lindo rosto: o fogo do início do romance, a ânsia desesperada dele de possuí-la, a angústia do amor que, dizia ele, inspirara sua revolta contra o Trono.

A mente dela sabia que essa tinha sido a primeira grande mentira do Grande Enganador, mas o coração de Luce sentia algo diferente — em parte porque compreendia que, no fim das contas, Lúcifer passara a acreditar na própria mentira. Tal mentira possuía um poder secreto e propagador, como uma enchente que ninguém era capaz de enxergar.

Ela não conseguiu evitar: amoleceu. Os olhos de Lúcifer tinham a mesma ternura dos de Daniel quando olhava para ela. Sentiu os seus começarem a retribuir aquela ternura.

Ele *ainda* a amava... e ele ficava profundamente ferido em todos os momentos nos quais não tinha Luce ao seu lado. Foi por isso que passou os últimos nove dias com uma sombra da alma dela, por isso que tentou zerar todo o universo. Apenas para tê-la de volta.

— Ah, Lúcifer — disse ela. — Desculpe.

— Está vendo? — riu ele. — Você *tem mesmo* medo de mim. Tem medo do que eu faço você sentir. Não quer se lembrar de...

— Não, não é i...

De uma bainha escondida às suas costas, Lúcifer sacou uma seta estelar prateada e comprida e a girou entre os dedos, cantarolando uma canção que Luce reconheceu. Ela estremeceu: era o hino que ele havia composto, que emparelhava o amor dos dois. *Lucinda, sua Estrela do Anoitecer.*

Ela observou o brilho da seta estelar.

313

— O que você está fazendo?

— Você me amava. Era minha. Nós, que entendemos o que é a eternidade, sabemos o que significa o verdadeiro amor. O amor nunca morre. É por isso que sei que, quando atingirmos o chão, quando tudo recomeçar, você vai fazer a escolha certa. Vai me escolher em vez de escolher a ele, e juntos iremos reinar. Ficaremos juntos... — Ele olhou para ela. — Senão...

Então Lúcifer se aproximou dela com a seta.

— Sim! — gritou Luce. — Eu amei você um dia!

Ele congelou, a arma mortal pousada sobre o seio de Luce, seu eu anterior, sua alma mais antiga pendendo na dobra do braço dele.

— Mas isso faz mais tempo do que você se lembra — continuou ela. — Você gosta da eternidade, mas não gosta de como a eternidade pode mudar em um instante. Eu já não amava você quando nós caímos.

— Mentira. — Ele abaixou ainda mais a seta. — Você me amou há menos tempo do que pensa. Na semana passada mesmo, nos seus Anunciadores, quando pensava que amava outro... Nós dois éramos ótimos juntos. Lembra-se de descansarmos embaixo do pé de maracujá no Taiti? Tivemos momentos anteriores também. Espero que se lembre deles. — Ele recuou, observou a reação dela. — Ensinei a você tudo o que acha que sabe sobre o amor! Era para governarmos juntos. Você prometeu me seguir. Mas *me* enganou. — Os olhos dele imploravam para Luce, deflagrando dor e ira. — Imagine o quanto foi solitário ficar em um Inferno que eu mesmo fiz, preso ao altar, o maior tolo de todos os tempos, suportando sete mil anos de agonia.

— Pare — sussurrou ela. — Precisa deixar de me amar. Porque eu deixei de amar você.

— Por causa de *Daniel Grigori*, que não é nem um décimo do anjo que eu sou, mesmo quando estou na mais péssima forma? É ridículo! Sabe que sempre fui mais radiante, mais talentoso. Estava ao meu lado quando inventei o amor. Eu o criei a partir do nada, a partir da própria... *adoração*! — Lúcifer franziu o cenho ao pronunciar tal palavra, como se o deixasse nauseado. — E você não sabe nem da metade. Sem você, eu depois criei o mal, a outra extremidade do espectro, o equilíbrio necessário. Inspirei Dante! Milton! Você devia dar uma espiada no submundo. Peguei as ideias do Trono e melhorei todas. Pode fazer o que quiser! Ah, você perdeu *tudo isso.*

— Não perdi nada.

— Ah, minha querida... — Ele esticou o braço para acariciar sua bochecha com a mão macia. — Com certeza não acredita nisso. Eu poderia lhe dar o maior reino que jamais conheceu. Vamos trabalhar duro e depois nos divertir. Até o Trono ofereceu os benefícios da paz eterna! Mas o que você escolheu? Daniel. O que este corte de cabelo fez com você?

Luce afastou a mão dele.

— Ele conquistou meu coração. Ele me ama pelo que sou, não pelo que posso trazer para ele.

Lúcifer deu um sorrisinho irônico.

— Você sempre foi uma tapada para entender as coisas. Meu bem, esse é seu calcanhar de Aquiles.

Ela olhou ao redor para as almas cintilantes e imóveis em volta, milhões de anjos, estendendo-se por milhares de quilômetros, testemunhas acidentais da verdade sobre o primeiro amor romântico do universo.

— Achei que o que eu sentia por você era o certo — disse Luce.

— Eu o amei até isso me fazer mal, até nosso amor ser consumido pelo seu orgulho e pela sua ira. Aquilo que você chamava de *amor* me anulou, por isso precisei parar de amar você. — Ela fez uma pausa. — Nossa adoração nunca diminuiu o Trono, mas o seu amor, Lúcifer, me diminuiu. Jamais quis machucar você, só quis impedir que me machucasse.

— Então pare de me machucar! — implorou ele, estendendo os braços dos quais Luce se lembrava de a terem envolvido, onde se sentira completamente à vontade. — Você pode aprender a me amar de novo. É a única maneira de estancar a minha dor. Escolha-me agora, de novo, para sempre.

— Não — disse ela. — Acabou mesmo, Lúcifer. — Ela fez um gesto para os outros anjos que caíam ao redor deles. — Já tinha acabado antes mesmo de isto tudo acontecer. Jamais prometi governar ao seu lado fora do Céu. Você é que projetou esse sonho em mim, como se eu fosse mais uma das suas tábulas rasas. Não vai conseguir nada fazendo *esta* Lucinda cair na Terra. Ela não irá retribuir o seu amor.

— Talvez retribua. — Ele olhou para o anjo em seus braços, tentou beijá-la, mas a luz que rodeava o eu de Lucinda em queda impediu que os lábios dele tocassem-lhe a pele.

— Desculpe pela dor que causei a você — disse Luce. — Eu era... jovem. Eu me... deixei levar. Brinquei com fogo. Não devia ter feito isso. Por favor, Lúcifer. Deixe-nos ir.

— Ah. — Ele afagou o rosto dele no corpo em seus braços. — Como dói.

— Vai doer menos se você aceitar que o que compartilhamos é passado. As coisas não são como eram. Se você me ama, precisa encontrar a força dentro da sua alma para me deixar seguir em frente.

Lúcifer lançou um longo olhar para Luce. Sua expressão se escureceu, depois ficou intrigada, como se ele estivesse tendo uma ideia. Olhou para o outro lado um instante, piscou e, quando olhou de novo para Lucinda, ela presumiu que fosse capaz de enxergá-la como ela realmente era: o anjo que se tornou uma garota, que viveu por milênios, que se tornou cada vez mais consciente de seu destino, que encontrou um modo de voltar a ser anjo.

— Você... merece mais que isto — sussurrou Lúcifer.

— Mais do que Daniel? — Luce balançou a cabeça. — Não quero nada mais do que ele.

— Quero dizer que você merece mais que todo esse sofrimento. Não pense que não vi tudo o que você passou. Estive assistindo. Às vezes, sua dor me causava uma espécie de alegria. Quero dizer, você me conhece, não é? — Lúcifer deu um sorriso triste. — Mas mesmo a minha forma de alegria é sempre marcada pela culpa. Se pudesse me livrar da culpa, você *realmente* veria alguém grandioso.

316

— Liberte-me do meu sofrimento. Pare a Queda, Lúcifer. Pode fazer isso.

Ele cambaleou na direção dela, os olhos cheios de lágrimas. O demônio balançou a cabeça:

— Me diga como um sujeito, com um emprego decente, perde uma...

— BASTA!

A voz fez tudo parar. A órbita do sol, a consciência interna de trezentos e dezoito milhões de anjos e até mesmo a velocidade imensa da Queda *simplesmente pararam.*

Era a voz que havia criado o Universo: repleta de camadas e profunda, como se milhões de suas versões falassem em uníssono.

Basta.

A ordem do Trono atravessou Luce. Consumiu-a. A luz inundou-lhe a visão, obscurecendo Lúcifer, seu eu em queda, o mundo inteiro. A alma dela zumbiu com uma eletricidade inenarrável quando um peso saiu de dentro dela e foi jogado a distância.

A Queda.

Tinha sumido. Luce havia sido lançada para fora dela com uma única palavra e um raio que a fez sentir-se revirada pelo avesso. Estava se movimentando em direção a um grande vácuo, em direção a um destino desconhecido, mais depressa que a velocidade da luz multiplicada pela velocidade do som.

Ela estava se movimentando à velocidade de Deus.

DEZENOVE

O PREÇO DE LUCINDA

Não havia nada além do branco.

Luce sentiu que ela e Lúcifer haviam voltado para Troia, mas não tinha certeza. O mundo estava iluminado demais, mármore em fogo. Ardia em completo silêncio.

De início, a luz era tudo: branca, incandescente, cegante.

Aí, devagar, começou a enfraquecer.

A cena diante de Luce se delineou: a luz menos intensa permitiu ver o campo, os ciprestes esguios, os bodes pastando na grama clara, os anjos ao redor dela, que entravam em foco. A luz parecia ter uma textura, como a de penas roçando a pele, e seu poder fazia com que ela sentisse humildade e medo.

O clarão diminuiu ainda mais, pareceu encolher-se e condensar-se, à medida que se reunia dentro de si. Tudo diminuía de intensidade, perdia a cor, enquanto a luz se afastava e se reunia em uma esfera brilhante, cujo fulgor era mais intenso no centro, pairando a três metros do chão. Pulsava e tremeluzia à medida que seus raios assumiam forma. Eles se esticavam, cintilavam como bala de coco quente, tomando a forma de uma cabeça, um tronco, pernas, braços. Mãos.

Um nariz.

Uma boca.

Até que a luz se tornou uma pessoa.

Uma mulher.

O Trono em forma humana.

Há tempos, Luce havia sido uma das preferidas do Trono — ela sabia disso agora, sabia nas tessituras de sua alma, porém jamais havia *visto* o Trono de fato. Nenhum ser era capaz de ter esse tipo de conhecimento.

Era a natureza das coisas, da divindade. Descrevê-la era reduzi-la. Portanto ali, agora, embora se parecesse muito com uma rainha num vestido branco esvoaçante, o Trono continuava sendo o Trono — ou seja, continuava sendo *tudo*. Luce não conseguia parar de olhar.

Ela era surpreendentemente linda. Seus cabelos tinham reflexos prateados e dourados. Os olhos, azuis como um oceano de cristal, emitiam o poder de enxergar tudo, em toda parte. Quando o Trono olhou para as planícies troianas, Luce pensou ter visto um clarão do próprio rosto na expressão de Deus — determinado, na forma que a mandíbula de Luce Price se contraía quando tomava uma decisão. Já tinha visto aquilo no próprio reflexo mil vezes antes.

Mas quando o rosto de Deus se virou para olhar o público diante dele, sua expressão se modificou. Agora parecia a devoção de Daniel; capturava aquela luz específica dos olhos dele. Depois, no modo relaxado e aberto que Deus gesticulava, Luce reconhecia o desprendimento da própria mãe — e então viu o sorriso orgulhoso que só Penn possuía.

A diferença era que, agora, Luce percebia que *não pertencia* a Penn. Cada traço fugaz da vida encontrava sua origem na força que estava diante de Luce. Ela podia ver como o mundo inteiro — mortais e anjos, do mesmo modo — havia sido criado à imagem mercurial do Trono.

Uma cadeira de mármore apareceu na extremidade do prado. Era feita de uma substância divina que Luce sabia já ter visto. Era o mesmo material da sua antiga cadeira de prata com a ponta espiralada que o Trono segurava na mão esquerda.

Quando o Trono se sentou, Annabelle, Ariane e Francesca correram para a frente dele, caindo de joelhos em adoração. O sorriso do Trono cintilou para elas, lançando arco-íris de luz nas asas delas. Os anjos entoaram cânticos juntos em um prazer harmonioso.

Ariane ergueu o rosto reluzente e bateu as asas para se levantar e dirigir-se ao Trono. Sua voz irrompeu em uma canção gloriosa:

— Gabbe se foi.

— Sim — cantarolou o Trono de volta, embora, é claro, já soubesse disso.

Mais do que um compartilhamento de informações, aquilo era um ritual de comiseração. Luce se lembrou de que fora para isso que o Trono criara a fala e a canção; para ser outra maneira de sentir, outra asa para roçar na asa de seu amigo.

Então os pés de Ariane e de Annabelle deslizaram pelo chão e elas flutuaram acima do Trono. Pairaram ali, de frente para Luce e o restante de seus amigos, mirando com adoração para seu Criador. A formação delas parecia estranha — de certa maneira incompleta — até que Luce percebeu algo:

As saliências.

· Ariane e Annabelle estavam tomando seus antigos lugares de Arcanjos. No Prado Celestial, as saliências onduladas e prateadas que outrora formavam um arco sobre a cabeça do Trono; e estavam ali de volta: Ariane à direita dos ombros do Trono, e Annabelle a centímetros do chão, perto da mão direita.

Espaços vazios cintilantes brilhavam no espaço ao redor do Trono. Luce se lembrou para qual delas Cam costumava voar, qual era a de Roland e qual pertencia a Daniel. Viu relances em sua lembrança do local de Molly diante do Trono, e do de Steven também — embora eles não fossem Arcanjos, e sim anjos que adoravam com alegria lá do Prado.

Por último, viu os lugares dela e de Lúcifer, suas saliências prateadas pareadas do lado esquerdo, e as asas de Luce formigaram. Era tudo tão claro.

Os outros anjos caídos — Roland, Cam, Steven, Daniel e Lúcifer — não deram um passo à frente para adorar o Trono. Luce ficou devastada. Adorar o Trono era algo que lhe vinha naturalmente; foi para isso que Lucinda tinha sido criada. Mas de algum modo ela não conseguia se mexer. O Trono não pareceu nem desapontado, nem surpreso.

— Onde está a Queda, Lúcifer? — A voz fez Luce sentir vontade de cair de joelhos e rezar.

— Só Deus sabe — rosnou Lúcifer. — Não importa. Talvez eu não a quisesse, no fim das contas.

O Trono girou seu cetro de prata nas mãos, remexendo em um recesso enlameado no chão onde sua extremidade encontrava a Terra. Uma vinha de lírios brancos com reflexos prateados surgiu, lançando uma espiral ao redor do cetro. O Trono não pareceu notar; fixou seus olhos azuis em Lúcifer até que os olhos azuis deste se torceram para encontrar os Dela.

— Acredito nas duas primeiras afirmações — disse o Trono — e logo você será convencido da terceira. Minha indulgência tem limites bastante célebres.

Lúcifer começou a falar, mas o olhar do Trono se desligou do dele, e Lúcifer chutou a terra em frustração. O chão se abriu embaixo dele, fazendo lava borbulhar e se resfriar no chão, um vulcão pessoal.

Com o menor dos gestos, o Trono chamou novamente a atenção de todos.

— Precisamos tratar da maldição de Lucinda e Daniel — disse ela.

Luce engoliu em seco, sentindo o terror se alastrar pelo estômago.

Os olhos fosforescentes do Trono, porém, eram bondosos quando ela colocou uma mecha de cabelo prateado e dourado atrás da orelha, reclinou-se no assento e inspecionou a reunião diante de si.

— Como vocês sabem, chegou a hora de eu mais uma vez fazer uma pergunta a esses dois.

Todos ficaram em silêncio, até o vento.

— Lucinda, comecemos com você.

Luce assentiu. A calma de suas asas se justapunha ao coração acelerado. Era uma sensação estranhamente mortal, que a fez se lembrar do que sentia ao ser chamada à sala do diretor na escola. Ela se aproximou do Trono, de cabeça baixa.

— Você já pagou o bastante da sua dívida de sofrimento ao longo destes últimos seis milênios...

— Não foi tudo apenas sofrimento — disse Luce. — Houve momentos difíceis, mas... — Ela olhou ao redor para os amigos que tinha feito, para Daniel e até mesmo para Lúcifer. — Mas houve muita beleza, também.

O Trono sorriu de modo curioso para Luce.

— Você também cumpriu as condições para descobrir a própria natureza sem ajuda, de ser verdadeira consigo. Diria que veio a conhecer a sua alma?

— Sim — respondeu Luce. — Profundamente.

— Agora você é mais Lucinda do que jamais foi. Qualquer decisão que tomar carrega não apenas o conhecimento que você traz enquanto anjo, mas também o peso de sete mil anos de lições de vida em cada um dos estágios do ser humano.

— Eu me dobro à minha responsabilidade — disse ela, usando palavras que não pareciam nem um pouco coisa de Luce Price, mas que, percebeu, pareciam muito coisa de Lucinda, sua verdadeira alma.

— Talvez você tenha ouvido que nesta vida a sua alma "está disponível"?

— Sim. Ouvi.

— E talvez tenha ouvido falar do equilíbrio entre os anjos do Céu e as forças de Lúcifer?

Luce assentiu, devagar.

— E, portanto, a pergunta recai sobre você uma vez mais: escolhe o Céu ou o Inferno? Aprendeu as suas lições e agora é quatrocentas vidas mais sábia, portanto, perguntamos mais uma vez: onde você deseja passar a eternidade? Se for no Céu, permita-me dizer que iremos recebê-la em casa e providenciar para que a transição seja suave. — Deus lançou um olhar para Lúcifer, mas Luce não o acompanhou. — Se sua escolha for o Inferno, me arrisco a dizer que Lúcifer a aceitaria, não?

Lúcifer não respondeu. Luce ouviu um farfalhar pesado atrás de si e se virou para ver as costas das asas dele torcidas em um nó.

Não tinha sido fácil dizer a Lúcifer, dentro da Queda, que ela não o amava, que não o escolheria. Parecia impossível dizer o mesmo ao Trono. Luce estava diante do poder que a criara, e nunca se sentira tão infantil.

— Lucinda? — O olhar do Trono se voltou para baixo, para ela. — Cabe a você fazer pender a balança.

A conversa que ela tivera com Ariane em Las Vegas lhe veio mais uma vez à mente: *No fim, a coisa se resumiria à escolha de um único anjo poderoso quanto a que lado ficar. Quando isso acontecesse, a balança finalmente penderia.*

— Cabe *a mim*?

O Trono assentiu, como se Luce tivesse sabido disso o tempo inteiro.

— Da última vez você se recusou a escolher.

— Não, isso não é verdade — retrucou Lucinda. — Eu escolhi o amor! Agora mesmo, Vós perguntastes se eu conhecia minha alma, e conheço. Devo permanecer fiel a quem sou e colocar o amor acima de tudo.

Daniel segurou a mão dela.

— Escolhemos o amor no passado e faremos a mesma escolha agora.

— E se Vós nos amaldiçoardes por isso agora — continuou Lucinda —, o resultado será o mesmo. Nós dois sempre nos reencontramos ao longo de sete mil anos. Todos vocês são testemunhas. Faremos isso novamente.

— Lúcifer? — indagou o Trono. — O que diz quanto a isso?

Ele olhou para Luce com olhos chamejantes, e sua dor era visível para todos os presentes.

— Digo que todos nós iremos nos arrepender deste momento para sempre. É a escolha errada, é egoísta.

— Sempre há arrependimento quando aceitamos que o amor se afastou de nós — veio a voz impassível do Trono. — Mas tomarei sua resposta como uma pequena demonstração de misericórdia e aquiescência, que oferece ao Universo alguma esperança. Lucinda e Daniel deixaram clara sua escolha e os relembrarei dos votos feitos na lista de chamada. O amor deles está fora de nossa alçada. Então, que assim seja. Mas isso terá seu preço. — Ela voltou o olhar novamente para Luce e Daniel. — Estão preparados para pagar pelo último sacrifício do seu amor?

Daniel balançou a cabeça.

— Se eu tiver Lucinda, e Lucinda tiver a mim, não existe sacrifício.

Lúcifer gargalhou, alçando voo e pairando no ar acima de Luce e Daniel.

— Quer dizer que poderíamos roubar tudo de vocês... suas asas, sua força, sua *imortalidade*, que mesmo assim escolheriam *seu amor*?

De soslaio, Luce viu Ariane. As asas dela estavam dobradas atrás de si. As mãos estavam enfiadas nos bolsos do macacão. Ela assentiu de modo presunçoso, os lábios espremidos em satisfação, como se dissesse: *Que diabo, sim, eles escolheriam.*

— Sim — disseram Luce e Daniel ao mesmo tempo.

— Ótimo — respondeu o Trono. — Mas entendam: existe um preço. Vocês podem ficar um com o outro, mas talvez não tenham mais nada além disso. Se escolherem o amor de uma vez por todas, precisam desistir de suas naturezas de anjo. Nascerão de novo, renovados como mortais.

Mortais?

Daniel, o anjo dela, renascido como mortal?

Todas aquelas noites ela havia ficado deitada acordada, pensando no que aconteceria com o amor dela e de Daniel depois daqueles nove dias. Agora a decisão do Trono a fazia se lembrar da sugestão de Bill no Egito: de que ela matasse a própria alma que reencarnava.

Mesmo então, havia pensado na hipótese de viver uma vida mortal e deixar Daniel seguir seu caminho. Ele não sofreria mais por perder um amor. Ela quase tinha conseguido fazer isso. O que a impediu foi a ideia de perder Daniel. Só que agora...

Ela poderia tê-lo, de verdade, durante um longo tempo. Tudo seria diferente. Ele estaria ao lado dela.

— Se vocês aceitarem — ergueu-se a voz do Trono, acima da gargalhada de Lúcifer —, não se lembrarão de quem foram um dia, e não posso garantir que se encontrarão durante a vida na Terra. Vocês irão viver e morrer, assim como qualquer outro mortal da criação. Os poderes do Céu que sempre os atraíram um para o outro não mais existirão. Nenhum anjo irá cruzar seu caminho. — Ela lançou um olhar de advertência para os outros anjos, amigos de Luce e Daniel. — Nenhuma mão amiga aparecerá na noite escura para guiá-los. Realmente estarão sozinhos.

Um som suave escapou dos lábios de Daniel. Ela se virou para ele e pegou sua mão. Então eles seriam mortais, vagando pela Terra em busca de sua outra metade, assim como todo mundo. Parecia uma linda proposta.

De trás deles, Cam disse:

— A mortalidade é a mais linda história romântica que já se contou. Só uma única chance de fazer tudo o que se deve fazer. Depois, magicamente, você passa para outra.

Mas Daniel parecia arrasado.

— O que foi? — sussurrou Luce. — Não quer?

— Você acabou de reconquistar as suas asas.

— É exatamente por isso que sei que posso ser feliz sem elas. Desde que eu tenha você comigo. Você é quem de fato estaria abrindo mão das suas. Tem certeza de que é isso o que *você* quer?

325

Daniel abaixou o rosto em lágrimas, com os lábios perto dos dela, suaves.

— Sempre.

Lágrimas enchiam os olhos de Luce enquanto Daniel se virava para encarar o Trono.

— Nós aceitamos.

Ao redor deles, o brilho das asas aumentou, até que todo o Prado zuniu com luz. E Luce sentiu os outros anjos — seus queridos e preciosos amigos — passarem da enorme expectativa para o choque.

— Muito bem. — O Trono quase sussurrava, sua expressão era inescrutável.

— Espere! — gritou Luce. Havia mais uma coisa. — Nós... nós aceitamos, com uma condição.

Daniel se remexeu ao lado dela, observando Luce com o canto do olho, mas não interrompeu.

— Qual é a sua condição? — ribombou a voz do Trono, notavelmente nada acostumado a negociações.

— Que Vós leveis os Párias de volta ao seio do Céu — disse ela, antes de sua confiança fraquejar. — Demonstraram ser dignos. Se havia espaço suficiente para me aceitar novamente no Prado, existe espaço suficiente para eles.

O Trono olhou para os Párias, que estavam em silêncio e brilhavam com luz fraca.

— Isso não é nada ortodoxo, mas, no fundo, é um pedido livre de egoísmo. Assim seja. — Devagar, ela estendeu um dos braços. — Párias, deem um passo à frente se desejam entrar mais uma vez no Céu.

Os quatro Párias caminharam e se colocaram diante do Trono, com mais propósito do que Luce já vira neles. Então, com um único aceno de cabeça, o Trono lhes restaurou as asas.

Elas aumentaram.

Espessaram-se.

A cor marrom esfarrapada drenou e se transformou em um branco brilhante.

E então os Párias sorriram. Luce nunca tinha visto nenhum Pária sorrir, mas eles estavam lindos.

Ao fim de sua metamorfose, os olhos dos Párias se arregalaram quando suas íris desabrocharam para a visão novamente. Agora eram mais uma vez capazes de enxergar.

Até mesmo Lúcifer parecia impressionado. Murmurou:

— Só Lucinda poderia ter feito isso.

— É um milagre! — Olianna abraçou o próprio corpo com as asas para admirá-las.

— É o que Ela faz — disse Luce.

Os Párias retomaram suas antigas posições de adoração ao redor do Trono.

— Sim. — O Trono fechou os olhos para aceitar a adoração deles. — Acredito que assim foi melhor no fim das contas.

Finalmente, o Trono ergueu o cetro e apontou-o para Luce e Daniel.

— Hora de se despedirem.

— Já? — Não tinha sido intenção de Luce deixar escapar tal palavra.

— Despeçam-se.

Os ex-Párias envolveram Luce com gratidão e abraços, abarcando a ela e Daniel. Quando se afastaram, Francesca e Steven vieram se colocar diante dos dois, de braços dados, lindos, sorrindo.

— Sempre soubemos que você conseguiria. — Steven deu uma piscadela para Luce. — Não é, Francesca?

Ela concordou:

— Foi difícil, mas você se provou uma das almas mais impressionantes que já tive o prazer de instruir. Você é um enigma, Luce. Continue assim.

Steven apertou a mão de Daniel e Francesca beijou as bochechas de ambos antes de se afastarem.

— Obrigada — disse Luce. — Vocês dois, se cuidem. E cuidem de Shelby e Miles também.

Os anjos estavam ao redor deles, a velha equipe que havia se formado na Sword & Cross e em centenas de outros lugares antes disso.

Ariane, Roland, Cam e Annabelle. Haviam salvado Luce mais vezes do que ela poderia contar.

— Isso é difícil. — Luce se lançou aos braços de Roland.

— Ah, qual é. Você já salvou o mundo. — Ele riu. — Agora vá salvar o seu relacionamento.

— Não dê ouvidos ao Dr. Phil! — disse Ariane com um gritinho. — Não nos abandone nunca! — Ela tentava rir, mas não estava dando certo. Lágrimas rebeldes corriam pelo seu rosto. Não as enxugou; apenas segurou firme a mão de Annabelle. — Certo, beleza, *vão*!

— Vamos pensar em vocês — disse Annabelle. — Sempre.

— Vamos pensar em vocês, também. — Luce precisava pensar que era verdade. Do contrário, se de fato iria se esquecer de *tudo aquilo*, não conseguiria suportar deixá-los.

Mas os anjos sorriram com tristeza, sabendo que ela precisava esquecê-los.

Então foi a vez de Cam, que estava de pé ao lado de Daniel. Os dois tinham as mãos pousadas nos ombros um do outro.

— Você conseguiu, irmão.

— Claro que sim. — Daniel tentava bancar o esnobe, mas aquilo denunciava seu amor. — Graças a você.

Cam segurou a mão de Luce. Seus olhos verdes estavam cintilantes, a primeira cor que saltou à vista dela no mundo sombrio e triste da Sword & Cross.

Ele inclinou a cabeça e engoliu em seco, pensando com cuidado no que dizer.

Abraçou-a, e, por um momento, ela achou que fosse beijá-la. O coração de Luce acelerou quando os lábios dele se aproximaram dos dela e depois pararam, sussurrando-lhe ao ouvido:

— Não deixe ele te mostrar o dedo da próxima vez.

— Você sabe que não vou deixar — riu ela.

— Ah, Daniel, uma mera sombra de um verdadeiro *bad boy*. — Ele pressionou a mão contra o coração e ergueu uma sobrancelha para ela. — Não deixe que ele a trate mal. Você merece o melhor que existe.

Pela primeira vez, ela não queria soltar a mão dele.

— O que você vai fazer?

— Quando se está arruinado, há muito o que escolher. Todas as possibilidades se abrem. — Ele olhou além dela para as nuvens distantes do deserto. — Vou desempenhar meu papel. Eu o conheço bem. Conheço o adeus.

Ele deu uma piscadela para Luce, assentiu pela última vez para Daniel, depois girou os ombros para trás, abriu suas tremendas asas douradas e sumiu no céu turbulento.

Todos observaram-no se afastar, até as asas de Cam virarem um brilho dourado distante. Quando Luce baixou o olhar, ele caiu sobre Lúcifer. A pele dele tinha aquele brilho adorável, mas seus olhos estavam glaciais. Ele nada disse, e parecia que teria sustentado o olhar dela eternamente se ela não tivesse desviado os olhos.

Havia feito o que pôde por ele. A dor de Lúcifer já não era mais problema dela.

A voz do Trono ribombou:

— Mais uma despedida.

Juntos, Luce e Daniel se viraram para agradecer ao Trono, mas assim que seus olhos pousaram sobre Ela, a figura grandiosa da mulher se incandesceu em glória branca abrasante e eles precisaram proteger os olhos.

O Trono agora estava indiscernível outra vez, uma reunião de luz brilhante demais para ser apreendida pelos anjos.

— Ei, vocês dois — zombou Ariane. — Acho que ela quis dizer para se despedirem um do outro.

— Oh! — disse Luce. Virou-se para Daniel, subitamente em pânico. — Agora? Precisamos...

Ele segurou a mão dela. As asas dele tocaram as de Luce. Beijou-lhe as bochechas.

— Estou com medo — sussurrou ela.

— O que eu disse a você?

Ela vasculhou o milhão de conversas que ela e Daniel já haviam tido — as boas, as tristes, as discussões. Uma delas se ergueu acima das nuvens da sua mente.

Ela estava tremendo.

— Que você sempre irá me encontrar.

— Sim. Sempre. Não importa o que aconteça.

— Daniel...

— Mal posso esperar para fazer de você o amor da minha vida mortal.

— Mas você não terá como me reconhecer. Não vai se lembrar. Tudo será diferente.

Ele enxugou uma lágrima dela com o polegar.

— E você acha que isso vai me impedir?

Ela fechou os olhos.

— Amo você demais para dizer adeus.

— Isso não é um adeus. — Ele lhe deu um último beijo angelical e abraçou-a com tanta força que ela pôde ouvir as batidas constantes do coração dele, sobrepondo-se às do dela. — É até breve. Até nos encontrarmos novamente.

VINTE

PERFEITOS ESTRANHOS

Dezessete Anos Depois

Luce segurou o cartão de entrada para o seu dormitório entre os dentes, virou o pescoço para inseri-lo na fechadura, aguardou o pequeno clique elétrico e abriu a porta com o quadril.

Suas mãos estavam lotadas de coisas. A cesta amarela de roupas para lavar estava abarrotada de peças, a maioria encolhera no primeiro ciclo de secadora longe de casa. Atirou as roupas na estreita cama de baixo do beliche, impressionada por haver encontrado um jeito de vestir tanta coisa diferente em tão pouco tempo. A semana de orientação aos novos alunos do Emerald College tinha passado em um borrão desconcertante.

Nora, sua companheira de quarto, a primeira pessoa fora da família de Luce a vê-la usando o aparelho ortodôntico noturno (mas tudo bem, porque Nora também tinha um), estava sentada ao peitoril, pintando as unhas e conversando ao telefone.

Ela estava sempre falando ao telefone e pintando as unhas. Tinha uma prateleira inteira dedicada a frascos de esmalte e já havia feito os pés de Luce duas vezes naquela única semana em que se conheciam.

— Estou dizendo, Luce não é assim. — Nora fez um aceno animado para Luce, que se recostou na cabeceira da cama, ouvindo a conversa. — Nunca beijou um cara. Certo, beijou uma vez... Lu, qual era mesmo o nomezinho daquele menino do acampamento de verão, aquele que você me contou que...

— Jeremy? — Luce torceu o nariz.

— *Jeremy*, mas foi tipo um jogo de verdade ou consequência ou algo assim. Brincadeira de criança. Então, sim...

— Nora — disse Luce. — Você precisa mesmo contar isso para... para seja lá quem está conversando com você?

— São só Jordan e Hailey. — Ela encarou Luce. — Estamos no viva voz. Dê tchauzinho!

Nora apontou para a janela do entardecer de outono. O dormitório delas era um lindo prédio de tijolinhos brancos em formato de U com um pequeno pátio no meio onde todos ficavam o tempo todo. Mas não era para lá que Nora estava apontando. Diretamente em frente à janela do terceiro andar do quarto de Nora e Luce havia outra janela. A vidraça estava levantada, pernas bronzeadas se balançavam por ela, e os braços de duas garotas apareceram, acenando.

— Oi, Luce! — gritou uma delas.

Jordan, a loira fogosa de Atlanta, e Hailey, mignon e sempre risonha, com cabelo preto espesso que caía em cascatas escuras ao redor do rosto. Elas pareciam gente fina, mas por que estavam conversando sobre os garotos que Luce não tinha beijado?

Ah, a faculdade era um lugar tão estranho.

Antes de Luce ter percorrido os três mil quilômetros de carro com seus pais até a Emerald College, uma semana antes, podia contar nos dedos as vezes em que havia saído do Texas: uma vez para viajar com a família até Piles Peak no Colorado, duas vezes para competições de natação regionais no Tennessee e em Oklahoma (no segundo ano ela bateu o próprio recorde no nado livre e levou para casa uma fita azul), e as visitas anuais de fim de ano para a casa dos avós em Baltimore.

Mudar-se para Connecticut para cursar a faculdade era algo *imenso* para Luce. A maioria de seus amigos da escola Plano Senior High iria estudar em faculdades texanas, mas Luce sempre tivera a sensação de que havia algo à sua espera no mundo, que ela precisava sair de casa para encontrar.

Seus pais lhe deram apoio — principalmente quando conseguiu aquela bolsa parcial por causa do seu nado borboleta. Enfiou a vida inteira dentro de uma mala vermelha de lona e encheu algumas caixas com objetos de valor sentimental dos quais não conseguia se livrar: o peso de papel da Estátua da Liberdade que o pai tinha lhe trazido de lembrança de Nova York; uma foto da mãe com um corte de cabelo ruim quando ela era da idade de Luce; o porquinho de pelúcia que a fazia se lembrar do cão da família, Mozart. O tecido do banco de trás do jipe surrado estava em frangalhos e cheirava a picolés de cereja, e isso foi confortador para Luce, assim como a visão da parte de trás da cabeça dos pais quando o pai dirigiu dentro do limite de velocidade durante quatro longos dias pela Costa Leste, parando de quando em quando para ler marcos históricos e fazer uma excursão por uma fábrica de pretzels a noroeste de Delaware.

Houve um momento em que Luce pensou em recuar. Já estavam a dois dias na estrada, em algum lugar da Geórgia, e o "atalho" do pai ao sair do hotel onde estavam hospedados para pegar a autoestrada os levou para mais longe no litoral, a estrada cheia de cascalho e o ar fedendo por causa da grama malcheirosa. Eles estavam a mais ou menos um terço do caminho e Luce já sentia saudades da casa onde havia crescido. Sentia saudades do seu cachorro, da cozinha onde a mãe assava pãezinhos e do modo como, no verão anterior, os roseirais do pai cresceram ao redor da sua janela, enchendo o quarto dela com um aroma suave e a promessa de buquês recém-colhidos.

333

E foi então que Luce e seus pais passaram por uma trilha comprida e sinuosa com um portão alto e sinistro que parecia eletrificado, como uma prisão. Uma placa do lado de fora dizia em letras fortes em negrito: *Reformatório Sword & Cross.*

— Ah, isso é meio agourento — comentou a mãe de Luce lá do banco da frente, desviando os olhos da revista de decoração. — Que bom que você não vai para essa escola, Luce!

— É — concordou a menina —, que bom mesmo. — Ela se virou e observou pela janela de trás do carro até os portões sumirem no meio da floresta. Então, antes que se desse conta, já estavam atravessando a fronteira da Carolina do Sul, aproximando-se ainda mais de Connecticut e de sua nova vida na Emerald College a cada volta dos pneus novos do jipe.

E então ela estava ali, no dormitório, e seus pais já voltavam para o Texas. Luce não queria que a mãe se preocupasse, mas a verdade era que estava sentindo saudades desesperadoras de casa.

Nora era ótima; a questão não era essa. Elas fizeram amizade assim que Luce colocou o pé no quarto e viu a nova companheira colando com fita adesiva um pôster de Albert Finney e Audrey Hepburn em *Um caminho para dois.* A ligação se fortaleceu quando tentaram fazer pipoca na cozinha caindo aos pedaços do dormitório às duas da manhã daquela primeira noite, mas só conseguiram disparar o alarme de incêndio, fazendo todo mundo sair dos quartos de pijama. Durante toda a semana de orientação, Nora fizera de tudo para incluir Luce em cada um de seus inúmeros planos. Já havia estudado em uma escola preparatória chique antes de ir para a Emerald, portanto chegou à faculdade com uma vivência do que era o cotidiano em um dormitório. Não lhe parecia esquisito que houvesse garotos no quarto ao lado, que a estação de rádio on-line do campus fosse a *única* forma aceitável de se ouvir música, que você tivesse de passar um cartão magnético para fazer qualquer coisa por ali e que os trabalhos de fim de curso precisassem ter o colossal tamanho de quatro páginas.

Além dos muitos amigos da Dover Prep, Nora parecia fazer mais 12 amizades todos os dias, como Jordan e Hailey, que ainda estavam balançando as pernas e acenando da janela. Luce queria acompanhar aquele ritmo, mas havia passado a vida inteira em um canto remoto do Texas onde nada acontecia e as coisas andavam muito mais devagar. Agora percebia que preferia a vida assim. Ela se viu sentindo falta de coisas que sempre dizia odiar em casa, como música country e frango frito no palito vendido em posto de gasolina.

Porém, fora estudar ali tão longe para se descobrir, para que a vida pudesse finalmente começar. Não parava de dizer isso a si mesma.

— Jordan estava me contando que o vizinho de porta dela achou você bonitinha. — Nora deu um puxão no cabelo escuro de Luce, que batia na cintura. — Mas ele é um safado, por isso fiz questão de deixar bem claro que você, querida, é uma dama. Quer ir até lá daqui a uns minutinhos para um esquenta antes daquela festa que vai rolar hoje?

— Claro. — Luce abriu o refrigerante que havia comprado na máquina de perto da lavanderia cheia de sabão em pó.

— Achei que você ia me trazer uma diet.

— E trouxe. — Luce enfiou a mão dentro da cesta de lavanderia para apanhar a lata que havia comprado para Nora. — Nossa, desculpe, devo ter esquecido lá embaixo. Vou correr para pegá-la. Volto daqui a pouco.

— *Pas de prob* — disse Nora, praticando o seu francês. — Mas rápido. Hailey disse que tem uma infiltração do time de futebol no lado delas do corredor. Jogadores de futebol são iguais a festas bacanas. É melhor a gente não demorar muito para dar as caras. — E então ela disse ao telefone: — Preciso desligar. Não, vou usar a camisa preta. Luce vai de amarelo... ou você vai mudar de roupa? Enfim...

Luce fez um gesto para Nora dizendo que voltaria dali a pouco e saiu do quarto. Desceu os degraus da escada de dois em dois, percorrendo os pisos sinuosos do dormitório até se ver no tapete marrom desgastado da entrada do porão, que todo mundo no campus chamava de Fosso, um termo que fazia Luce se lembrar de castelos.

Na janela que dava para o pátio, Luce parou. Um carro cheio de garotos estava parado na trilha circular do dormitório. Quando eles saíram, rindo e dando empurrões uns nos outros, viu que estavam com camisetas do time de futebol da Emerald. Reconheceu um deles. Era muito fofo: loiro, sorriso branco enorme, aparência típica de cara que estudou em escola preparatória (algo que ela reconhecia agora, depois de Nora desenhar um diagrama outro dia durante o almoço). Ela nunca havia conversado com Max, nem quando eles foram parar no mesmo time durante uma caça ao tesouro pelo campus. Mas quem sabe, se ele fosse à festa naquela noite...

Todos os meninos que estavam saindo do carro eram muito lindos, o que, para Luce, equivalia a intimidadores. Não gostava da ideia de ser a única menina tímida no quarto de Jordan e Hailey, lá em cima.

Mas gostava da ideia de estar na festa. O que mais podia fazer? Esconder-se porque estava nervosa? Não, com certeza ela iria à festa.

Correu o último lance de escadas até chegar ao porão. Agora o sol estava quase se pondo, portanto a lavanderia estava praticamente vazia, o que lhe dava um ar solitário. O fim do dia era quando as pessoas usavam as roupas que tinham lavado e secado. Só havia uma menina com meias malucas listradas que iam até a coxa e que estava esfregando como uma doida uma mancha de um par de jeans *tie dye*, como se todas as futuras esperanças e sonhos dependessem da remoção daquela nódoa. E um garoto, sentado em cima de uma secadora barulhenta e balançante, que atirava uma moeda para o alto e a apanhava com a palma da mão.

— Cara ou coroa? — perguntou ele quando ela entrou. Tinha rosto quadrado, cabelos ondulados cor de âmbar, grandes olhos azuis, e usava uma correntinha dourada ao pescoço.

— Cara. — Luce deu de ombros e soltou um risinho.

Ele atirou a moeda, apanhou-a e colocou-a na palma da mão. Luce viu que não era uma moeda de vinte e cinco centavos e sim uma moeda muito velha de tom dourado desgastado e letras desbotadas em outro idioma. O garoto levantou uma sobrancelha para ela.

336

— Você ganhou. Ainda não sei o quê, mas isso provavelmente depende de você.

Ela se virou, procurando o refrigerante diet que havia deixado ali. Então o viu, a cerca de dois centímetros do joelho direito do garoto.

— Essa latinha não é sua, é? — perguntou ela.

Ele não respondeu, apenas fitou-a com seus olhos azuis gélidos, que, agora percebia, sugeriam uma tristeza profunda que não parecia possível para alguém da idade dele.

— Eu a esqueci aqui. É para a minha amiga. Que divide o quarto comigo. Nora — explicou Luce, estendendo a mão para apanhá-la. O garoto era estranho, intenso. Ela começou a tagarelar. — Vejo você mais tarde.

— Mais uma vez? — perguntou ele.

Ela se virou quando chegou à porta. Ele estava se referindo ao jogo com a moeda.

— Ah. Cara.

Ele atirou a moeda para cima. A moeda pareceu pairar no ar. Ele a apanhou sem olhar, colocou-a na palma e abriu a mão.

— Ganhou de novo — cantarolou ele com uma voz estranhamente idêntica à de Hank Williams, um velho cantor favorito do pai de Luce.

No quarto, Luce atirou a bebida para Nora.

— Você já conheceu aquele menino estranho que fica atirando uma moeda para cima na lavanderia?

— Luce — piscou Nora. — Quando minha lingerie fica suja, compro lingerie nova. Tenho planos de conseguir aguentar as pontas até o Dia de Ação de Graças sem precisar lavar roupa. E aí, está pronta? Os caras do futebol estão esperando, torcendo para fazer gol. Nós somos o gol, mas precisamos lembrar os fofos de que eles não podem usar as mãos.

Ela segurou Luce pelo cotovelo e a guiou para fora do quarto.

— Agora, se você conhecer um garoto chamado Max, sugiro que o evite. Estudei com ele na Dover, e tenho certeza absoluta de que deve estar no time de futebol. Vai parecer fofo e charmoso, mas tem uma namorada na cidade dele que é a maior vaca da história. Bem, pelo menos ela acha que é a namorada dele... — Nora murmurou atrás da mão: — Ela foi recusada pela Emerald, e está amargurada até o talo por isso. Tem espiões plantados por toda parte.

— Saquei. — Luce riu, mas por dentro franziu o cenho. — Ficar longe de Max.

— Qual é o seu tipo de cara, aliás? Quero dizer, eu sei que você já superou o velho e desengonçado Jeremy.

— Nora. — Luce empurrou a amiga de leve. — Está proibida de lembrar esse cara o tempo todo. Aquilo foi uma conversa privada entre garotas que dividem o mesmo quarto. O que acontece de pijamas fica entre os pijamas.

— Tem toda razão. — Nora assentiu, levantando as mãos em sinal de rendição. — Algumas coisas são sagradas. Respeito isso. Certo. Se você tivesse de descrever o seu beijo dos sonhos em cinco palavras ou menos...

As duas caminhavam pela segunda ala do dormitório em formato de U. Num instante, virariam a esquina e se aproximariam do fim do corredor, chamado de Caboose, onde ficava o quarto de Jordan e Hailey. Luce se encostou na parede e suspirou.

— Não estou envergonhada por não ter, sabe, experiência — disse ela em voz baixa, pois aquelas paredes eram finas. — É só que... já teve a sensação de que *nada* aconteceu com você? Tipo, como se soubesse que tem um destino, mas tudo o que viu na sua vida até então não possui nada de excepcional? Quero que a minha vida seja diferente. Quero sentir que ela começou. Estou esperando por *aquele* beijo. Mas às vezes sinto como se pudesse esperar para sempre que nada iria mudar.

— Também tenho pressa. — Os olhos de Nora ficaram um pouco enevoados. — Sei do que está falando... mas pelo menos você tem um pouquinho de controle. Principalmente se andar comigo. Podemos fazer as coisas acontecerem. Nosso primeiro semestre mal começou, menina!

Nora estava ansiosa para chegar logo à festa, e Luce queria ir; queria mesmo. Mas ela estava falando daquela coisa indescritível que era maior do que simplesmente se divertir em uma festa. Estava falando de um destino sobre o qual tinha a sensação de ter tanto controle quanto em um resultado de cara ou coroa — era algo que estava e ao mesmo tempo não estava em suas mãos.

— Tá tudo bem com você? — Nora inclinou a cabeça para Luce. Um cacho ruivo curto caiu por cima do seu olho.

— Tá — assentiu Luce de modo casual. — Tô legal.

Elas foram à festa, que não passava de um monte de portas de quartos abertas e calouros entrando e saindo delas. Todos levavam copos de plástico repletos de um ponche superdoce que parecia se reabastecer automaticamente. Jordan discotecava do seu iPod, gritando "Issa!" de vez em quando. A música era boa. O seu vizinho de porta David Franklin pediu pizza, na qual Hailey deu uma incrementada, acrescentando orégano fresco do herbanário que trouxera de casa e instalara no canto do quarto perto da porta. Eram todos gente boa, e Luce ficou feliz por conhecê-los.

Luce conheceu vinte alunos em meia hora e a maioria era de garotos que se inclinavam para a frente e colocavam a mão na sua lombar quando ela se apresentava, como se não pudessem escutá-la direito, como se tocá-la tornasse sua voz mais clara. Ela se flagrou de olho para ver se encontrava o cara da moeda da lavanderia.

Três copos de ponche e dois pedaços de pizza de pepperoni com massa maravilhosamente fina depois, Luce havia sido apresentada a Max e passara os dez minutos seguintes tentando evitá-lo. Nora tinha razão: ele era lindo, mas muito paquerador para alguém com uma namorada em sua cidade. Ela e Nora estavam emboladas na cama de Jordan, sussurrando notas para todos os meninos dali, entre um risinho e outro, quando Luce decidiu que já tinha bebido um pouco demais daquele ponche misterioso. Deixou a festa e desceu as escadas, procurando ar fresco.

A noite estava fria e seca, nada parecida com as noites do Texas. Aquela brisa lhe refrescava a pele. Havia algumas estrelas no céu e algumas pessoas no pátio, mas ninguém que Luce conhecia, portanto ela se sentiu livre para sentar em um dos bancos de pedra entre dois arbustos de peônias. Eram suas flores preferidas. Encarara como um bom presságio quando viu que o terreno ao redor do dormitório estava repleto de peônias em flor, mesmo no fim de agosto. Tocou as pétalas profundamente curvas de um dos botões brancos e se inclinou para sentir seu cheiro suave.

— Oi.

Ela deu um pulo. Com o nariz enterrado na flor, não tinha visto o garoto se aproximar. Agora um par de tênis detonados estava bem na frente dela. Seus olhos subiram: jeans desbotados, camiseta preta, um cachecol vermelho fino amarrado de um jeito solto ao redor do pescoço. O coração dela se acelerou e não soube o motivo; não tinha nem visto o rosto do garoto — cabelos loiros curtos... lábios com aparência obscenamente macia... olhos tão lindos que Luce perdeu o fôlego.

— Desculpe — disse ele. — Não quis assustar você

De que cor mesmo eram os olhos dele?

— Não foi por isso que tomei um susto. Quero dizer... — A flor caiu da mão dela, três pétalas pousaram nos tênis do garoto.

Diga alguma coisa.

"Bem-me-quer. Mal-me-quer. Bem-me-quer"

Isso não!

Era fisicamente impossível dizer alguma coisa. Não apenas aquele cara era a coisa mais incrível que Luce já havia visto, como tinha se aproximado dela e se apresentado. O modo como a olhava fazia Luce sentir como se fosse a única pessoa no pátio. Como se fosse a única pessoa na face da Terra. E estava colocando tudo a perder.

Instintivamente, ela levou a mão ao colar — e descobriu que seu pescoço estava nu. Que estranho. Sempre usava o medalhão de prata que sua mãe tinha lhe dado em seu décimo oitavo aniversário. Era uma herança de família e trazia uma foto antiga da avó, que se parecia muito

340

com Luce, tirada exatamente quando ela conheceu o homem que se tornaria seu avô. Será que havia se esquecido de colocá-lo naquela manhã?

O garoto inclinou a cabeça numa espécie de sorriso.

Ah, não. Ela estivera encarando-o aquele tempo todo. Ele levantou a mão como se fosse lhe dar um pequeno aceno, mas não fez isso. Seus dedos pairaram no ar. E o coração dela começou a bater com força, porque de repente não teve a menor ideia do que aquele estranho iria fazer. Ele poderia fazer qualquer coisa. Um gesto simpático era apenas uma das possibilidades. Poderia lhe mostrar o dedo. Provavelmente merecia isso, por ter ficado encarando-o como uma maluca psicótica. Era ridículo. Estava sendo ridícula.

Ele acenou, como se dissesse: "Oi, você ainda está aí?"

— Meu nome é Daniel.

Quando ele sorriu, ela viu que seus olhos eram lindos, cinzentos com um leve toque de... seria violeta? Ah, meu Deus, ela ia se apaixonar por um cara de olhos roxos. O que Nora iria dizer?

— Luce — conseguiu por fim dizer. — Lucinda.

— Bacana. — Ele sorriu de novo. — Tipo Lucinda Williams, a cantora.

— Como você sabe disso? — Ninguém conhecia Lucinda Williams.
— Meus pais se conheceram num show da Lucinda Williams em Austin. Texas — acrescentou ela. — É daí que vem o meu nome.

— *Essence* é o meu disco preferido dela. Eu o escutei durante a metade do caminho até aqui, vindo da Califórnia. Texas, é? Está sendo difícil se acostumar com a Emerald?

— Choque cultural completo. — Ela teve a sensação de que era a coisa mais honesta que havia dito em toda aquela semana.

— Você vai se acostumar. Pelo menos eu me acostumei, depois de dois anos. — Ele estendeu o braço para tocar o ombro dela ao perceber a expressão de pânico de Luce. — Estou brincando. Você parece muito mais adaptável que eu. Na semana que vem, quando eu vir você de novo, já vai estar completamente em casa, usando um moletom com um E enorme estampado.

Ela estava olhando para a mão dele no próprio braço. Entretanto, mais do que isso, estava sentindo mil pequeninas explosões acontecendo dentro de si, como o final de um espetáculo de fogos de artifício nas comemorações do Dia da Independência. Ele riu e depois ela riu, e não soube o motivo.

— Você quer — ela não podia acreditar que iria dizer isso àquele garoto de classe alta da Califórnia, lindo como um modelo — sentar?

— Sim — disse ele na mesma hora. Depois, olhou para uma janela lá em cima onde as luzes estavam acesas e uma festa, acontecendo. — Você por acaso sabe onde está rolando uma festa do pessoal do time de futebol?

Luce apontou para cima, ligeiramente arrasada.

— Eu estava lá; é só subir as escadas.

— Não estava legal?

— Estava — respondeu ela. — Mas eu...

— Quis pegar um pouco de ar?

Ela fez que sim.

— Eu ia encontrar uma amiga. — Daniel deu de ombros e olhou para a janela, onde Nora estava flertando com alguém que não conseguiam distinguir. — Mas talvez já tenha encontrado.

Ele deu uma piscadela para Luce e ela ficou imaginando, horrorizada, se havia passado todo aquele tempo conversando com ele com pólen de flor no nariz. Não seria a primeira vez que fazia isso.

— Você está fazendo biologia celular neste trimestre? — perguntou ele.

— Nem pensar. Mal consegui sair viva dessa aula na escola. — Ela olhou para Daniel, para os olhos dele, que definitivamente tinham um tom violeta. Eles cintilaram quando ela disse:

— Por que está perguntando?

Daniel balançou a cabeça, como se estivesse pensando em uma coisa que não queria dizer em voz alta.

— É que... você parece familiar. Poderia jurar que já nos vimos antes.

EPÍLOGO

AS ESTRELAS NOS OLHOS DELES

— Eu adoro esta parte! — disse Ariane com um gritinho.

Três anjos e dois Nefilim estavam sentados na beirada de uma nuvem baixa cinzenta acima de um dormitório em forma de U no centro de Connecticut.

Roland sorriu para ela.

— Não me diga que já viu isto acontecer!?

As asas douradas marmorizadas dele estavam abertas e dispostas horizontalmente. Assim, Miles e Shelby podiam sentar-se sobre elas e permanecer no ar, como se as asas fossem um cobertor de piquenique num *drive thru* do céu.

Os Nefilim não viam aqueles anjos há mais de doze anos. Embora Roland, Ariane e Annabelle não exibissem nenhum sinal físico da passagem do tempo, os Nefilim haviam envelhecido. Usavam alianças, e as laterais dos seus olhos estavam marcadas pelas linhas de expressão do seu casamento feliz. Embaixo de seu boné de beisebol desbotado, o cabelo de Miles estava ligeiramente grisalho nas têmporas. A mão repousava sobre a barriga de Shelby, que estava saliente por causa de um bebê que nasceria no mês seguinte. Ela esfregou a cabeça como se tivesse escapado por pouco de uma concussão.

— Mas Luce não come pepperoni. Ela é vegetariana!

— Foi isso que chamou sua atenção nesta cena? — Annabelle revirou os olhos. — Luce está diferente agora. É a mesma garota, só que com detalhes diferentes. Não vê os Anunciadores, nem se consultou com todos os psiquiatras da Costa Leste. Está muito mais "normal", o que a entedia até as lágrimas, mas... — Então Annabelle sorriu. — Mas acho que, no longo prazo, ela vai ficar muito feliz.

— Esta pipoca está com gosto de queimado para vocês? — perguntou Miles, mastigando ruidosamente.

— Não coma isso aí — repreendeu Roland, tirando uma pipoca da mão de Miles. — Ariane tirou do lixo depois que Luce quase colocou fogo na cozinha do dormitório.

Miles começou a cuspir freneticamente, inclinando-se sobre a beirada das asas de Roland.

— Foi meu jeito de me conectar com Luce. — Ariane encolheu os ombros. — Mas tome, pegue amendoins.

— Não é estranho que a gente esteja assistindo aos dois como se fosse um filme? — perguntou Shelby. — A gente deveria imaginá-los como um romance, um poema, uma música. Às vezes me sinto oprimida ao ver o quanto o meio cinematográfico é redutor.

— Ei. Roland não *precisava* ter trazido você até aqui, Nefilim. Então não banque a intelectual, apenas assista. Veja. — Ariane bateu palmas. — Ele está completamente fissurado no cabelo dela. Aposto que vai para casa desenhá-lo. Esta noite mesmo. Que fooooofo!

— Ariane, você se saiu bem demais sendo a adolescente — disse Roland. — Quanto tempo mais vamos ter de ficar assistindo? Quero dizer, você não acha que eles já conquistaram um pouquinho de privacidade a esta altura?

❧ 344 ❧

— Ele tem razão — disse Ariane. — Temos outras coisas em nossa agenda celestial. Tipo... — O sorriso dela sumiu quando pareceu não conseguir pensar em nada.

— Então vocês se encontram com frequência? — perguntou Miles a Ariane, Annabelle e Roland. — Desde que Roland, vocês sabem...

— Claro que a gente vê Roland. — Annabelle sorriu para o anjo. — Porque ainda estamos insistindo com ele. Mesmo depois de todos esses anos. O Trono inventou o perdão, sabia?

Roland balançou a cabeça.

— Acho que a redenção divina para mim não está nos planos de curto prazo do Trono. Tudo é tão *branco* aqui em cima.

— Nunca se sabe — interrompeu Ariane. — Ela fica muito cabeça aberta às vezes. Dê uma passada para dar um oi. Lembre-se: foi por causa do Trono que Daniel e Luce estão juntos agora.

Roland ficou sério, olhando além da cena que se descortinava lá embaixo, para as nuvens distantes e escuras.

— O equilíbrio entre o Céu e o Inferno estava perfeito da última vez que verifiquei. Você não precisa que eu desequilibre a balança.

— Sempre existe pelo menos a esperança de que a gente possa se reunir de novo — disse Annabelle. — Luce e Daniel são um exemplo disso: nenhum castigo é eterno. Talvez nem o de Lúcifer.

— Alguém teve notícias de Cam? — perguntou Shelby. Por alguns instantes, as nuvens ficaram em silêncio. Então Shelby pigarreou e se virou para Miles. — Bem, falando em coisas que não são eternas... O turno da nossa babá está quase terminando. Ela nos cobrou hora extra semana passada, quando o jogo dos Dodgers teve prorrogação.

— Vocês querem ser avisados quando Luce e Daniel tiverem o primeiro encontro? — perguntou Annabelle.

Miles apontou para a Terra.

— Ei, mas não era para a gente deixar os dois em paz?

— Eu quero acompanhar! — disse Shelby. — Não escute o que ele diz. — E, para Miles: — Nem um pio.

Roland envolveu um Nefilim ao redor de cada asa e se preparou para levantar voo.

Então os anjos, o demônio e o Nefilim voaram até os confins distantes do céu, deixando por um momento um clarão brilhante de luz atrás deles enquanto, lá embaixo, Luce e Daniel se apaixonavam pela primeira — e última — vez.

Este livro foi composto na tipologia Classical Garamond BT,
em corpo 11/16,1, impresso em papel off-white,
no Sistema Cameron da Divisão Gráfica
da Distribuidora Record.